The A Movement

Table of contents of A

alert acceptance	appropriate designation
algebraic brevity	approving smile
alien splendor	approximately correct
all-pervading influence	aptly suggested
alluring idleness	arbitrarily imposed
alternating opinion	arch conspirator
altogether dissimilar	ardent protest
altruistic ideal	arrant trifling
amatory effusions	artful adaptation
amazing artifice	artificial suavity
ambitious project	artistic elegance
ambling pedestrian	artless candor
amiable solicitude	ascending supremacy
amicable arrangement	ascribed productiveness
ample culture	aspiring genius
analogous example	assembled arguments
analytical survey	assiduously cultivated
angelic softness	assumed humiliation
angry protestations	assuredly enshrined
anguished entreaty	astonishing facility
animated eloquence	astounding mistakes
annoying complications	astute observer
anomalous appearance	atoning sacrifice
answering response	atrocious expression
antagonistic views	attentive deference
antecedent facts	attenuated sound
anticipated attention	attested loyalty
antiquated prudery	attractive exordium
anxious misgiving	auspicious moment
apathetic greeting	austere charm
apocalyptic vision	authentic indications
apocryphal lodger	automatic termination
appalling difficulties	avaricious eyes
apparent significance	avenging fate
appointed function	average excellence
apposite illustration	awakened curiosity
appreciable relief	awful dejection
apprehensive dread	awkward dilemma
apprentice touch	axiomatic truth

A

abandoned hope 버려진 희망

"버려진 희망"이라는 주제를 움직임으로 표현하는 것은 매우 깊고 감정적인 경험을 요구한다. 여기서 "버려진 희망"을 몸짓으로 표현하는 다양한 방법으로는 절망의 표현으로 느린 동작과 정지된 자세로 시작한다. 무용수는 무대 위에서 천천히 움직이며 시작한다. 그의 발걸음은 무겁고, 팔과 다리는 마치 무거운 짐을 짊어진 듯 느리게 움직인다. 느린 동작은 시간이 멈춘 것처럼 절망의 무게를 전달한다. 정지된 자세는 고립감과 무력함을 강조하며, 희망이 사라진 상태의 깊은 절망감을 나타낸다.

희망의 상실은 급작스러운 움직임으로 반복하며 희망이 사라지는 순간, 무용수는 급격하고 예측할 수 없는 동작을 통해 그 상실감을 표현한다. 이 동작들은 불규칙적이고 혼란스러워 보일 수 있다. 빠르게 펼쳐지는 손짓과 갑작스러운 방향 전환은 희망의 상실로 인한 충격과 혼란을 상징하며, 무용수의 내면에서 일어나는 감정의 폭풍을 몸짓으로 드러낸다.

절망의 깊이는 몸의 무너짐으로 무용수는 무릎을 꿇거나 몸을 낮추며 절망의 깊이를 표현하고 몸이 무너지는 듯한 동작은 절망 속에서 느끼는 무기력함과 상실감을 나타낸다. 이 때의 움직임은 천천히 이어지며, 무용수는 마치 힘을 다 잃은 듯 바닥에 몸을 맡긴다. 이 동작은 희망이 완전히 사라진 상태에서의 절망감을 극적으로 보여준다.

마지막으로, 절망 속에서도 희망을 찾으려는 몸짓이 이어진다. 무용수는 천천히 몸을 일으키며 희망의 불씨를 찾으려는 듯한 동작을 한다. 손을 뻗어 무언가를 잡으려는 시도는, 다시 희망을 찾고자 하는 인간의 강한 의지를 상징한다. 이러한 움직임은 절망 속에서도 포기하지 않고, 다시 일어서려는 용기와 희망을 보여준다.

abated pride 약해진 자존심

"약해진 자존심"이라는 주제를 움직임으로 표현하는 것은 매우 세밀하고 섬세한 접근이 필요하다. 이 주제는 내면의 상처와 회복의 과정을 신체의 움직임을 통해 전달하는 데 중점을 둔다. 다음은 "약해진 자존심"을 표현하는 다양한 방법을 설명한 것이다.

상처받은 자존심은 구부러진 자세와 위축된 동작으로 표현하며 무용수는 몸을 구부리며 시작한다. 그의 어깨는 처져 있고, 시선은 바닥을 향하고 있다. 이 자세는 상처받은 자존심과 자신감의 결여를 나타낸다. 무용수의 움직임은 작고 위축된 느낌을 주며 발걸음은 조심스럽고, 팔의 움직임은 마치 자신의 몸을 보호하려는 듯이 가슴 쪽으로 모아진다. 자존심의 상실은 불안정한 움직임과 흔들리는 동작으로 표현한다. 무용수는 갑작스럽고 불규칙한 움직임을 통해 내면의 혼란을 드러내며 그의 발걸음은 흔들리고, 균형을 잡으려는 시도로 인해 동작은 더욱 불안정해진다. 팔은 이리저리 흔들리며, 몸 전체가 중심을 잃은 듯한 느낌을 준다. 이는 자존심을 잃었을 때의 혼란과 불안감을 상징하는 표현이다.

회복의 과정은 점진적인 변화로서 무용수는 천천히 몸을 펴고, 어깨를 펴며 자세를 바로잡는다. 시선은 바닥에서 점차 위로 향하고, 움직임은 점점 더 확실해지고 정확해진다. 발걸음은 이전보다 자신감 있게 나아가고, 팔의 움직임도 더 이상 몸을 감싸지 않고 공간을 자유롭게 활용한다. 이러한 동작은 변화의 자존심의 회복과 자신감의 회복을 상징한다. 다음으로 회복된 자존심을 확고하고 강한 동작으로 표현하며 무용수는 당당하게 무대의 중심을 차지하고, 큰 동작으로 공간을 가득 채운다. 그의 발걸음은 확고하고, 팔의 움직임은 힘차며 자신감이 넘친다. 이는 자존심을 회복하고 다시 강해진 자신을 나타내며, 무용수의 내면적인 승리를 상징한다.

"약해진 자존심"은 이렇게 다양한 움직임을 통해 상처받고 다시 회복하는 과정을 시각적으로 표현한다. 무용수의 몸짓 하나하나는 내면의 감정을 전달하며, 관객에게 깊은 공감을 불러일으킨다.

abbreviated visit 단축된 방문

"단축된 방문"이라는 주제를 움직임으로 표현하는 것은 일시적이고 긴박한 감정, 그리고 그로 인한 갈등과 아쉬움을 전달하는 데 중점을 둔다. 이 주제는 무용수의 신체적 표현을 통해 짧은 만남의 깊이와 그로 인한 여운을 극적으로 드러낼 수 있다.

시작의 긴장은 빠른 도착과 급한 동작으로 표현된다. 무용수는 무대에 빠르게 등장하여, 짧고 급한 동작으로 긴박함을 표현한다. 그의 발걸음은 서두르는 듯하고, 팔과 다리는 재빠르게 움직인다. 이 동작은 제한된 시간 내에 많은 것을 이루고자 하는 긴장감과 급박함을 표현하며 무용수의 시선은 계속해서 주변을 탐색하며, 짧은 시간 안에 모든 것을 파악하려는 듯한 모습을 보여준다.

만남의 순간은 짧고 강렬한 동작으로 표현하며 무용수는 상대와 마주하며, 짧은 시간 안에 깊은 감정을 나누려는 듯한 동작을 한다. 손을 맞잡거나, 포옹하는 등 감정이 담긴 몸짓이 주를 이룬다. 이 순간의 동작은 짧지만 강렬한 만남의 감정을 전달하며, 짧은 시간 속에서도 깊은 연결을 느끼게 한다.

이별의 아쉬움은 점차 느려지는 동작과 긴장된 자세로 표현되고 무용수는 서서히 몸을 뒤로 빼며, 상대와의 거리를 두기 시작한다. 그의 움직임은 점차 느려지고, 팔과 다리는 아쉬움과 미련을 담고 있다. 이 동작은 짧은 방문이 끝나감을 알리며, 이별의 순간을 더욱 강조한다. 무용수의 시선은 마지막 순간까지 상대를 향하고, 떨어져 가는 발걸음은 무거운 마음을 나타낸다.

마지막으로, 무용수는 무대를 떠나며 남겨진 여운을 표현한다. 그의 발걸음은 멈춰지고, 동작을 천천히 하며 점차 멀어지며 사라진다. 이 장면은 단축된 방문이 남긴 감정적 흔적을 보여준다. 무용수의 몸짓은 짧은 만남이었지만, 그 순간이 얼마나 깊은 영향을 주었는지를 시각적으로 전달한다.

abated pride 약해진 자존심

"약해진 자존심"이라는 주제를 움직임으로 표현하는 것은 매우 세밀하고 섬세한 접근이 필요하다. 이 주제는 내면의 상처와 회복의 과정을 신체의 움직임을 통해 전달하는 데 중점을 두고 다음은 "약해진 자존심"을 표현하는 다양한 방법을 설명한 것이다.

상처받은 자존심은 구부러진 자세와 위축된 동작으로 표현된다. 무용수는 몸을 구부리며 시작한다. 그의 어깨는 처져 있고, 시선은 바닥을 향해 있다. 이 자세는 상처받은 자존심과 자신감의 결여를 나타내기 때문에 무용수의 움직임은 작고 위축된 느낌을 준다. 발걸음은 조심스럽고, 팔의 움직임은 마치 자신의 몸을 보호하려는 듯이 가슴 쪽으로 모아진다.

자존심의 상실은 불안정한 움직임과 비틀리는 동작으로 표현되며 무용수는 갑작스럽고 불규칙한 움직임을 통해 내면의 혼란을 드러낸다. 그의 발걸음은 흔들리고, 균형을 잡으려는 시도로 인해 동작은 더욱 불안정해진다. 팔은 이리저리 흔들리며, 몸 전체가 중심을 잃은 듯한 느낌을 준다. 이는 자존심을 잃었을 때의 혼란과 불안감을 표현한 것이다.

다음 회복의 과정은 점진적인 변화로 표현된다. 무용수는 천천히 몸을 펴고, 어깨를 펴며 자세를 바로잡고 시선은 바닥에서 점차 위로 향하고, 움직임은 점점 더 확고해진다. 발걸음은 이전보다 자신감 있게 나아가고, 팔의 움직임도 더 이상 몸을 감싸지 않고 공간을 자유롭게 활용하는 이러한 움직임의 변화는 자존심의 회복과 자신감의 회복을 상징한다.

마지막으로, 회복된 자존심은 회복한 듯 강한 동작으로 표현된다. 무용수는 당당하게 무대의 중심을 차지하고, 큰 동작으로 공간을 가득 채운다. 그의 발걸음은 확고하고, 팔의 움직임은 강하고 힘차며 자신감이 넘친다. 이는 자존심을 회복하고 다시 강해진 자신을 나타내며, 무용수의 내면적인 승리를 상징한다.

abiding romance 변치 않는 사랑

"변치 않는 사랑"이라는 주제를 움직임으로 표현하는 것은 깊고 지속적인 애정과 헌신을 전달하는 데 중점을 둔다. 이 주제는 무용수의 신체적 표현을 통해 시간과 상황을 초월하는 사랑의 본질을 극적으로 드러낼 수 있다.

사랑의 시작은 부드러운 접촉과 우아한 동작으로 움직임을 하며 무용수는 무대에 천천히 등장하고, 부드럽고 우아한 동작으로 사랑의 시작을 표현한다. 그들의 발걸음은 가볍고, 팔과 다리는 유려하게 움직인다. 무용수들 간의 첫 만남은 섬세한 손끝의 접촉과 시선의 교환으로 이루어지며, 이 순간은 두 사람의 마음이 서로에게 끌리는 초기의 설렘을 나타낸다.

사랑의 깊이는 동기화된 동작과 조화로운 움직임으로 표현되며 두 무용수는 마치 하나의 몸인 듯, 완벽하게 동기화된 동작을 통해 사랑의 깊이를 보여준다. 그들의 발걸음은 함께 움직이고, 팔과 다리는 서로를 감싸며 조화롭게 움직인다. 이러한 움직임은 두 사람이 서로의 존재를 완전히 받아들이고, 함께하는 순간을 즐기는 모습을 표현한다.

사랑의 도전과 극복은 격렬한 동작과 긴장된 움직임으로 표현된다. 무용수들은 때로는 떨어져 나가고, 때로는 서로에게 다가가는 격렬한 동작을 통해 사랑이 마주하는 도전과 갈등을 나타낸다. 그들의 움직임은 긴장과 갈등을 표현하면서도, 결국 다시 서로를 향해 다가가는 모습을 보여준다. 이는 사랑이 겪는 어려움을 극복하고, 다시 서로에게로 돌아오는 과정을 보여준다.

변치 않는 사랑의 힘은 안정되고 확고한 동작으로 표현되고 마지막으로, 두 무용수는 무대의 중심에서 똑바로 선 자세로 서로를 바라본다. 그들의 움직임은 안정적이고, 발걸음은 안정감 있게 움직인다. 이 순간은 변치 않는 사랑의 힘과 헌신을 상징하며, 어떠한 상황에서도 흔들리지 않는 사랑의 본질을 드러낸다.

abject submission 비굴한 복종

"비굴한 복종"이라는 주제를 움직임으로 표현하는 것은 굴종과 자존감의 상실, 그리고 내면의 갈등을 신체적 표현을 통해 드러내는 데 중점을 둔다. 이 주제는 무용수의 몸짓을 통해 강압적인 상황에서 느끼는 무기력함과 굴욕감을 극적으로 전달할 수 있다.

굴종의 시작은 구부러진 자세와 위축된 동작으로 표현된다. 무용수는 무대에 구부러진 자세로 등장한다. 그의 어깨는 축 처져 있고, 시선은 바닥보다 더 몸의 안쪽을 향하고 있다. 이 동작은 자존감이 무너지고, 강압적인 힘에 의해 억눌린 상태를 표현한다. 무용수의 움직임은 위축되어 있으며, 발걸음은 조심스럽고, 팔과 다리는 마치 스스로를 보호하려는 듯이 몸 가까이 모아져 있다.

그 후 강압적인 상황은 거친 동작과 끌려가는 몸짓으로 표현되며 무용수는 보이지 않는 힘에 의해 끌려가듯 움직인다. 팔과 다리는 강제로 움직여지는 듯하며, 몸은 불안정하게 흔들린다. 이 동작은 외부의 강압적인 힘에 의해 자율성을 잃고 끌려가는 모습을 상징하고 무용수의 몸짓은 억압과 저항의 흔적을 담고 있다.

비굴함의 절정은 무릎을 꿇고 몸을 낮추는 동작으로 표현된다. 무용수는 더 무릎을 꿇고, 몸을 더욱 낮춘다. 이 자세는 완전한 굴종과 무기력함을 상징하며, 자존감의 완전한 상실을 나타낸다. 그의 팔은 무력하게 늘어지고, 시선은 완전히 바닥으로 떨어진다. 이 순간, 무용수의 몸짓은 굴욕감과 절망을 강렬하게 전달한다. 내면의 갈등과 작은 저항의 몸짓이 이어진다. 무용수는 천천히 몸을 일으키려 시도하지만, 다시 억눌리며 반복적으로 주저앉는다. 이 움직임은 굴종 속에서도 여전히 남아있는 저항의 의지를 나타난다. 무용수의 동작은 내면의 갈등과 고통을 표현하며, 관객에게 슬픈 이미지를 전달한다.

abject apology 비굴한 변명

"비굴한 변명"이라는 주제를 움직임으로 표현하는 것은 자존감의 상실과 무력함, 그리고 진정성이 결여된 사과의 복잡한 감정을 신체적 표현을 통해 드러내는 데 중점을 둔다. 이 주제는 무용수의 몸짓을 통해 진심이 결여된 사과와 그로 인한 내면의 갈등을 극적으로 전달할 수 있다.

변명의 시작은 위축된 자세와 불안한 동작으로 표현된다. 무용수는 무대에 등장하면서 몸을 작게 만들고, 시선을 피하며 시작한다. 그의 어깨는 축 처져 있고, 팔과 다리는 몸 가까이 모아져 있다. 이 동작은 자신감이 결여되고, 무언가 잘못을 변명하려는 듯한 불안감을 나타낸다. 무용수의 움직임은 작고 위축된 느낌을 준다.

거짓된 사과는 불안정한 몸짓과 이리저리 흔들리는 동작으로 표현된다. 무용수는 말로는 사과하지만, 그의 몸짓은 진정성이 결여된 채 떨린다. 팔과 다리는 어색하게 움직이고, 시선은 계속해서 주위를 탐색하며 피하려 한다. 이 동작은 진정한 반성 없이 형식적으로만 사과하는 모습을 상징한다.

비굴함의 절정은 무릎을 꿇고 고개를 숙이는 동작으로 표현된다. 무용수는 무릎을 꿇고, 머리를 깊이 숙인다. 이 자세는 자신의 잘못을 인정하지만, 진정성이 결여된 채로 강요된 사과를 나타낸다. 그의 몸은 굴종과 자존감 상실의 상태를 표현하며, 팔은 무력하게 늘어져 있다.

이때의 무용수의 내면과 움직임이 일치가 되어야 한다 표정에도 상실의 느낌을 주며 움직임에 몰입한다. 내면의 갈등과 후회는 반복적으로 주저앉는 동작으로 표현된다. 이 움직임은 내면 깊숙이 자리 잡은 갈등과 후회의 감정을 상징한다. 무용수의 몸짓은 불안과 무력함, 그리고 자신을 향한 실망감을 드러낸다. 마지막으로, 무용수는 무대의 가장자리에 서서 천천히 몸을 일으키려는 시도로 마무리된다. 그의 움직임은 느리고 조심스러우며, 작은 저항과 회복의 의지를 담고 있다. 이 동작은 비굴한 변명 속에서도 남아있는 자존감의 흔적을 상징한다. 이때 변명을 하는 것처럼 중얼거리며 움직임의 반경을 축소시켜 계속해서 회피하면서 어지럽게 돌아다닌다. 마치 억울함을 표현하는듯 관객에게 정면으로 연기를 포함하여 짧은 대사나 긴 중얼거림도 효과가 있다. 하지만 그래도 바뀌지 않는 상황을 결국 버티지 못함을 인식하며 깨닫는다.

abjured ambition 포기한 야심

"포기한 야심"이라는 주제를 움직임으로 표현하는 것은 야심을 버리는 과정과 그로 인한 내면의 갈등, 해방감을 신체적 표현을 통해 드러내는 데 중점을 둔다. 이 주제는 무용수의 몸짓을 통해 야심의 불꽃이 사라지고, 그로 인해 생기는 감정의 변화를 극적으로 전달할 수 있다. 야심의 시작은 강렬하고 자신감 넘치는 동작으로 표현된다. 무용수는 무대에 당당하게 등장하여, 큰 동작과 강한 몸짓으로 야심 찬 목표를 향한 열정을 나타낸다. 그의 발걸음은 활기차고, 팔과 다리는 힘차게 뻗어 있다. 이 동작은 목표를 향한 결단력과 의지를 상징하며, 무대 위의 모든 공간을 가득 채운다.

야심의 갈등은 혼란스러운 동작과 불안정한 움직임으로 표현된다. 무용수는 목표를 이루는 과정에서 겪는 내적 갈등과 압박을 드러내기 위해 불규칙하고 예측할 수 없는 움직임을 선보인다. 먼저 작은 움직임으로 복선을 나타내고 어찌할 줄 모르는 듯한 움직임을 하기 시작한다. 그의 몸은 이리저리 흔들리고, 팔과 다리는 주저하며 또 계속해서 방향과 위치를 바꾼다. 이 동작은 야심을 이루기 위해 겪는 어려움과 내적 갈등을 표현한다.

포기의 순간은 무릎을 꿇고 몸을 낮추는 동작으로 표현된다. 무용수는 서서히 무릎을 꿇고, 머리를 숙이며 자신의 야심을 포기하는 순간을 나타낸다. 그의 동작은 천천히 이어지며, 팔은 무력하게 옆으로 떨어진다. 이 자세는 야심을 버리는 과정에서 느끼는 체념과 상실감을 상징한다.

포기 후의 해방은 점차 펴지는 동작과 자유로운 움직임으로 표현된다. 무용수는 천천히 몸을 일으키며, 팔과 다리를 자유롭게 펼친다. 그의 움직임은 점차 가벼워지고, 몸은 자유롭게 공간을 활용한다. 이 동작은 야심을 버린 후 느끼는 해방감과 새로운 자유를 상징한다.

마지막으로, 무용수는 무대의 중심에서 평온한 자세로 서서 마무리한다. 그의 움직임은 안정적이고, 발걸음은 멈춰 있다. 이 순간은 포기한 야심 뒤에 찾아온 내적 평화를 나타낸다. 얼굴은 하늘을 바라보며 무언가 결심하듯이 혹은 포기한 듯이 감격에 차 있어 보이게 가슴을 확장시켜 표현한다.

able strategist 능력 있는 전략가

"능력 있는 전략가"라는 주제를 움직임으로 표현하는 것은 치밀한 계획과 강력한 리더십, 그리고 냉철한 판단력을 신체적 표현을 통해 드러내는 데 중점을 둔다. 이 주제는 무용수의 몸짓을 통해 전략가의 지성과 결단력을 극적으로 전달할 수 있다.

전략가의 서막은 결단력 있는 동작과 정확한 자세로 시작된다. 무용수는 무대에 당당하게 등장하여, 큰 동작과 확실한 자세로 전략가의 결단력을 표현한다. 그의 발걸음은 단호하고, 팔과 다리는 자신감 있게 뻗어 있다. 이 동작은 목표를 향한 전략가의 결단력과 강한 의지를 상징하며, 무대 위의 공간을 자신 있게 활용한다.

전략 수립은 정교한 손짓과 계획적인 움직임으로 표현된다. 무용수는 손을 이용해 정교한 손짓으로 전략을 구상하는 모습을 연출한다. 손가락은 마치 지도 위의 중요한 지점을 짚어가는 듯 움직이고, 팔은 계획을 설명하듯 부드럽게 펼쳐진다. 그의 발걸음은 신중하고, 동작은 계산된 듯 정교하게 이어진다. 이는 전략가의 치밀한 계획과 세부 사항에 대한 주의를 상징적으로 세밀하게 표현한다.

전술의 실행은 역동적인 움직임과 리더십으로 표현된다. 무용수는 강력한 리더십을 보여주기 위해 역동적인 움직임을 선보인다. 그는 무대 위에서 빠르고 힘찬 동작으로 다른 무용수들을 이끌며, 동작을 실행한다. 갈등과 도전은 긴장된 자세와 대치하는 움직임으로 표현된다. 무용수는 예기치 않은 갈등과 도전에 직면하며 긴장된 자세를 취한다.

그의 몸은 긴장감으로 가득 차 있으며, 팔과 다리는 대치하는 상대와의 갈등을 표현하 듯 격렬하게 움직인다. 이 동작은 전략가가 직면하는 위기와 그에 대한 대응을 상징하 며, 치열한 상황 속에서도 냉철하게 판단하는 모습을 보여준다.

승리와 안도는 확신에 찬 동작과 평온한 얼굴로 표현된다. 무용수는 전략의 성공을 상 징하는 확신에 찬 동작으로 마무리한다.

abnormal talents 비정상적인 재능

"비정상적인 재능"이라는 주제를 움직임으로 표현하는 것은 독특하고 예측 불가능한 능 력, 그리고 그로 인한 갈등과 성장을 신체적 표현을 통해 드러내는 데 중점을 둔다. 이 주제는 무용수의 독창적인 몸짓을 통해 비범한 재능이 주는 혼란과 발견의 과정을 극적 으로 전달할 수 있다.

비정상적인 재능의 발견은 불규칙하고 독특한 동작으로 표현된다. 무용수는 무대에 나 타나면서부터 평범하지 않은 움직임을 선보인다. 그의 몸짓은 일반적인 무용의 규칙을 벗어나 예측할 수 없는 동작으로 이어진다. 발걸음은 비틀거리거나, 팔과 다리는 예상치 못한 방향으로 움직인다. 이 동작은 무용수가 자신의 비정상적인 재능을 처음으로 발견 하고 탐구하는 과정을 나타낸다.

내면의 갈등은 급격한 변화와 불안정한 움직임으로 표현된다. 무용수는 자신의 독특한 재능으로 인해 겪는 내적 갈등을 불안정하고 급격한 동작으로 드러낸다. 그의 몸은 때 로는 빠르게, 때로는 갑작스럽게 움직이며, 자아와 재능 사이의 충돌을 나타낸다. 이 동 작은 무용수가 자신의 비정상적인 재능을 받아들이기 어려워하는 심리적 갈등을 상징한 다.

비정상적인 재능의 활용은 창의적이고 자유로운 움직임으로 표현된다. 무용수는 자신의 재능을 점차 받아들이며, 그것을 활용하기 시작한다. 그의 동작은 점점 더 창의적이고 자유로워지며, 무대 위에서 유려하게 펼쳐진다. 발걸음은 경쾌하고, 팔과 다리는 다양한 형태로 펼쳐지며 무대를 채운다. 이 동작은 무용수가 자신의 재능을 긍정적으로 활용하 고, 그것을 통해 새로운 가능성을 발견하는 과정을 나타낸다.

사회적 갈등과 도전은 긴장된 동작과 대립하는 몸짓으로 표현된다. 무용수는 자신의 재능이 사회적 규범과 충돌하는 상황을 긴장된 동작으로 나타낸다. 그의 몸은 다른 무용수들과 대립하며, 갈등의 순간을 격렬하게 표현한다. 이 동작은 무용수가 자신의 비정상적인 재능으로 인해 겪는 사회적 도전을 상징한다.

abominably perverse 끔찍하게 비뚤어진

"끔찍하게 비뚤어진"이라는 주제를 움직임으로 표현하는 것은 일그러진 사고방식과 태도의 왜곡, 그리고 그로 인한 갈등과 파괴를 신체적 표현을 통해 드러내는 데 중점을 둔다. 이 주제는 무용수의 강렬한 몸짓을 통해 비뚤어진 생각과 행동이 초래하는 혼란과 파괴를 극적으로 전달할 수 있다.

비뚤어진 사고방식의 시작은 불안정하고 왜곡된 동작으로 표현된다. 무용수는 무대에 등장하면서부터 비정상적이고 비틀린 움직임을 선보인다. 그의 몸짓은 일반적인 동작과는 다르게 비정상적으로 꼬여 있고, 발걸음은 불규칙적이다. 이 동작은 무용수가 비뚤어진 사고방식을 처음 드러내는 순간을 나타내며, 왜곡된 정신 상태임을 시각적으로 표현한다.

무용수는 자신의 왜곡된 사고방식으로 인해 겪는 내적 갈등을 격렬하고 혼란스러운 동작으로 드러낸다. 그의 몸은 갑작스럽게 방향을 바꾸거나, 불규칙하게 흔들리며, 심리적 혼란과 갈등을 나타낸다. 이 동작은 무용수가 자신의 비뚤어진 생각과 맞서 싸우는 과정을 상징한다. 내면의 갈등과 왜곡은 급격한 변화와 혼란스러운 움직임으로 강렬하지만 디테일 하게 표현한다.

비뚤어진 태도의 파괴력은 강렬하고 폭력적인 움직임으로 전환된다. 무용수는 주변의 다른 무용수들과 충돌하며, 그들의 동작을 방해하고 파괴적인 행동을 한다. 그의 몸짓은 강렬하고 폭력적이며, 공간을 장악하고 혼란을 초래한다. 이 동작은 비뚤어진 태도가 사회적 관계와 환경에 미치는 파괴적인 영향을 상징한다.

내면의 무너짐과 절망은 무력한 자세와 무너지는 동작으로 표현된다. 무용수는 자신의 비뚤어진 사고방식이 초래한 결과를 마주하며, 점차 무력해지고 무너진다. 그의 몸은 서서히 바닥으로 내려앉고, 팔과 다리는 힘을 잃고 축 늘어진다. 이 동작은 비뚤어진 태도가 초래한 내면의 절망과 무너짐을 나타낸다.

마지막으로, 비뚤어진 사고방식을 극복하고 재생을 향한 움직임이 이어진다. 무용수는 천천히 몸을 일으키며, 새로운 방향을 모색하는 움직임을 선보인다. 그의 동작은 점차 안정적이고 조화롭게 변하며, 내면의 혼란을 극복하고 재생을 향한 희망을 표현한다. 무용수의 시선은 다시 위로 향하고, 그의 발걸음은 확고해진다.

"끔찍하게 비뚤어진"은 이렇게 다양한 움직임을 통해 왜곡된 사고방식과 태도가 초래하는 혼란과 파괴를 시각적으로 표현한다. 무용수의 몸짓 하나하나는 비뚤어진 생각과 행동이 가져오는 갈등과 내면의 변화를 생생하게 전달하며, 관객에게 불쾌한 인상을 준다

abounding happiness 충만한 행복

"충만한 행복"이라는 주제를 움직임으로 표현하는 것은 넘치는 기쁨과 만족, 그리고 그로 인한 긍정적인 에너지를 신체적 표현을 통해 드러내는 데 중점을 둔다. 이 주제는 무용수의 밝고 활기찬 몸짓을 통해 행복이 가득한 순간의 감정과 분위기를 극적으로 전달할 수 있다.

행복의 시작은 부드럽고 유연한 동작으로 표현된다. 무용수는 무대에 등장하면서부터 밝고 활기찬 움직임을 선보인다. 그의 발걸음은 가볍고, 팔과 다리는 유연하게 움직인다. 이 동작은 무용수가 행복감을 처음 느끼는 순간을 나타내며, 가벼운 몸짓은 행복의 시작을 상징한다.

기쁨의 확산은 활기찬 동작과 경쾌한 움직임으로 표현된다. 무용수는 무대 위를 자유롭게 움직이며, 그의 몸짓은 점점 더 활기차고 경쾌해진다. 팔은 크게 펼쳐지고, 발걸음은 빠르고 경쾌하게 이어지는 것은 동작은 행복이 점차 확산되어 가는 과정을 나타내며, 무용수의 몸짓은 긍정적인 에너지를 방출한다.

행복의 절정은 역동적이고 힘찬 동작으로 표현되며 무용수는 무대의 중심에서 힘찬 점프와 회전 동작을 선보이며, 행복의 절정을 표현한다. 그의 움직임은 강렬하고 에너지로 가득 차 있으며, 관객에게 행복의 최고조를 전달한다. 이 순간, 무용수의 몸짓은 행복의

절정과 넘치는 기쁨을 상징한다.

그리고 마지막에는 지속되는 행복은 안정적이고 평온한 동작으로 표현된다. 무용수는 점차 동작을 느리고 안정된 형태로 마무리하며, 지속적인 행복의 상태를 유지한다. 그의 움직임은 평온하고 안정적이며, 행복이 일시적인 것이 아니라 지속적으로 표현될 수 있다. 무용수의 시선은 멀리 바라보며, 행복한 미래를 향한 희망을 나타낸다.

abridged statement 요약된 성명

"요약된 성명"이라는 주제를 움직임으로 표현하는 것은 간결하고 핵심적인 메시지를 전달하는 과정을 신체적 표현을 통해 드러내는 데 중점을 둔다. 이 주제는 무용수의 명확하고 절제된 몸짓을 통해 복잡한 내용을 간결하게 전달하는 순간의 긴장감과 집중력을 극적으로 전달할 수 있다.

요약의 시작은 명확하고 간결한 동작으로 표현된다. 무용수는 무대에 등장하면서부터 절제된 움직임을 선보인다. 이 동작은 무용수가 복잡한 정보를 간결하게 정리하려는 과정을 상징하며, 집중력과 명확함을 나타낸다.

핵심의 전달은 강렬하고 집중된 동작으로 표현된다. 무용수는 무대의 중심에서 짧고 강렬한 동작을 통해 핵심 메시지를 전달한다. 그의 몸짓은 단호하고 명확하며, 불필요한 움직임을 최소화하여 메시지의 본질을 강조한다. 이 동작은 요약된 성명의 핵심을 전달하는 순간의 중요성과 긴장감을 나타낸다.

반응과 수용은 유연한 동작으로 표현된다. 무용수는 메시지를 전달한 후, 관객의 반응을 수용하는 듯한 움직임을 선보인다. 그의 몸짓은 부드럽고 유연하게 변하며, 주변의 반응을 받아들이고 인식하는 과정을 나타낸다. 이 동작은 요약된 성명이 전달된 후, 그 메시지가 수용되고 이해되는 과정을 상징한다.

강조와 반복은 반복적인 동작으로 표현하며 무용수는 중요한 부분을 다시 한번 강조하기 위해, 반복적인 움직임을 통해 메시지를 더욱 강화한다. 그의 몸짓은 일정한 패턴을 따라 반복되며, 핵심 내용을 다시 한번 상기시킨다. 이 동작으로 요약된 성명의 중요한 부분을 관객에게 각인시키려는 노력을 나타낸다.

요약의 마무리는 안정적이고 결단력 있는 동작으로 마무리한다. 무용수는 요약된 성명의 전달을 마무리하며, 확고한 자세로 서서 결론을 짓는다. 그의 움직임은 안정적이고 결단력 있으며, 최종적인 메시지를 명확하게 전달한다. 이 동작은 요약된 성명의 완성을 상징하며, 관객에게 명확하고 표현력 있는 느낌을 준다.

abrogated law 폐지된 법률

"폐지된 법률"이라는 주제를 움직임으로 표현하는 것은 권위의 상실과 사회적 변화, 그리고 그로 인한 혼란과 새로운 질서를 신체적 표현을 통해 드러내는 데 중점을 둔다. 이 주제는 무용수의 강렬한 몸짓을 통해 법률이 폐지되면서 발생하는 다양한 감정과 상황을 극적으로 전달할 수 있다.

법률의 권위는 확고하고 정적인 동작으로 표현하며 무용수는 무대에 등장하여, 권위와 안정감을 상징하는 정적이고 단호한 자세를 취한다. 그의 발걸음은 정확하며, 팔과 다리는 움직임이 거의 없다. 이 동작은 법률이 아직 유효할 때의 권위와 질서를 나타낸다.

갑작스런 법률의 폐지는 갑작스럽고 혼란스러운 동작으로 표현되며 무용수는 기존의 안정적인 자세를 벗어나, 급격하고 불규칙한 움직임을 통해 법률의 폐지로 인한 혼란을 드러낸다. 그의 몸짓은 갑작스럽게 방향을 바꾸거나 흔들리며, 예기치 않은 변화에 대한 놀람과 불안감을 표현한다. 이 동작은 법률이 폐지되면서 발생하는 사회적 혼란과 불확실성을 상징한다.

혼란과 갈등은 격렬한 동작과 대립하는 움직임으로 표현하며 무용수는 다른 무용수들과 대치하며, 갈등과 충돌을 격렬한 몸짓으로 나타낸다. 그의 팔과 다리는 강하게 부딪히고, 몸은 긴장감으로 가득 차 있다. 이 동작은 법률의 폐지로 인해 발생하는 사회적 갈등과 대립을 상징하며, 혼란 속에서 새로운 질서를 찾으려는 노력을 나타낸다.

변화와 재조정은 유연한 동작과 조화로운 움직임으로 표현될 수 있도록 무용수는 점차 자신의 몸을 유연하게 변화시키며, 새로운 질서를 받아들이고 조화롭게 적응하는 모습을 보인다. 그의 움직임은 부드럽고 조화롭게 이어지며, 새로운 사회적 규범을 수용하는 과정을 나타낸다. 이 동작은 법률의 폐지 이후, 사회가 새로운 질서로 재조정되는 과정을 상징한다.

"폐지된 법률"은 이렇게 다양한 움직임을 통해 법률의 폐지와 그로 인한 사회적 변화, 갈등, 그리고 새로운 질서의 형성을 시각적으로 표현한다. 무용수의 몸짓 하나하나는 법률이 폐지되면서 발생하는 복잡한 감정과 상황을 생생하게 전달하며, 관객에게 깊은 메세지를 선사한다.

abrupt transition 갑작스러운 이동/전근/변화, 급격한 전환

"갑작스러운 이동/전근/변화"라는 주제를 움직임으로 표현하는 것은 예기치 않은 변화와 그로 인한 혼란, 적응의 과정을 신체적 표현을 통해 드러내는 데 중점을 둔다. 이 주제는 무용수의 급격한 몸짓을 통해 변화의 순간과 그로 인한 감정의 소용돌이를 극적으로 전달할 수 있다.

변화의 시작은 예기치 않은 동작으로 표현된다. 무용수는 무대에 등장하여, 갑작스럽고 불규칙한 움직임을 선보인다. 그의 걸음걸이는 안정부절 못하고, 팔과 다리는 예상치 못한 방향으로 움직인다. 이 동작은 무용수가 갑작스러운 변화를 맞닥뜨리는 순간의 충격과 혼란을 나타내며, 예측할 수 없는 상황에 대한 반응한다.

무용수는 갑작스러운 전환을 표현하기 위해 강렬하고 빠른 움직임을 사용하여 갑작스럽게 방향을 바꾸거나, 빠르게 이동하며 변화의 강도를 강해진다. 이 동작은 무용수가 변화의 충격을 받는 순간의 강렬한 감정을 나타낸다.

혼란과 적응은 불안정한 동작과 조심스러운 움직임으로 표현된다. 무용수는 변화에 적응하려고 노력하면서 차분한 동작을 선보인다. 그의 몸은 중심을 잃고 흔들리며, 팔과 다리는 조심스럽게 움직인다. 이 동작은 무용수가 새로운 상황에 적응하는 과정에서 겪는 혼란과 불안감을 표출한다.

적응과 재조정은 점진적이고 유연한 동작으로 표현된다고 무용수는 점차 자신의 움직임을 안정시키며, 유연하고 부드러워지며, 변화에 따른 몸의 구조의 재조정을 한다.

"갑작스러운 이동/전근/변화"는 이렇게 다양한 움직임을 통해 예기치 않은 변화와 그로 인한 혼란, 적응의 과정을 충격적인 움직임을 시각적으로 표현한다.

"절대적으로 변경할 수 없는"이라는 주제를 움직임으로 표현하는 것은 불가역적인 결정과 그로 인한 영속적인 결과를 신체적 표현을 통해 드러내는 데 중점을 둔다. 이 주제는 무용수의 단호하고 결정적인 몸짓을 통해 변경 불가능한 상황과 그로 인한 감정의 깊이를 극적으로 전달할 수 있다.

결정의 순간은 확고한 동작과 단호한 자세로 표현된다. 무용수는 무대에 등장하여, 강력하고 단호한 동작을 선보인다. 그의 발걸음은 결연하고, 팔과 다리는 확고하게 뻗어 있다. 이 동작은 무용수가 절대적으로 변경할 수 없는 결정을 내리는 순간의 중대함을 나타내며, 결정의 무게를 상징한다.

결정의 확립은 고정된 자세와 안정된 움직임으로 표현된다. 무용수는 한 자리에서 고정된 자세를 유지하며, 변화 없는 움직임을 선보인다. 그의 몸짓은 안정적이고 견고하며, 결정의 확립과 불변성을 나타낸다. 이 동작은 무용수가 내린 결정이 절대적으로 변경될 수 없음을 상징한다.

결정의 영향은 강렬하고 반복적인 동작으로 표현되며 무용수는 반복적인 움직임을 통해 결정의 지속적인 영향을 나타낸다. 그의 몸짓은 반복적이고 강렬하며, 결정의 결과가 계속해서 영향을 미치는 모습을 표현한다. 이 동작은 무용수가 내린 결정이 시간이 지나도 변하지 않는다는 것을 상징한다.

결정의 갈등은 내면의 갈등과 긴장된 움직임으로 바뀌고 무용수는 결정에 따른 내면의 갈등을 격렬한 동작으로 드러낸다. 그의 몸은 긴장감으로 가득 차 있고, 팔과 다리는 불안정하게 움직인다. 이 동작은 무용수가 변경할 수 없는 결정에 따른 심리적 갈등을 나타낸다.

결정의 수용은 점차적인 안정과 부드러운 동작으로 표현된다. 무용수는 결정의 불가역성을 받아들이며, 점차적으로 안정된 움직임을 선보인다. 그의 몸짓은 부드럽고 평온하게 변하며, 결정의 결과를 수용하는 과정을 나타낸다. 이 동작은 무용수가 내린 결정을 받아들이고, 그로 인한 결과를 수용하는 모습을 보여준다.

마지막으로, 결정의 영속성은 조화로운 동작과 평온한 마무리로 표현된다. 무용수는 무대의 중심에서 안정적이고 조화로운 동작을 선보이며, 결정의 영속성을 나타낸다. 그의 몸짓은 평온하고 균형 잡혀 있으며, 결국 변경할 수 없는 결정이 결국 조화롭게 자리잡았음을 상징한다. 무용수의 시선은 멀리 바라보며, 결정의 결과를 받아들이고 앞으로 나아가는 모습을 나타낸다.

absorbed reverie 몽상에 빠져 있는/젖어 있는

"몽상에 빠져 있는"이라는 주제를 움직임으로 표현하는 것은 꿈과 현실의 경계를 넘나들며, 상상 속에 깊이 빠져드는 과정을 신체적 표현을 통해 드러내는 데 중점을 둔다. 이 주제는 무용수의 부드럽고 흐르는 듯한 몸짓을 통해 몽상의 세계와 그로 인한 감정의 변화를 극적으로 전달할 수 있다.

몽상의 시작은 부드럽고 느린 동작으로 표현된다. 무용수는 무대에 천천히 등장하여, 꿈결 같은 움직임을 선보인다. 그의 발걸음은 가볍고, 팔과 다리는 유연하게 움직인다. 이 동작은 무용수가 몽상의 세계로 들어가는 순간의 설렘과 기대를 나타내며, 상상 속으로의 첫 발걸음을 상징한다.

점점 깊어지는 몽상은 더욱 유연하고 흐르는 듯한 움직임으로 표현된다. 무용수의 몸짓은 점차 자유로워지고, 움직임은 물결처럼 이어진다. 그의 팔과 다리는 공중을 가르며, 그의 시선은 먼 곳을 향한다. 이 동작은 무용수가 몽상의 세계에 깊이 빠져들며, 현실을 잊고 상상의 세계에 몰입하는 과정을 나타낸다.

몽상의 절정은 다채롭고 환상적인 동작으로 표현된다. 무용수는 공중을 날아오르는 듯한 점프와 회전 동작을 통해 몽상의 절정을 선보인다. 그의 움직임은 활기차고 경쾌하며, 상상의 세계가 현실처럼 생생하게 펼쳐진다. 이 동작은 무용수가 몽상의 세계에서 최고조의 기쁨과 자유를 느끼는 순간을 상징한다.

몽상의 깊이는 느리고 부드러운 동작으로 표현된다. 무용수는 다시 천천히 움직이며, 깊은 생각에 잠긴 모습을 보인다. 그의 몸짓은 차분하고 평온하며, 그의 시선은 내면을 향한다. 이 동작은 무용수가 몽상의 세계에서 자신의 내면을 탐구하며, 깊은 사색에 잠기는 과정을 나타내고 변화는 불규칙하고 예측할 수 없는 움직임으로 표현된다.

무용수는 갑작스러운 방향 전환과 빠른 움직임을 통해 몽상의 세계가 변화하는 모습을 나타낸다. 그의 몸짓은 때로는 격렬하고, 때로는 부드럽게 이어지며, 상상속에서 일어나는 다양한 변화와 사건을 상징한다.

몽상에서 깨어남은 서서히 안정되는 동작으로 표현된다. 무용수는 천천히 현실로 돌아오는 듯한 움직임을 선보인다. 그의 몸짓은 점차 안정적이고 균형 잡힌 형태로 변하며, 그의 시선은 다시 주변을 바라본다. 이 동작은 무용수가 몽상의 세계에서 깨어나 현실로 돌아오는 과정을 나타낸다.

몽상의 여운은 부드럽고 잔잔한 동작으로 표현된다. 무용수는 몽상의 여운을 느끼며, 천천히 무대를 가로지른다. 그의 움직임은 여전히 유연하고 부드러우며, 몽상의 세계에서 경험한 감정들이 남아 있음을 상징한다. 이 동작은 무용수가 몽상의 여운을 간직하며, 현실 속에서도 그 감정을 느끼는 모습을 나타낸다.

마지막으로, 현실과 몽상의 조화는 평온하고 안정된 동작으로 표현된다. 무용수는 무대의 중심에서 안정된 자세를 취하며, 현실과 몽상이 조화를 이루는 모습을 선보인다. 그의 몸짓은 균형 잡히고 평온하며, 그의 시선은 멀리 바라본다. 이 동작은 무용수가 몽상의 세계에서 얻은 깨달음을 현실 속에서 받아들이며, 두 세계가 조화를 이루는 과정을 상징한다.

"몽상에 빠져 있는"은 이렇게 다양한 움직임을 통해 꿈과 현실의 경계를 넘나드는 과정을 시각적으로 표현한다. 무용수의 몸짓 하나하나는 몽상의 시작, 절정, 변화, 그리고 현실과의 조화를 생생하게 전달하며, 관객에게 깊은 아름다운 기억을 남긴다.

abstemious diet 절식

"절식"이라는 주제를 움직임으로 표현하는 것은 자제와 절제, 그리고 그로 인한 내면의 갈등과 결단을 신체적 표현을 통해 드러내는 데 중점을 둔다. 이 주제는 무용수의 절제된 몸짓을 통해 절식의 과정과 그로 인한 감정의 변화를 극적으로 전달할 수 있다.

절식의 결심은 단호하고 결연한 동작으로 표현된다. 무용수는 무대에 등장하여, 단호한 발걸음과 강한 팔 동작을 선보인다. 그의 시선은 앞을 향해 있으며, 몸은 결의에 찬 자세를 유지한다. 이 동작은 무용수가 절식을 결심하는 순간의 강한 의지와 결단력이 필요하다.

절식의 과정은 절제된 움직임과 신중한 동작으로 표현된다. 무용수의 움직임은 조심스럽고, 그의 발걸음은 가볍지만 단단하다. 팔과 다리는 유연하게 움직이지만, 그 안에는 긴장감이 담겨 있다. 이 동작은 무용수가 절제의 과정을 겪으며, 스스로를 제어하는 모습을 나타낸다.

내면의 갈등은 불안정한 동작과 갑작스러운 움직임으로 표현된다. 무용수는 순간적으로 흔들리거나, 방향을 바꾸는 등 불안정한 동작을 선보인다. 그의 몸짓은 내면의 갈등과 유혹을 상징하며, 절식을 유지하려는 노력과 그로 인한 고민을 나타낸다.

절식의 유혹과 싸움은 격렬한 동작과 대립하는 움직임으로 표현된다. 무용수는 내면의 유혹과 맞서 싸우는 듯한 강렬한 움직임을 선보인다. 그의 몸은 긴장감으로 가득 차 있으며, 팔과 다리는 힘차게 움직인다. 이 동작은 무용수가 절식을 지속하기 위해 내면의 유혹과 싸우는 모습이다.

내면의 평정은 점차 안정되는 동작으로 표현된다. 무용수는 서서히 움직임을 가다듬으며, 내면의 평정을 되찾는다. 그의 몸짓은 점차 안정적이고 조화롭게 변하며, 절식을 통해 얻은 내면의 평화와 균형을 동작을 표현하고 무용수가 절식의 과정에서 스스로 를 다스리는 모습을 나타낸다. 결단의 유지와 지속은 반복적이고 규칙적인 동작으로 표현된다. 무용수는 반복적인 움직임을 통해 결단의 지속성을 강조한다. 그의 몸짓은 일정한 패턴을 따라 반복되며, 절식의 결단이 흔들림 없이 유지됨을 나타낸다. 이 동작은 무용수가 절식을 통해 얻은 결단력과 의지의 지속성을 상징한다.

절식의 성과는 확고하고 자랑스러운 동작으로 표현된다. 무용수는 당당하게 무대의 중심에 서서, 확고한 자세와 자랑스러운 몸짓을 선보인다. 그의 발걸음은 힘차고, 팔은 넓게 펼쳐져 있다. 이 동작은 무용수가 절식의 결단을 성공적으로 이루어 낸 성과이다.

마지막으로, 절식의 내면적 변화는 평온하고 균형 잡힌 동작으로 표현된다. 무용수는 무대의 중심에서 안정적이고 평온한 동작을 선보이며, 절식을 통해 얻은 내면의 변화를 나타낸다

. 그의 몸짓은 조화롭고 균형 잡혀 있으며, 절식을 통해 얻은 새로운 깨달음과 평화롭게 마무리한다.

"절식"은 이렇게 다양한 움직임을 통해 절제와 자제, 그리고 그로 인한 내면의 갈등과 변화를 시각적으로 표현한다. 무용수의 몸짓 하나하나는 절식의 과정과 그로 인한 감정의 변화를 생생하게 전달하며, 관객에게 깊은 공감을 남긴다.

abstract character 추상적인 성격/사람

"추상적인 성격/사람"이라는 주제를 움직임으로 표현하는 것은 명확하게 정의되지 않는 성격과 복잡한 내면의 감정을 신체적 표현을 통해 드러내는 데 중점을 둔다. 이 주제는 무용수의 유동적이고 다면적인 몸짓을 통해 추상적이고 모호한 성격의 특성을 극적으로 전달할 수 있어야 한다.

추상적인 성격의 시작은 유연하고 변덕스러운 동작으로 표현되고 무용수는 무대에 등장 다양한 방향으로 뻗어진다. 이 동작은 무용수가 명확하게 정의되지 않는 성격을 지닌 사람의 복잡한 내면을 나타내며, 관객에게 처음부터 불확실성과 모호함을 전달한다.

여기서 내면의 복잡함은 서로 상반되는 움직임으로 표현된다. 무용수는 동시에 여러 방향으로 팔과 다리를 움직이며, 상반되는 감정을 나타낸다. 그의 몸짓은 갈등과 모순을 상징하며, 하나의 성격 안에 다양한 감정과 생각이 공존하는 모습을 보여준다. 이 동작은 추상적인 성격의 다면성을 강조한다.

정체성의 탐색은 느리고 신중한 동작으로 표현된다. 무용수는 자신의 정체성을 찾기 위해 천천히 움직인다. 그의 발걸음은 신중하고, 팔과 다리는 자신을 탐색하듯 부드럽게 움직인다. 이 동작은 무용수가 자신의 내면을 깊이 들여다보며, 추상적인 성격의 본질을 이해하려는 과정을 상징한다.

혼란과 불확실성은 불규칙한 움직임과 갑작스러운 동작으로 표현된다. 무용수는 순간적으로 방향을 바꾸거나, 예기치 않은 동작을 통해 혼란과 불확실성을 드러낸다. 그의 몸짓은 급격하고 불안정하며, 추상적인 성격의 혼란스러운 내면을 나타낸다. 이 동작은 무용수가 자신의 정체성을 찾는 과정에서 겪는 혼란을 상징한다. 일시적인 안정은 조화로운 동작과 균형 잡힌 움직임으로 표현된다. 무용수는 잠시 동안 자신의 내면에서 일시적인 안정과 조화를 찾는다. 그의 몸짓은 균형 잡히고 조화로우며, 잠깐의 평온을 나타낸다. 이 동작은 무용수가 추상적인 성격의 일부를 이해하고 받아들이는 순간을 인정한다. 다시 찾아오는 혼란은 반복적인 동작과 변덕스러운 움직임으로 표현된다.

무용수는 다시 혼란에 빠져, 변덕스러운 움직임을 반복한다. 그의 몸짓은 다시 불규칙하고 예측할 수 없으며, 추상적인 성격의 복잡성을 나타낸다. 이 동작은 무용수가 끊임없이 자신의 내면과 싸우는 과정을 나타낸다.

결국, 추상적인 성격의 수용은 부드럽고 유연한 동작으로 표현된다. 무용수는 자신의 추상적인 성격을 수용하며, 부드럽고 유연해진다. 그의 몸짓은 평온하고 자연스럽게 흐르며, 자신의 복잡한 내면을 받아들이고 조화를 이루는 모습을 보여준다. 이 동작은 무용수가 자신의 추상적인 성격을 완전히 받아들이고 평화를 찾는 과정을 그린다.

마지막으로, 추상적인 성격의 표현은 자유롭고 개방적인 동작으로 마무리된다. 무용수는 무대의 중심에서 자유롭고 개방적인 움직임을 선보이며, 자신의 추상적인 성격을 있는 그대로 표현한다. 그의 몸짓은 구속받지 않고, 자유롭게 흘러가며, 자신의 정체성을 찾아가는 여정을 상징한다. 이 동작은 무용수가 자신의 추상적인 성격을 자유롭게 표현하며, 그 안에서 완전한 자유를 찾는 모습을 나타낸다.

"추상적인 성격/사람"은 이렇게 다양한 움직임을 통해 복잡하고 모호한 성격의 특성을 시각적으로 표현한다. 무용수의 몸짓 하나하나는 추상적인 성격의 다면성과 복잡성을 생생하게 전달하며, 관객에게 인간의 본질에 대해 더 깊이 생각하게 해준다.

abstruse reasoning 난해한 추론

"난해한 추론"이라는 주제를 움직임으로 표현하는 것은 복잡하고 이해하기 어려운 사고 과정을 신체적 표현을 통해 드러내는 데 중점을 둔다. 이 주제는 무용수의 미묘하고 복잡한 몸짓을 통해 난해한 추론의 과정을 극적으로 전달할 수 있다.

추론의 시작은 신중하고 탐색적인 동작으로 표현된다. 무용수는 무대에 천천히 등장하여, 신중한 움직임을 선보인다. 그의 발걸음은 가볍고 조심스럽게 옮겨지며, 팔과 다리는 탐색하듯 주변을 더듬는다. 이 동작은 무용수가 난해한 추론의 첫 단계를 시작하는 순간의 주의 깊은 탐구를 나타낸다.

추론의 복잡성은 얽히고설킨 동작으로 표현된다. 무용수의 움직임은 점점 더 복잡해지며, 그의 팔과 다리는 서로 얽히고 꼬인다. 그의 몸은 다양한 방향으로 비틀리고, 예기치 않은 방향으로 움직인다. 이 동작은 무용수가 복잡하고 난해한 논리적 문제를 풀어나가는 과정을 상징하며, 추론의 복잡성을 강조한다.

무용수는 갑작스럽고 불규칙한 동작을 통해 내면의 갈등을 드러낸다. 그의 몸은 긴장감으로 가득 차 있으며, 움직임은 때로는 빠르고 때로는 느리게 이어진다. 이 동작은 무용수가 난해한 추론 속에서 겪는 심리적 갈등과 혼란을 나타낸다.

깊은 사고는 느리고 부드러운 동작으로 표현된다. 무용수는 서서히 움직이며, 깊은 생각에 잠긴 모습을 보인다. 그의 몸짓은 차분하고 평온하며, 그의 시선은 내면을 향한다. 이 동작은 무용수가 복잡한 논리적 문제를 깊이 탐구하며, 내면의 깊은 사고에 잠기는 과정을 보여준다.

논리적 연결은 유연한 동작과 조화로운 움직임으로 표현되며 무용수는 서로 다른 동작을 부드럽게 연결하며, 논리적 연결을 나타낸다. 그의 몸짓은 유연하고 조화롭게 이어지며, 복잡한 논리가 하나로 합쳐지는 모습이 생성된다. 이 동작은 무용수가 난해한 추론 속에서 논리적 연결을 발견하고, 그것을 조화롭게 통합하는 과정을 나타낸다.

결론의 도출은 강하고 견고한 동작으로 표현된다. 그의 발걸음은 단정하고, 팔과 다리는 확신에 차서 움직인다. 이 동작은 무용수가 난해한 추론을 통해 명확한 결론에 도달하는 순간의 내명의 성취감을 상징한다.

후속 사고는 반복적이고 규칙적인 동작으로 표현된다. 무용수는 반복적인 움직임을 통해 추론의 과정을 되새기며, 후속 사고를 이어간다. 그의 몸짓은 일정한 패턴을 따라 반복되며, 추론의 과정을 반추하고 강화하는 모습을 나타낸다. 이 동작은 무용수가 도출된 결론을 바탕으로 추가적인 사고를 이어가는 과정을 상징한다.

마지막으로, 난해한 추론의 여운은 평온하고 균형 잡힌 동작으로 마무리된다. 무용수는 무대의 중심에서 평온한 동작을 선보이며, 난해한 추론의 여운을 남긴다. 그의 몸짓은 균형 잡히고 안정적이며, 추론의 과정이 끝났음을 상기시킨다. 무용수의 시선은 멀리 바라보며, 새로운 문제에 도전할 준비가 되었음을 나타낸다.

"난해한 추론"은 이렇게 다양한 움직임을 통해 복잡하고 이해하기 어려운 사고 과정을 시각적으로 표현한다. 무용수의 몸짓 하나하나는 추론의 복잡성과 갈등, 그리고 결론에 도달하는 과정을 생생하게 전달하며, 관객에게 깊은 호기심을 남긴다.

absurdly dangerous 엄청나게 위험한

"엄청나게 위험한"이라는 주제를 움직임으로 표현하는 것은 극단적인 위험과 그로 인한 긴장감, 그리고 이를 극복하려는 노력을 신체적 표현을 통해 드러내는 데 중점을 둔다. 이 주제는 무용수의 강렬하고 예측할 수 없는 몸짓을 통해 엄청난 위험의 순간과 그로 인한 감정의 소용돌이를 극적으로 전달할 수 있다.

위험의 시작은 긴장감 있는 동작으로 표현되고 무용수는 무대에 등장하면서부터 긴장감이 가득한 움직임을 한다. 그의 발걸음은 조심스럽고, 팔과 다리는 신경이 곤두선 듯 예민하게 움직인다. 이 동작은 무용수가 위험을 처음으로 감지하는 순간의 경계를 부정하며, 관객에게 초긴장감이 전달된다.

위험의 접근은 불규칙하고 예측할 수 없는 동작으로 표현되고 무용수의 몸짓은 갑작스럽고 불규칙하게 변하며, 그의 걸음걸이는 몸을 지탱할 뿐 방향이 없어진다. 팔과 다리는 격렬하게 흔들리며, 이리저리 방향을 바꾸어진다. 이 동작은 무용수가 엄청난 위험이 가까워짐을 느끼고, 그로 인해 혼란스러워하는 모습을 나타낸다.

위험의 절정은 강렬하고 폭발적인 동작으로 표현된다. 무용수는 극단적인 위험에 직면한 순간을 강렬한 움직임으로 표현한다. 그의 몸은 빠르고 강하게 움직이며, 점프와 회전을 통해 위험의 절정을 나타낸다. 이 동작은 무용수가 위험 속에서 극도로 긴장하고, 모든 에너지를 쏟아내는 순간을 상징한다.

위험 속에서의 갈등은 대립하는 동작과 불안정한 자세로 표현된다. 무용수는 위험과 맞서 싸우는 듯한 강렬한 움직임을 선보인다. 그의 팔과 다리는 격렬하게 움직이며, 몸은 긴장감으로 가득 차 있다. 이 동작은 무용수가 위험에 저항하고, 그 속에서 생존하려는

노력을 나타낸다. 위험의 회피는 빠르고 민첩한 동작으로 표현된다. 무용수는 위험을 피하기 위해 민첩

하게 움직인다. 그의 몸은 빠르게 이동하며, 팔과 다리는 위험을 피하려는 듯이 빠르게 움직인다. 이 동작은 무용수가 엄청난 위험을 피하기 위해 최선을 다하는 모습을 상징한다.

위험을 넘어서며 오는 해방감은 자유롭고 확장된 동작으로 표현된다. 무용수는 위험을 극복한 후, 자유롭고 확장된 동작을 통해 해방감을 나타낸다. 그의 발걸음은 가벼워지고, 팔과 다리는 날개처럼 넓게 펼쳐진다. 이 동작은 무용수가 엄청난 위험을 극복한 후의 해방감을 상징한다.

위험의 기억은 잔잔하고 깊이 있는 동작으로 나타내고 무용수는 위험을 극복한 후에도 남아 있는 기억과 감정을 움직임으로 잔잔하게 표현한다. 그의 움직임은 느리고 깊이 있으며, 그 속에서 위험의 기억을 떠올린다. 이 동작은 무용수가 위험을 경험한 후에도 그 영향을 계속해서 느끼는 모습을 나타낸다.

마지막으로, 위험에서의 성장과 결단은 안정적이고 결단력 있는 동작으로 마무리된다. 무용수는 무대의 중심에서 확고한 자세로 서서, 위험 속에서 성장하고 결단을 내린 모습을 표현한다. 그의 몸짓은 안정적이고 결단력 있으며, 위험을 극복한 후의 성장을 상징한다. 무용수의 시선은 멀리 바라보며, 앞으로의 도전을 준비하는 모습을 나타낸다.

"엄청나게 위험한"은 이렇게 다양한 움직임을 통해 극단적인 위험과 그로 인한 긴장감, 그리고 이를 극복하는 과정을 시각적으로 표현한다. 무용수의 몸짓 하나하나는 위험의 시작, 절정, 극복, 그리고 그 후의 성장을 생생하게 전달하며, 관객에게 깊은 인상을 남긴다.

abundant opportunity 풍부한 기회

"풍부한 기회"라는 주제를 움직임으로 표현하는 것은 다양한 가능성과 잠재력, 그리고 그로 인한 희망과 활력을 신체적 표현을 통해 드러내는 데 중점을 둔다. 이 주제는 무용수의 활기차고 다채로운 몸짓을 통해 기회가 가득한 순간과 그로 인한 감정의 고조를

극적으로 전달할 수 있다.

기회의 시작은 활기차고 희망에 찬 동작으로 표현된다. 무용수는 무대에 밝고 경쾌하게 등장하며, 그의 발걸음은 가볍고 에너지로 가득 차 있다. 팔과 다리는 자유롭게 움직이며, 그의 시선은 멀리 앞을 향한다. 이 동작은 무용수가 새로운 기회를 발견하고, 그 가능성에 가슴이 설레는 순간을 나타낸다.

기회의 다양성은 다채롭고 변화무쌍한 동작으로 표현된다. 무용수의 움직임은 다방면으로 펼쳐지며, 팔과 다리는 다양한 방향으로 뻗는다. 그의 몸짓은 빠르고 유연하게 변하며, 무대 위를 자유롭게 누빈다. 이 동작은 무용수가 다양한 기회를 탐색하며, 그 속에서 여러 가능성을 발견한다.

기회의 풍부함은 확장된 동작과 넓은 공간 활용으로 표현되며 무용수는 넓게 팔을 벌리고, 발걸음은 크게 내딛으며 무대의 모든 공간을 활용한다. 그의 움직임은 크고 확장적이며, 무대 전체를 가득 채운다. 이 동작은 무용수가 풍부한 기회를 최대한으로 활용하고, 그 속에서 무한한 가능성을 느끼는 순간을 나타낸다.

기회에 대한 도전과 성장은 역동적이고 강렬한 동작으로 표현된다. 무용수는 기회를 잡기 위해 강렬하고 힘찬 움직임을 선보인다. 그의 몸은 빠르게 회전하고, 높이 뛰어오르며, 팔과 다리는 강한 에너지를 뿜어낸다. 이 동작은 무용수가 기회를 잡기 위해 적극적으로 도전하고, 그 과정에서 성장하는 모습이다.

기회의 실현은 부드럽고 조화로운 동작으로 표현된다. 무용수는 기회를 통해 성취를 이루며, 부드럽고 조화로운 움직임을 선보인다. 그의 몸짓은 유연하고 자연스럽게 이어지며, 성취의 기쁨과 만족을 나타낸다. 이 동작은 무용수가 기회를 통해 자신의 잠재력을 실현하고, 그로 인해 만족과 성취를 느끼는 순간을 나타낸다.

기회의 공유는 협력적인 동작과 상호작용으로 표현된다. 무용수는 다른 무용수들과 함께 춤을 추며, 기회를 공유하는 모습을 보여준다. 그들의 움직임은 조화롭고 상호작용하며, 함께하는 기쁨을 나타낸다. 이 동작은 무용수가 기회를 통해 다른 사람들과 협력하고, 그 속에서 새로운 가능성을 발견하는 과정을 상징한다.

기회로 인한 희망은 밝고 경쾌한 움직임으로 무용수는 기회를 통해 얻은 희망과 활력을 밝고 경쾌함을 나타낸다. 그의 몸짓은 가볍고 활기차며, 시선은 멀리 앞을 향한다. 이 동작은 무용수가 기회를 통해 얻은 희망과 긍정적인 에너지를 상승시킨다.

마지막으로, 기회의 영속성은 안정적이고 평온한 동작으로 마무리된다. 무용수는 무대의 중심에서 안정적이고 평온한 자세를 취하며, 기회의 지속성을 나타낸다. 그의 움직임은 균형 잡히고 안정적이며, 앞으로도 계속해서 기회가 이어질 것임을 제시한다. 무용수의 시선은 멀리 바라보며, 앞으로의 가능성을 기대하는 모습을 나타낸다.

"풍부한 기회"는 이렇게 다양한 움직임을 통해 다양한 가능성과 잠재력, 그리고 그로 인한 희망과 활력을 시각적으로 표현한다. 무용수의 몸짓 하나하나는 기회의 시작, 다양성, 실현, 공유, 그리고 지속성을 생생하게 전달하며, 관객에게 희망적인 인상을 남긴다.

abusive epithet 모욕적인 욕설

"모욕적인 욕설"이라는 주제를 움직임으로 표현하는 것은 언어적 폭력의 충격과 그로 인한 내면의 상처, 그리고 이를 극복하려는 과정을 신체적 표현을 통해 드러내는 데 중점을 둔다. 이 주제는 무용수의 강렬하고 표현적인 몸짓을 통해 모욕적인 욕설이 주는 감정의 소용돌이를 극적으로 전달할 수 있다.

모욕의 순간은 강력하고 날카로운 동작으로 표현된다. 무용수는 무대에 등장하여, 갑작스럽고 날카로운 움직임을 선보인다. 그의 발걸음은 불안정하고, 팔과 다리기 예민하게 뻣뻣해 진다. 이 동작은 무용수가 모욕적인 욕설을 처음으로 듣는 순간의 충격과 고통을 나타내며, 언어적 폭력의 충격을 상기시킨다.

내면의 상처는 위축된 자세와 위축된 움직임으로 표현되고 무용수는 몸을 작게 만들고, 팔과 다리를 자신을 보호하듯이 감싼다. 그의 시선은 초점이 없으며, 몸 전체는 긴장감으로 가득 차 있다. 이 동작은 무용수가 욕설로 인해 받은 상처와 내면의 위축을 나타내고 표현하는 것이다.

혼란과 고통은 불규칙한 동작과 격렬한 움직임으로 반복해서 더 강하게 표현된다. 무용수는 갑작스럽고 불규칙한 움직임을 통해 내면의 혼란과 고통을 짐심으로 드러낸다. 그의 몸은 이리저리 흔들리고, 팔과 다리는 격렬하게 움직인다. 이 동작은 무용수가 욕설로 인한 심리적 갈등과 고통을 표현한다.

반격과 저항은 강한 동작과 대립하는 움직임으로 표현된다. 무용수는 내면의 상처와 맞서 싸우며, 강렬하고 대립적인 동작을 선보인다. 그의 팔과 다리는 힘차게 뻗어지고, 몸은 강한 에너지로 가득 차 있다. 이 동작은 무용수가 욕설에 저항하고, 이를 극복하려는 의지를 나타낸다.

내면의 치유는 느리고 부드러운 동작으로 표현된다. 무용수는 서서히 몸을 펴고, 부드러운 움직임을 통해 내면의 상처를 치유하는 모습을 보인다. 그의 몸짓은 차분하고 평온하며, 팔과 다리는 힘이 하나도 없다. 이 동작은 무용수가 욕설로 인한 상처를 치유하고, 내면의 평화를 되찾는 과정에 포함된다. 회복과 성장은 점진적이고 안정된 동작으로 표현된다.

무용수는 점차적으로 더 안정되고 강해지며, 균형 잡힌 움직임을 선보인다. 그의 몸은 안정적이고, 발걸음은 정확하다. 이 동작은 무용수가 욕설로 인한 상처를 극복하고, 그 경험을 통해 성장하는 모습을 상징한다.

공감과 이해는 조화로운 동작과 상호작용으로 표현된다. 무용수는 다른 무용수들과 함께 춤을 추며, 상호작용을 통해 공감과 이해를 나타낸다. 그들의 움직임은 조화롭고 상호작용하며, 서로의 감정을 나누는 모습을 보여준다. 이 동작은 무용수가 자신의 경험을 다른 사람들과 나누고, 공감을 통해 치유를 찾는 과정을 나타낸다.

마지막으로, 내면의 강함은 확고하고 자랑스러운 동작으로 마무리된다. 무용수는 무대의 중심에서 당당하게 서서, 확고한 자세와 자신감 있는 몸짓으로 움직인다. 그의 발걸음은 강하고, 팔은 반경은 넓게 펼쳐져 있다. 이 동작은 무용수가 모욕적인 욕설을 극복하고, 그 경험을 통해 더 강해진 내면의 성장을 표현했다.

"모욕적인 욕설"은 이렇게 다양한 움직임을 통해 언어적 폭력의 충격과 그로 인한 내면의 상처, 그리고 이를 극복하는 과정을 시각적으로 표현한다. 무용수의 몸짓 하나하나는 모욕의 순간, 상처, 저항, 치유, 그리고 성장을 생생하게 전달하며, 관객에게 격려의 박수를 받을 수 있다.

"깊이 사과하는"이라는 주제를 움직임으로 표현하는 것은 진정한 후회와 용서를 구하는 마음, 그리고 그로 인한 내면의 변화와 해방을 신체적 표현을 통해 드러내는 데 중점을 둔다. 이 주제는 무용수의 진실하고 표현적인 몸짓을 통해 깊은 사과의 감정과 그로 인한 감정의 변화를 극적으로 전달할 수 있다.

사과의 시작은 무거운 동작과 낮은 자세로 표현되며 무용수는 무대에 천천히 등장하여, 몸을 낮추고 무겁게 움직인다. 그의 발걸음은 거의 움직이지 않으며, 팔과 다리는 몸 가까이에 붙어 있다. 이 동작은 무용수가 깊은 후회와 죄책감을 느끼는 순간을 느끼며, 진심 어린 사과의 하는 마음의 움직임 시작을 나타낸다.

내면의 갈등은 불안정한 동작과 긴장된 움직임으로 표현되지만 무용수는 내면의 갈등을 격렬한 동작으로 드러낸다. 그의 몸은 긴장감으로 가득 차 있다. 이 동작은 무용수가 사과를 결심하기까지 겪는 심리적 갈등과 고민을 나타낸다.

또한 진심 어린 사과는 부드럽고 유연한 동작으로 표현된다. 무용수는 상대방에게 다가가며, 부드러운 손짓과 유연한 몸짓으로 사과의 마음을 전달한다. 그의 시선은 낮추어져 있고, 몸 전체는 상대방에게 열린 자세를 취한다. 이 동작은 무용수가 깊이 사과하는 순간의 진정성을 나타낸다. 용서를 구하는 과정은 절실한 동작과 간절한 몸짓으로 표현된다. 무용수는 두 손을 내밀고, 간절한 몸짓으로 용서를 구한다. 그의 발걸음은 다가가며, 팔과 다리는 상대방에게 다가가려는 듯이 움직인다. 이 동작은 무용수가 용서를 구하는 절실한 마음을 나타낸다.

사과의 수용은 조화로운 동작과 상호작용으로 표현된다. 무용수는 상대방의 반응을 받아들이며, 조화로운 움직임을 선보인다. 그의 몸짓은 상대방과의 상호작용을 통해 부드럽게 이어지며, 용서를 받는 순간을 나타낸다. 이 동작은 사과가 수용되고 용서가 이루어지는 과정을 표현한다.

내면의 해방은 확장된 동작과 자유로운 움직임으로 표현되고 무용수는 사과가 수용된 후, 자유롭고 확장된 동작을 통해 내면의 해방감을 나타낸다. 그의 발걸음은 가볍고, 팔과 다리는 자유롭다. 이 동작은 무용수가 진심 어린 사과를 통해 내면의 평화를 되찾는 순간을 상징한다.

사과 이후의 성장은 강하고 안정된 동작으로 표현된다. 무용수는 사과 이후의 성장을 강한 몸짓으로 나타내며. 그의 몸은 안정적이고 균형 잡혀 있으며, 발걸음은 온화하다. 이 동작은 무용수가 사과를 통해 내면적으로 성장하고 강해진 모습을 상징한다.

마지막으로, 사과의 여운은 평온하고 잔잔한 동작으로 마무리된다. 무용수는 무대의 중심에서 평온한 동작을 선보이며, 사과의 여운을 남긴다. 그의 몸짓은 부드럽고 잔잔하며, 깊은 사과의 감정을 담고 있다. 이 동작은 무용수가 진심 어린 사과를 통해 얻은 평화와 성찰을 나타낸다.

"깊이 사과하는"은 이렇게 다양한 움직임을 통해 진정한 후회와 용서를 구하는 과정을 시각적으로 표현한다. 무용수의 몸짓 하나하나는 사과의 시작, 갈등, 진정성, 용서, 해방, 성장, 그리고 여운을 생생하게 표현하여, 관객에게 깊은 감정의 변화를 전달한다.

academic rigor 학업의 엄격함

"학업의 엄격함"이라는 주제를 움직임으로 표현하는 것은 엄격한 규율과 끊임없는 노력, 그리고 그로 인한 성취와 압박을 신체적 표현을 통해 드러내는 데 중점을 둔다. 이 주제는 무용수의 강렬하고 규칙적인 몸짓을 통해 학업의 엄격함과 그 속에서 겪는 감정의 변화를 극적으로 전달할 수 있다.

학업은 정돈된 동작과 엄격한 자세로 시작되고 무용수는 무대에 당당하게 등장하여, 단호하고 규칙적인 움직임을 선보인다. 그의 발걸음은 정확하고, 팔과 다리는 일정한 리듬에 맞춰 움직인다. 이 동작은 무용수가 학업의 세계에 들어서는 순간의 긴장감과 결의를 나타낸다.

엄격한 학업의 과정은 반복적이고 규칙적인 동작으로 표현된다. 무용수는 끊임없이 반복되는 움직임을 통해 학업의 엄격함을 드러낸다. 그의 몸짓은 일정한 패턴을 따르며, 정확하고 일관되게 이어진다. 이 동작은 무용수가 학업에서 요구되는 규율과 반복적인 노력을 상징한다.

내면의 갈등과 압박은 불안정한 동작과 갑작스러운 움직임으로 표현된다. 무용수는 내면의 갈등과 압박을 격렬한 동작으로 드러낸다. 그의 몸은 긴장감으로 가득 차 있으며, 팔과 다리는 불안정하게 움직인다. 이 동작은 무용수가 학업의 엄격함 속에서 느끼는 심리적 부담과 갈등을 나타낸다.

심리적 갈증과의 싸움으로 끊임없는 노력과 집중은 집중된 동작과 강한 몸짓으로 표현된다. 무용수는 학업의 목표를 향해 끊임없이 노력하는 모습을 강렬한 움직임으로 나타낸다. 그의 몸은 집중력으로 가득 차 있으며, 움직임은 힘차고 결연하다. 이 동작은 무용수가 학업의 성취를 위해 끊임없이 노력하고 집중하는 모습을 상징한다.

성취의 순간은 확고하고 자랑스러운 동작으로 나타나고 무용수는 성취의 순간을 확고한 자세와 자랑스러운 몸짓으로 선보인다. 그의 발걸음은 강하고, 팔은 넓게 펼쳐져 있다. 이 동작은 무용수가 학업에서 성취를 이루는 순간의 기쁨과 자부심을 나타낸다.

성취 이후의 휴식과 회복은 부드럽고 유연한 동작으로 표현된다. 무용수는 성취 후의 휴식과 회복을 부드러운 움직임으로 나타낸다. 그의 몸짓은 차분하고 유연하며, 긴장이 풀린 모습을 보여준다. 이 동작은 무용수가 학업의 성취를 이루고 난 후, 휴식과 회복을 찾는 과정을 상징한다.

새로운 도전과 목표는 활기차고 역동적인 동작으로 표현하며 무용수는 새로운 학업의 도전을 향해 나아가며, 활기차고 역동적인 움직임을 선보인다. 그의 몸은 에너지로 가득 차 있으며, 움직임은 빠르고 힘차다. 이 동작은 무용수가 새로운 목표를 향해 나아가는 모습을 나타낸다.

마지막으로, 학업의 여운과 지속성은 평온하고 균형 잡힌 동작으로 마무리된다. 무용수는 무대의 중심에서 평온한 자세를 취하며, 학업의 여운과 지속성을 표현한다. 그의 몸짓은 균형 잡히고 안정적이며, 학업의 엄격함 속에서도 계속해서 성장해 나가는 모습을 상징한다. "학업의 엄격함"은 이렇게 다양한 움직임을 통해 엄격한 규율과 끊임없는 노력, 그리고 그로 인한 성취와 압박을 시각적으로 표현한다. 무용수의 몸짓 하나하나는 학업의 시작, 과정, 갈등, 성취, 회복, 도전, 그리고 지속성을 생생하게 전달하며, 관객에게 깊은 교훈을 남긴다

accelerated progress 가속화된 진전

"가속화된 진전"이라는 주제를 움직임으로 표현하는 것은 빠른 속도로 이루어지는 발전과 그로 인한 흥분, 도전, 그리고 성취를 신체적 표현을 통해 드러내는 데 중점을 둔다. 이 주제는 무용수의 역동적이고 빠른 몸짓을 통해 가속화된 진전의 과정을 극적으로 전달할 수 있다.

진전은 활기차고 빠른 동작으로 표현되며, 무용수는 무대에 신속하게 등장하여, 경쾌하고 빠른 움직임을 선보인다. 그의 발걸음은 가볍고 빠르며, 팔과 다리는 역동적으로 움직인다. 이 동작은 무용수가 새로운 시작을 맞이하며, 빠른 진전을 이루기 위한 첫 단계를 나타낸다.

가속화된 진전의 과정은 점점 빨라지는 동작으로 표현된다. 무용수의 움직임은 점차 빨라지고 강해지며, 그의 몸짓은 더욱 에너제틱하고 집중된다. 팔과 다리는 더 큰 폭으로 움직이며, 전체적인 속도와 힘이 증가한다. 이 동작은 무용수가 목표를 향해 빠르게 나아가는 과정을 상징한다.

내면의 흥분과 동력은 폭발적인 동작과 역동적인 움직임으로 함께 표현된다. 무용수는 내면의 흥분과 동력을 폭발적인 움직임으로 표현하고 그의 몸은 에너지로 가득 차 있으며, 빠르고 강렬한 움직임이 이어진다. 이 동작은 무용수가 가속화된 진전 속에서 느끼는 흥분과 최고조의 동력을 나타낸다.

도전과 극복은 규칙적인 동작과 힘찬 움직임으로 표현된다. 무용수는 진전 과정에서 맞닥뜨리는 도전을 규칙적이고 힘찬 동작으로 표현해낸다. 그의 몸은 때로는 방향을 바꾸고, 때로는 갑작스럽게 멈추거나 속도를 높인다. 이 동작은 무용수가 도전을 극복하며 가속화된 진전을 이루어 내는 모습이 나타난다.

진전의 성취는 확고하고 자랑스러운 동작으로 표현되며 무용수는 성취의 순간은 확고한 자세와 자랑스러운 몸짓으로 선보인다. 그의 발걸음은 강하고, 팔은 넓게 펼쳐져 있다. 이 동작은 무용수가 가속화된 진전의 결과로 성취를 이루는 순간의 기쁨과 자부심을 나타낸다.

지속적인 발전은 유연하고 조화로운 동작으로 표현된다. 무용수는 성취후에도 지속적으로 발전을 이루며, 유연하고 조화로운 움직임을 선보인다. 그의 몸짓은 부드럽고 자연스럽게 이어지며, 앞으로도 계속해서 발전해 나가는 과정을 상징한다. 이 동작은 무용수가 가속화된 진전을 통해 지속적으로 성장해 나가는 모습을 나타낸다.

새로운 목표와 도전은 활기차고 역동적인 동작으로 표현된다. 무용수는 새로운 목표를 향해 나아가며, 활기차고 역동적에게 움직인다. 그의 몸은 에너지로 가득 차 있으며, 움직임은 빠르고 힘차다. 이 동작은 무용수가 새로운 도전에 맞서 계속해서 나아가는 모습을 나타낸다.

마지막으로, 진전의 여운과 성장은 평온하고 균형 잡힌 동작으로 마무리된다. 무용수는 무대의 중심에서 평온한 자세를 취하며, 진전의 여운과 성장을 표현한다. 그의 몸짓은 균형 잡히고 안정적이며, 가속화된 진전의 과정에서 얻은 성장을 상징한다. 무용수의 시선은 멀리 바라보며, 앞으로의 가능성을 기대하는 모습을 나타낸다.

"가속화된 진전"은 이렇게 다양한 움직임을 통해 빠른 속도로 이루어지는 발전과 그로 인한 흥분, 도전, 그리고 성취를 시각적으로 표현한다. 무용수의 몸짓 하나하나는 진전의 시작, 과정, 도전, 성취, 지속, 그리고 새로운 도전을 생생하게 전달하며, 관객에게 목표가 있는 강한 의지의 이미지로 남는다.

accentuated playfulness 두드러진 장난기

"두드러진 장난기"라는 주제를 움직임으로 표현하는 것은 유쾌하고 경쾌한 에너지, 그리고 그로 인한 즐거움과 활력을 신체적 표현을 통해 드러내는 데 중점을 둔다. 이 주제는 무용수의 밝고 경쾌한 몸짓을 통해 두드러진 장난기의 순간과 그로 인한 감정의 변화를 극적으로 전달할 수 있다.

무용수는 무대에 경쾌하게 등장하여, 가벼운 발걸음과 빠른 움직임으로 시작을 알린다. 그의 발걸음은 리드미컬하고, 팔과 다리는 자유롭게 움직인다. 이 동작은 무용수가 장난기 넘치는 에너지를 발산하며, 시작부터 유쾌한 분위기를 조성한다.

장난의 발현은 유연하고 예측할 수 없는 동작으로 표현되며 무용수의 움직임은 유연하고 예측할 수 없게 즉각적이고, 그의 몸짓은 다양한 사방향으로 뻗어 나간다.

느리고, 때로는 빠르며, 팔과 다리는 공중을 가르며 움직이고 이 동작은 무용수가 장난기 넘치는 행동을 통해 주변을 놀라게 하고 즐겁게 만드는 모습을 나타난다.

상호작용과 반응은 상호작용적이고 동적인 동작으로 표현하고 무용수는 다른 무용수들과 상호작용하며, 장난기 넘치는 몸짓을 주고받는다. 그들의 움직임은 서로를 따라가고, 겹치고, 반응하면 전체적인 유쾌함을 증폭시킨다. 이 동작은 무용수들이 함께 장난을 치며, 그로 인해 생기는 즐거움 확장이 된다.

감정의 고조는 폭발적이고 활기찬 동작으로 무용수는 감정의 최고조에 달해 폭발적인 움직임을 선보인다. 그의 몸짓은 강렬하고 활기차며, 에너지가 넘쳐난다. 발걸음은 빠르고, 팔과 다리는 넓게 펼쳐진다. 이 동작은 무용수가 장난기 넘치는 순간의 절정을 나타내며, 즐거움과 활력을 더욱 더 극대화 시킨다.

무용수는 장난이 끝난 후에도 남아 있는 여운을 부드러운 움직임으로 표현한다. 그의 몸짓은 차분하고 유연하며, 발걸음은 가볍고 자연스럽게 이어진다. 이 동작은 무용수가 장난기 넘치는 순간을 지나 평온한 상태로 돌아가는 과정을 상징한다.

즐거움의 지속은 반복적이고 리드미컬한 동작으로 표현된다. 무용수는 즐거움을 계속해서 유지하기 위해 반복적으로 움직인다. 그의 몸짓은 일정한 패턴을 따라 반복되며, 전체적인 리듬감을 형성한다. 이 동작은 무용수가 장난기 넘치는 즐거움을 지속적으로 느끼고, 그것을 유지하려는 노력을 계속한다.

새로운 장난의 시작은 호기심과 탐색적인 동작으로 표현되었지만 무용수는 새로운 장난을 찾기 위해 호기심 가득한 움직임을 나타내고 그의 탐색적인 발걸음은 신중하게 이동하며, 팔과 다리는 새로운 가능성을 탐색했다. 이 동작은 무용수가 새로운 장난을 찾고, 그것을 통해 새로운 즐거움을 발견하는 과정을 나타내었다.

"두드러진 장난기"는 이렇게 다양한 움직임을 통해 유쾌하고 경쾌한 에너지, 그리고 그로 인한 즐거움과 활력을 시각적으로 표현한다. 무용수의 몸짓 하나하나는 장난기의 시작, 발현, 상호작용, 감정의 고조, 여운, 지속, 새로운 시작, 그리고 마무리를 생생하게 전달하며, 관객에게 활력을 주었다.

"용인된 빈약함"이라는 주제를 움직임으로 표현하는 것은 자신의 부족함을 받아들이고, 그로 인한 내면의 갈등과 평화를 신체적 표현을 통해 드러내는 데 중점을 둔다. 이 주제는 무용수의 섬세하고 표현적인 몸짓을 통해 부족함을 인정하고 수용하는 과정을 극적으로 전달할 수 있다.

무용수는 무대에 천천히 등장하여, 몸을 낮추고 작게 움직이고 그의 발걸음은 조심스럽고, 팔과 다리는 몸 가까이에 붙어 있다. 이 동작은 무용수가 자신의 부족함을 처음으로 인식하는 순간을 상징하며, 내면의 위축감을 나타낸다.

내면의 갈등은 불안정한 동작과 긴장된 움직임으로 표현된다. 무용수는 내면의 갈등을 격렬한 동작으로 드러나기도 하고 그의 몸은 긴장감으로 가득 차 있으며, 팔과 다리는 불안정하게 움직인다. 이 동작은 무용수가 자신의 빈약함을 인정하기까지 겪는 심리적 갈등과 고민을 나타낸다.

수용의 과정은 점진적이고 부드러운 동작으로 표현된다. 무용수는 서서히 몸을 펴고, 부드러운 움직임을 통해 자신의 빈약함을 수용하는 모습을 보인다. 그의 몸짓은 차분하고 평온하며, 팔과 다리는 유연하게 움직인다. 이 동작은 무용수가 자신의 부족함을 인정하고 받아들이는 과정을 상징한다.

빈약함의 인정은 확고한 동작과 단호한 자세로 표현된다. 무용수는 자신의 부족함을 인정한 후, 확고하고 단호한 동작을 선보인다. 그의 발걸음은 강하고, 팔과 다리는 확신에 차서 움직인다. 이 동작은 무용수가 자신의 빈약함을 수용한 후의 확신과 결단을 나타낸다.

내면의 평화는 조화로운 동작과 안정된 움직임은 무용수는 자신의 부족함을 수용한 후, 진정한 내면의 평화를 찾을 때 그의 몸짓은 조화롭고 안정적이며, 발걸음은 부드럽고 자연스럽게 이어진다. 이 동작은 무용수가 자신의 부족함을 받아들이고, 그로 인해 내면의 평화를 찾는 과정을 상징한다.

공감과 연대는 협력적인 동작과 상호작용으로 표현되며 무용수는 다른 무용수들과 함께 춤을 추며, 부족함을 서로 인정하고 수용하는 모습을 보여준다. 그들의 움직임은 조화롭고 상호작용하며, 서로의 부족함을 이해하고 연대하는 과정을 나타낸다. 이 동작은 무용수가 자신의 빈약함을 수용하고, 다른 사람들과 함께 성장하는 모습을 상상한다.

빈약함의 수용과 평화는 평온하고 안정된 동작으로 마무리되고 무용수는 무대의 중심에서 평온한 자세를 취하며, 자신의 부족함을 수용한 후의 평화를 표현한다. 그의 몸짓은 부드럽고 안정적이며, 내면의 평화를 간직한다. 무용수의 시선은 멀리 바라보며, 앞으로의 가능성을 기대하는 모습을 나타낸다.

"용인된 빈약함"은 이렇게 다양한 움직임을 통해 자신의 부족함을 받아들이고, 그로 인한 내면의 갈등과 평화를 시각적으로 표현한다. 무용수의 몸짓 하나하나는 빈약함의 시작, 갈등, 수용, 평화, 성장, 연대, 그리고 평화를 생생하게 전달하며, 관객에게 깊은 인상을 남긴다.

accessible pleasures 눈에 띄는 즐거움

"눈에 띄는 즐거움"이라는 주제를 움직임으로 표현하는 것은 쉽게 접근할 수 있는 즐거움과 그로 인한 기쁨, 그리고 그 즐거움을 나누는 과정을 신체적 표현을 통해 드러내는 데 중점을 둔다. 이 주제는 무용수의 밝고 활기찬 몸짓을 통해 쉽게 얻을 수 있는 즐거움의 순간과 그로 인한 감정의 변화를 극적으로 전달할 수 있다.

즐거움은 밝고 경쾌한 동작으로 표현되며 무용수는 무대에 가볍게 등장하여, 경쾌한 발걸음과 활기찬 움직임으로 시작한다. 그의 발걸음은 리드미컬하고, 팔과 다리는 자유롭게 움직인다. 이 동작은 무용수가 쉽게 접근할 수 있는 즐거움을 발견하는 순간의 설렘과 기대를 나타낸다.

즐거움의 확산은 유연하고 개방적인 동작으로 표현되고. 무용수의 움직임은 점점 더 유연하고 개방적으로 변하며, 그의 몸짓은 다양한 방향으로 펼쳐진다. 발걸음은 가볍고, 팔과 다리는 반경이 넓어진다. 이 동작은 무용수가 즐거움을 다른 사람들과 나누며, 그 즐거움이 확산되는 과정도 상징한다.

즐거움의 나눔은 상호작용 적인 동작으로 표현되며 무용수는 다른 무용수들과 함께 춤을 추며, 즐거움을 나누는 모습을 보여준다. 그들의 움직임은 조화롭고 상호작용하며,

서로의 즐거움을 공유하는 과정을 나타낸다. 이 동작은 무용수가 즐거움을 다른 사람들과 나누며, 그로 인해 더 큰 즐거움을 느끼는 모습을 나타낸다.

즐거움의 지속은 반복적이고 리드미컬한 동작으로 표현되고 무용수는 즐거움을 지속하기 위해 반복적인 움직임을 선보인다. 그의 춤은 일정한 리듬을 따르며, 반복되는 패턴 속에서 즐거움을 유지한다. 이 동작은 무용수가 쉽게 접근할 수 있는 즐거움을 지속적으로 느끼고, 그 속에서 행복을 찾는 과정이다.

내면의 평화는 부드럽고 조화로운 동작으로 표현되고 무용수는 즐거움이 내면의 평화로 이어지며, 부드럽고 조화로운 움직임으로 반영된다. 그의 몸짓은 차분하고 유연하며, 발걸음은 자연스럽게 이어진다. 이 동작은 무용수가 즐거움을 통해 내면의 평화를 찾는 모습을 나타낸다.

즐거움의 기억은 잔잔하고 깊이 있는 동작으로 표현된다. 무용수는 즐거움의 순간을 회상하며, 잔잔하고 깊게 움직인다. 그의 몸짓은 느리고 부드러우며, 발걸음은 조용하고 안정적이다. 이 동작은 무용수가 즐거움의 기억을 마음속에 간직하는 과정을 상징한다.

마지막으로, 즐거움의 여운은 평온하고 안정된 동작으로 마무리된다. 무용수는 무대의 중심에서 평온한 자세를 취하며, 즐거움의 여운을 남긴다. 그의 몸짓은 부드럽고 안정적이며, 내면의 평화와 만족을 나타내며 앞으로의 가능성을 기대하는 모습을 나타낸다.

"눈에 띄는 즐거움"은 이렇게 다양한 움직임을 통해 쉽게 접근할 수 있는 즐거움과 그로 인한 기쁨, 그리고 그 즐거움을 나누는 과정을 시각적으로 표현한다. 무용수의 몸짓 하나하나는 즐거움의 발견, 확산, 절정, 나눔, 지속, 평화, 기억, 그리고 여운을 생생하게 전달하며, 관객에게 즐거운 이미지를 선사한다.

accessory circumstances 부대/부차적인 사정

"부대/부차적인 사정"이라는 주제를 움직임으로 표현하는 것은 주된 사건이나 상황의 주변에서 일어나는 일들을 신체적 표현을 통해 드러내는 데 중점을 둔다. 이 주제는 무용수의 미묘하고 섬세한 몸짓을 통해 부차적인 사정이 어떻게 주요 사건에 영향을 미치고 그 속에서 발생하는 감정의 변화를 극적으로 전달할 수 있다.

부차적인 사정의 시작은 부드럽고 세심한 동작으로 표현된다. 무용수는 무대에 천천히 등장하여, 신중하고 섬세한 움직임을 선보인다. 그의 발걸음은 가볍고 조심스럽게 옮겨지며, 팔과 다리는 작은 범위 안에서 유연하게 움직인다. 이 동작은 무용수가 주요 사건의 주변에서 일어나는 부차적인 상황을 인식하는 순간을 나타낸다.

부차적인 상황의 전개는 유연하고 변덕스러운 동작으로 표현된다. 무용수의 움직임은 예측할 수 없이 변화하며, 그의 몸짓은 다양한 방향으로 뻗어 나간다. 발걸음은 때로는 빠르게, 때로는 느리게 이어지며, 팔과 다리는 다양한 형태로 움직인다. 이 동작은 무용수가 부차적인 사정의 영향을 받아 변화하는 상황을 상징한다.

상황의 갈등은 긴장된 동작과 대립적인 움직임으로 표현되고 무용수는 주요 사건과 부차적인 사정 사이의 갈등을 격렬한 동작으로 드러낸다. 그의 몸은 긴장감으로 가득 차 있으며, 팔과 다리는 대립하는 방향으로 움직인다. 이 동작은 무용수가 부차적인 사정으로 인해 겪는 내적 갈등과 외적 대립을 나타낸다.

부차적인 사정의 영향은 강렬하고 반복적인 동작으로 표현된다. 무용수는 부차적인 사정이 주요 사건에 미치는 영향을 반복적인 움직임으로 강조한다. 그의 몸짓은 일정한 패턴을 따르며, 반복적으로 주요 사건과 상호작용한다. 이 동작은 무용수가 부차적인 사정이 주요 사건에 지속적으로 영향을 미치는 과정을 표현한다.

상황의 해소는 부드럽고 조화로운 동작이 무용수의 갈등이 해소되고 상황이 안정되는 과정에서 부드러운 움직임으로 나타난다. 그의 몸짓은 유연하고 자연스럽게 이어지며, 긴장이 풀린 상태를 보여준다. 이 동작은 무용수가 부차적인 사정을 통해 주요 사건이 해결되는 모습을 나타낸다.

내면의 성찰은 차분하고 깊이 있는 동작으로 표현되며 무용수는 부차적인 사정이 남긴 영향을 되돌아보며, 깊이 있는 움직임을 선보인다. 그의 몸짓은 느리고 부드러우며, 발걸음은 차분하게 이어진다. 이 동작은 무용수가 부차적인 사정을 통해 얻은 내면의 성찰과 깨달음을 상징한다.

새로운 균형은 안정적이고 균형 잡힌 동작으로 표현된다. 무용수는 부차적인 사정을 수용하고 새로운 균형을 찾으며, 안정적이고 조화롭게 움직인다. 그의 모습은 균형이 잡히고 평온하며, 전체적인 안정을 나타낸다. 이 동작은 무용수가 부차적인 사정을 통해 새로운 균형을 찾는 모습을 상징한다.

마지막으로, 부차적인 사정의 여운은 평온하고 만족스러운 동작으로 마무리된다. 무용수는 무대의 중심에서 평온한 자세를 취하며, 부차적인 사정이 남긴 여운을 표현한다. 그의 몸짓은 부드럽고 안정적이며, 전체적인 평화와 만족을 나타내며 가능성을 기대하는 모습을 나타낸다.

"부대/부차적인 사정"은 이렇게 다양한 움직임을 통해 주요 사건의 주변에서 일어나는 부차적인 상황과 그로 인한 감정의 변화를 시각적으로 표현한다. 무용수의 몸짓 하나하나는 부차적인 사정의 시작, 전개, 갈등, 영향, 해소, 성찰, 균형, 그리고 여운을 생생하게 전달한다.

accidental lapse 우연한 실수

"우연한 실수"라는 주제를 움직임으로 표현하는 것은 예기치 않은 실수와 그로 인한 당혹감, 그리고 이를 극복하고자 하는 노력을 신체적 표현을 통해 드러내는 데 중점을 둔다. 이 주제는 무용수의 자연스럽고 예측할 수 없는 몸짓을 통해 우연한 실수의 순간과 그로 인한 감정의 변화를 극적으로 전달할 수 있다.

실수의 순간은 갑작스럽고 불안정한 동작으로 표현된다. 무용수는 무대에 등장하여, 갑작스럽고 불안정한 움직임을 선보인다. 그의 발걸음은 흔들리고, 팔과 다리는 예기치 않게 움직인다. 이 동작은 무용수가 우연히 실수를 저지르는 순간의 당혹감과 불안정을 상징한다.

실수로 인한 당혹감은 긴장된 동작과 멈칫거리는 움직임으로 표현된다. 무용수는 실수로 인해 순간적으로 멈칫거리며, 긴장된 자세를 취한다. 그의 몸은 긴장감으로 가득 차 있으며, 팔과 다리는 불안하게 떨린다. 이 동작은 무용수가 실수를 저지르고 난 후 느끼는 당혹감과 불편함을 나타낸다.

내면의 갈등과 반성은 느리고 신중한 동작으로 표현된다. 무용수는 실수를 되돌아보며, 깊은 생각에 잠긴 듯한 움직임을 한다. 그의 몸짓은 느리고 신중하게 이어지며, 발걸음은 조심스럽게 옮겨진다. 이 동작은 무용수가 실수를 반성하며, 그로 인한 내면의 갈등을 탐구하는 과정을 상징한다.

극복의 의지는 강한 동작과 단호한 움직임으로 표현되며 무용수는 실수를 극복하기 위해 강한 의지를 담은 동작을 선보인다. 그의 발걸음은 단호하고, 팔과 다리는 확고하게 뻗어진다. 이 동작은 무용수가 실수를 극복하고자 하는 결단력과 의지를 나타낸다.

성장의 과정은 유연하고 조화로운 동작으로 표현된다. 무용수는 실수를 극복한 후, 성장의 과정을 유연하고 조화로운 움직임으로 나타낸다. 그의 몸짓은 부드럽고 자연스럽게 이어지며, 발걸음은 안정적이고 균형 잡혀 있다. 이 동작은 무용수가 실수를 통해 배우고 성장하는 과정을 상징한다.

재도전의 의지는 활기차고 역동적인 동작으로 표현된다. 무용수는 새로운 도전을 향해 나아가며, 활기차고 역동적인 움직임을 선보인다. 그의 몸은 에너지로 가득 차 있으며, 움직임은 빠르고 힘차다. 이 동작은 무용수가 실수를 딛고 새로운 도전에 맞서는 모습을 나타낸다.

실수의 여운과 성찰은 부드럽고 잔잔한 동작으로 표현된다. 무용수는 실수를 회상하며, 잔잔하고 깊이 있는 움직임을 선보인다. 그의 몸짓은 느리고 부드러우며, 발걸음은 멈춰 있듯이 안정적이다. 이 동작은 무용수가 실수를 통해 얻은 교훈과 성찰을 마음속에 간직하는 과정을 표현한다.

마지막으로, 실수로 인한 성장은 평온하고 안정된 동작으로 마무리된다. 무용수는 무대의 중심에서 평온한 자세를 취하며, 실수를 통해 성장한 내면의 평화를 표현한다. 그의 몸짓은 부드럽고 안정적이며, 내면의 평화와 성숙을 나타낸다. 무용수의 시선은 멀리 바라보며, 앞으로의 가능성을 기대하는 모습을 나타낸다.

"우연한 실수"는 이렇게 다양한 움직임을 통해 예기치 않은 실수와 그로 인한 감정의 변화, 그리고 이를 극복하고 성장하는 과정을 시각적으로 표현한다. 무용수의 몸짓 하나하나는 실수의 순간, 당혹감, 반성, 극복, 성장, 재도전, 성찰, 그리고 마지막의 내면의 평화를 선명하게 관객에게 전달한다.

"잘 협조하는 성질"이라는 주제를 움직임으로 표현하는 것은 협력과 유연성, 그리고 그로 인한 조화와 상호작용을 신체적 표현을 통해 드러내는 데 중점을 둔다. 이 주제는 무용수의 조화롭고 부드러운 몸짓을 통해 협조적인 성질과 그로 인한 감정의 변화를 극적으로 전달할 수 있다.

협조의 시작은 부드럽고 친절한 동작으로 표현된다. 무용수는 무대에 천천히 등장하여, 유연하고 조화로운 움직임을 선보인다. 그의 발걸음은 가볍고 부드러우며, 팔과 다리는 자연스럽게 움직인다. 이 동작은 무용수가 협조적인 태도로 상황에 접근하는 첫 단계를 상징한다.

협력의 과정은 상호작용적이고 조화로운 동작으로 표현된다. 무용수는 다른 무용수들과 함께 춤을 추며, 서로의 움직임에 맞춰 조화롭게 상호작용한다. 그들의 몸짓은 서로에게 반응하며, 조화를 이루어 내는 과정을 보여준다. 이 동작은 무용수들이 협력하여 하나의 목표를 이루는 모습을 나타낸다.

협조의 깊이는 세심하고 섬세한 동작으로 표현된다. 무용수는 협조의 깊이를 세심한 움직임으로 드러낸다. 그의 발걸음은 조심스럽고, 팔과 다리는 섬세하게 움직인다. 이 동작은 무용수가 다른 사람의 필요와 감정에 세심하게 반응하며, 깊은 협조를 이루는 과정을 상징한다.

갈등과 해결은 긴장된 동작과 풀리는 움직임으로 표현된다. 무용수는 협조 과정에서 발생하는 갈등을 긴장된 동작으로 나타내고, 이를 해결하는 과정을 부드러운 마임 같은 움직임으로도 보여준다. 그의 몸짓은 처음에는 긴장감으로 가득 차 있지만, 점차 풀리며 조화로운 상태로 돌아간다. 이 동작은 갈등을 해결하고 협조를 유지하는 과정을 상징한다.

협조의 성취는 활기차고 긍정적인 동작으로 표현된다. 무용수는 협조를 통해 목표를 달성한 후, 활기차고 긍정적인 움직임을 선보인다. 그의 발걸음은 경쾌하고, 팔과 다리는 넓게 펼쳐진다. 이 동작은 무용수가 협조를 통해 성취감을 느끼고, 그로 인해 긍정적인 에너지를 방출하는 모습을 나타낸다.

협조의 지속은 반복적이고 리드미컬한 동작으로 표현된다. 무용수는 협조를 지속하기 위해 반복적인 움직임을 선보인다. 그의 몸짓은 일정한 리듬을 따르며, 반복되는 패턴 속에서 안정감을 형성한다. 이 동작은 무용수가 지속적으로 협조적인 태도를 유지하며, 그로 인해 조화를 이루는 과정을 상징한다.

협조의 확장은 넓고 개방적인 동작으로 표현된다. 무용수는 협조의 범위를 넓혀가며, 개방적이고 확장된 움직임을 선보인다. 그의 몸짓은 자유롭고 넓게 펼쳐지며, 발걸음은 자신감 있게 이어진다. 이 동작은 무용수가 협조를 통해 더 넓은 범위에서 조화를 이루는 모습을 나타낸다.

마지막으로, 협조의 여운은 평온하고 만족스러운 동작으로 마무리된다. 무용수는 무대의 중심에서 평온한 자세를 취하며, 협조의 여운을 남긴다. 그의 몸짓은 부드럽고 안정적이며, 협조를 통해 얻은 만족과 평화를 나타낸다.

"잘 협조하는 성질"은 이렇게 다양한 움직임을 통해 협력과 유연성, 그리고 그로 인한 조화와 상호작용을 시각적으로 표현한다. 무용수의 몸짓 하나하나는 협조의 시작, 과정, 깊이, 갈등과 해결, 성취, 지속, 확장, 그리고 여운을 진하게 전달한다.

accredited agent 공인 에이전트

"공인 에이전트"라는 주제를 움직임으로 표현하는 것은 신뢰와 권위를 가지고 임무를 수행하는 전문가의 역할과 그로 인한 책임감을 신체적 표현을 통해 드러내는 데 중점을 둔다. 이 주제는 무용수의 강인하고 절제된 몸짓을 통해 공인 에이전트의 특징과 그로 인한 감정의 변화를 극적으로 전달할 수 있다.

공인의 시작은 사명감 있고 자신감 있는 동작으로 표현된다. 무용수는 무대에 단호하게 등장하여, 믿음직스럽고 자신감 넘치는 움직임을 선보인다. 그의 발걸음은 강하고, 팔과 다리는 확고하게 뻗어 있다. 이 동작은 무용수가 공인 에이전트로서의 첫 단계를 밟으며, 신뢰와 권위를 가지고 임무를 시작하는 순간을 나타낸다.

임무의 수행은 정교하고 신중한 동작으로 표현된다. 무용수의 움직임은 정확하고 신중하게 이어지며, 그의 몸짓은 섬세하게 조율된다. 발걸음은 조심스럽고, 팔과 다리는 목

적에 맞게 움직인다. 이 동작은 무용수가 공인 에이전트로서의 임무를 수행하면서 보여

주는 전문성과 신중함을 상징한다.

책임감과 부담은 긴장된 동작과 무거운 불안한 움직임으로 표현된다. 무용수는 임무의

무게를 느끼며, 긴장된 자세를 취한다. 그의 몸은 긴장감으로 가득 차 있으며, 팔과 다

리는 무겁게 움직인다. 이 동작은 무용수가 공인 에이전트로서의 책임감을 지니고 임무

를 수행하면서 겪는 심리적 부담을 나타낸다.

결정의 순간은 단호하고 명확한 동작으로 표현되며 무용수는 중요한 결정을 내리는 순

간을 단호한 움직임으로 나타낸다. 이 동작은 무용수가 공인 에이전트로서 중요한 결정

을 내리는 순간의 결단력과 확신을 상징한다.

임무의 성취는 활기차고 자랑스러운 동작으로 표현된다. 무용수는 임무를 성공적으로

완수한 후, 활기차고 자랑스러운 움직임을 선보인다. 이 동작은 무용수가 공인 에이전트

로서 임무를 완수한 후의 성취감과 자부심을 나타낸다.

공인 에이전트로서의 성장은 조화로운 동작으로 표현된다. 무용수는 임무를 통해 성장

하고 발전하는 과정을 편안한 움직임으로 나타낸다. 그의 몸짓은 부드럽고 자연스럽게

이어지며, 발걸음은 균형 잡혀 있다. 이 동작은 무용수가 공인 에이전트로서의 경험을

통해 성장하고 발전하는 모습을 상징한다.

마지막으로, 공인의 여운은 평온하고 만족스러운 동작으로 마무리된다. 무용수는 무대의

중심에서 평온한 자세를 취하며, 공인의 여운을 남긴다. 그의 몸짓은 부드럽고 안정적이

며, 공인 에이전트로서의 임무를 성공적으로 완수한 후의 평화와 만족을 나타낸다.

"공인 에이전트"는 이렇게 다양한 움직임을 통해 신뢰와 권위를 가지고 임무를 수행하

는 전문가의 역할과 그로 인한 책임감을 시각적으로 표현한다. 무용수의 몸짓 하나하나

는 공인의 시작, 임무 수행, 책임감, 결정, 성취, 성장, 상호작용, 그리고 여운을 생생하게

전달하며, 관객에게 깊은 신뢰감을 남긴다.

accumulated burden 누적된 부담

"누적된 부담"이라는 주제를 움직임으로 표현하는 것은 시간이 지남에 따라 쌓여가는

무거운 짐과 그로 인한 피로, 갈등, 그리고 이를 극복하려는 노력을 신체적 표현을 통해 드러내는 데 중점을 둔다. 이 주제는 무용수의 강렬하고 무거운 몸짓을 통해 누적된 부담의 감정과 그로 인한 변화를 극적으로 전달할 수 있다.

부담의 느낌은 무거운 동작과 느린 움직임으로 표현되고 무용수는 무대에 천천히 등장하여, 신중하고 무거운 움직임을 선보인다. 그의 발걸음은 느리고 조심스럽게 걸으며, 이 동작은 무용수가 처음으로 부담을 느끼기 시작하는 순간의 중압감을 나타내는 모습을 보여준다.

부담의 누적은 점점 더 무거워지는 동작으로 표현된다. 무용수의 움직임은 시간이 지남에 따라 점점 더 무거워지고 피곤해진다. 그의 몸짓은 느리고 무겁게 이어지며, 발걸음은 더욱 힘겨워진다. 이 동작은 무용수가 점차 쌓여가는 부담을 느끼며, 그로 인해 점점 더 힘들어지는 과정을 보여준다.

내면의 갈등과 피로는 불안정한 동작과 긴장된 움직임으로 표현된다. 무용수는 누적된 부담으로 인해 내면의 갈등과 피로를 겪는다. 그의 몸은 긴장감으로 가득 차 있으며, 팔과 다리는 불안정하게 움직인다. 이 동작은 무용수가 부담으로 인해 심리적 갈등과 피로를 느끼는 모습을 나타낸다.

부담을 극복하려는 노력은 강한 동작과 단호한 움직임으로 표현된다. 무용수는 부담을 극복하려는 결단을 내리며, 강한 의지를 담은 동작을 선보인다. 그의 발걸음은 단호하게 움직이며 동작은 무용수가 누적된 부담을 극복하기 위해 결단력과 의지를 발휘하는 모습을 상징한다.

성장의 과정은 조화로운 동작과 안정된 움직임으로 표현된다. 무용수는 부담을 극복한 후, 성장의 과정을 조화롭게 나타낸다. 그의 몸짓은 균형 잡히고 안정적이며, 발걸음은 확고하다. 이 동작은 무용수가 부담을 극복하고 성장하는 모습을 상징한다.

내면의 평화와 해방은 자유롭고 확장된 동작으로 표현된다. 무용수는 부담을 극복한 후, 자유롭고 확장된 움직임을 통해 내면의 해방감을 나타낸다. 그의 발걸음은 가볍고, 팔과 다리는 넓게 펼쳐진다. 이 동작은 무용수가 부담을 극복하고 내면의 자유를 느끼는 모습을 나타낸다.

마지막으로, 누적된 부담의 여운은 평온하고 안정된 동작으로 마무리된다. 무용수는 무대의 중심에서 평온한 자세를 취하며, 누적된 부담의 여운을 표현한다. 그의 몸짓은 부드럽고 안정적이며, 내면의 평화와 만족을 나타낸다.

"누적된 부담"은 이렇게 다양한 움직임을 통해 시간이 지남에 따라 쌓여가는 무거운 짐과 그로 인한 피로, 갈등, 그리고 이를 극복하려는 노력을 시각적으로 표현한다. 무용수의 몸짓 하나하나는 부담의 시작, 누적, 갈등, 극복, 해소, 성장, 해방, 그리고 여운을 생생하게 남긴다.

accurate appraisement 정확한 자산 평가

"정확한 자산 평가"라는 주제를 움직임으로 표현하는 것은 객관적이고 신중한 평가 과정, 그로 인한 내면의 긴장과 성취를 신체적 표현을 통해 드러내는 데 중점을 둔다. 이 주제는 무용수의 세밀하고 정밀한 몸짓을 통해 평가 과정의 긴장감과 그로 인한 감정의 변화를 극적으로 전달할 수 있다.

평가의 시작은 신중하고 섬세한 동작으로 표현된다. 무용수는 무대에 천천히 등장하여, 주의 깊고 섬세한 움직임을 선보인다. 그의 발걸음은 가볍고 조심스럽게 옮겨지며, 팔과 다리는 작은 범위 안에서 유연하게 움직인다. 이 동작은 무용수가 평가를 시작하는 순간의 신중함과 세심함을 상징한다.

데이터 수집은 규칙적이고 반복적인 동작으로 표현된다. 무용수의 움직임은 일정한 패턴을 따르며, 반복적으로 이어진다. 그의 몸짓은 정확하고 일관되며, 발걸음은 규칙적이다. 이 동작은 무용수가 자산 평가를 위해 필요한 데이터를 수집하고 정리하는 과정을 나타낸다.

분석 과정은 복잡하고 다채로운 동작으로 표현된다. 무용수는 다양한 방향으로 움직이며, 그의 팔과 다리는 여러 형태로 뻗어진다. 그의 움직임은 복잡하고 다채로우며, 데이터의 분석과 해석을 상징한다. 이 동작은 무용수가 수집한 데이터를 분석하며, 다양한 가능성을 탐구하는 과정을 나타낸다.

평가의 갈등과 긴장은 긴장된 동작과 불안정한 움직임으로 표현된다. 무용수는 평가 과정에서 발생하는 내면의 갈등과 긴장을 경직된 동작으로 드러낸다. 그의 몸은 긴장감으로 가득 차 있으며, 팔과 다리는 움직이질 않는다. 이 동작은 무용수가 평가 과정에서 겪는 심리적 갈등과 긴장을 나타낸다.

결과 도출은 확고하고 명확한 동작으로 표현된다. 무용수는 평가의 결과를 도출하는 순간을 단호하고 명확한 움직임으로 나타낸다. 그의 발걸음은 정확하고, 팔과 다리는 명확하게 뻗어 있다. 이 동작은 무용수가 자산 평가의 최종 결과를 도출하는 순간의 결단력과 확신을 상징한다.

평가의 성취는 활기차고 긍정적인 동작으로 표현된다. 무용수는 평가를 성공적으로 마무리한 후, 활기차고 긍정적인 움직임을 선보인다. 그의 발걸음은 가볍고, 팔과 다리는 넓게 펼쳐진다. 이 동작은 무용수가 평가를 성공적으로 완료한 후의 성취감과 기쁨을 나타낸다.

평가의 영향은 조화로운 동작과 상호작용으로 표현된다. 무용수는 평가 결과가 주는 영향을 다른 무용수들과 함께 표현하며, 조화로운 움직임을 선보인다. 그들의 몸짓은 서로 상호작용하며, 평가의 결과가 다양한 방식으로 영향을 미치는 모습을 나타낸다. 이 동작은 무용수가 평가의 결과를 통해 다양한 사람들과 상호작용하고, 그 영향을 이해하는 과정을 상징한다.

"정확한 자산 평가"는 이렇게 다양한 움직임을 통해 객관적이고 신중한 평가 과정과 그로 인한 긴장과 성취를 시각적으로 표현한다. 무용수의 몸짓 하나하나는 평가의 시작, 데이터 수집, 분석, 갈등, 결과 도출, 성취, 영향, 등을 캐릭터 중심의 서사로 진행한다.

accursed enemy 저주받은 적

"저주받은 적"이라는 주제를 움직임으로 표현하는 것은 적대감과 저주, 그리고 그로 인한 갈등과 결투, 그리고 최종적인 대면을 신체적 표현을 통해 드러내는 데 중점을 둔다. 이 주제는 무용수의 강력하고 극적인 몸짓을 통해 저주받은 적과의 싸움과 그로 인한 감정의 소용돌이를 극적으로 전달할 수 있다.

적대감의 시작은 긴장된 동작과 강력한 눈빛으로 표현된다. 무용수는 무대에 단호하게 등장하여, 긴장감 넘치는 움직임을 선보인다. 그의 발걸음은 강하고 조심스럽게 옮겨지며, 팔과 다리는 힘이 들어간 상태로 움직인다. 이 동작은 무용수가 저주받은 적을 처음 마주하는 순간의 긴장감과 적대감을 상징한다.

적과의 대결은 격렬하고 폭발적인 동작으로 표현된다. 무용수는 적과의 대결을 격렬한 움직임으로 나타낸다. 그의 몸짓은 빠르고 강렬하며, 발걸음은 힘차고 팔과 다리는 격렬하게 움직인다. 이 동작은 무용수가 저주받은 적과의 싸움에서 모든 에너지를 쏟아붓는 모습을 상징한다.

내면의 갈등과 저주는 불규칙하고 격렬한 동작으로 표현된다. 무용수는 저주와 내면의 갈등을 불규칙하고 격렬한 움직임으로 드러낸다. 이 동작은 무용수가 저주받은 적과의 싸움에서 느끼는 심리적 갈등과 저주의 무게를 나타낸다.

저주의 힘과 압박은 무겁고 둔한 동작으로 표현된다. 무용수는 저주의 힘에 눌려 무겁고 둔하게 움직인다. 그의 발걸음은 느리고 힘겹게 이어지며, 팔과 다리는 무거운 짐을 짊어진 듯 움직인다. 이 동작은 무용수가 저주받은 적과의 싸움에서 느끼는 압박감을 상징한다.

결투의 절정은 강렬하고 폭발적인 동작으로 표현된다. 무용수는 결투의 절정을 강렬한 움직임으로 나타낸다. 그의 몸짓은 폭발적이며, 발걸음은 빠르고 힘차다. 팔과 다리는 넓게 펼쳐지며, 적과의 마지막 결투를 상징한다. 이 동작은 무용수가 저주받은 적과의 최종 대결에서 모든 에너지를 쏟아내는 순간을 나타낸다.

결과의 순간은 확고하고 결단력 있는 동작으로 표현된다. 무용수는 결투의 결과를 단호하고 결단력 있는 움직임으로 나타낸다. 그의 발걸음은 확고하고, 팔과 다리는 명확하게 뻗어 있다. 이 동작은 무용수가 저주받은 적과의 싸움에서 승리하거나 패배하는 순간의 결단력과 확신을 상징한다.

후속 감정과 해방은 부드럽고 편안한 동작으로 표현된다. 무용수는 싸움이 끝난 후, 후속 감정과 해방감을 부드럽고 쉬는 듯한 움직임으로 표현한다. 그의 몸짓은 차분하고 유연하며, 발걸음은 가벼워진다. 이 동작은 무용수가 저주받은 적과의 싸움에서 벗어나 내면의 평화를 찾는 과정을 나타낸다.

마지막으로, 저주받은 적과의 싸움의 여운은 평온하고 안정된 동작으로 마무리된다. 무용수는 무대의 중심에서 평온한 자세를 취하며, 싸움의 여운을 남긴다. 그의 몸짓은 부드럽고 안정적이며, 내면의 평화와 만족을 나타낸다. 무용수의 시선은 멀리 바라보며, 앞으로의 가능성을 기대하는 모습을 나타낸다.

"저주받은 적"은 이렇게 다양한 움직임을 통해 적대감과 저주, 그리고 그로 인한 갈등과 결투, 그리고 최종적인 대면을 시각적으로 표현한다. 무용수의 몸짓 하나하나는 적대감의 시작, 대결, 내면의 갈등, 저주의 힘, 결투의 절정, 결과, 후속 감정, 그리고 여운을 생생하게 전달한다.

accusing glance 비난하는 듯한 눈길

"비난하는 듯한 눈길"이라는 주제를 움직임으로 표현하는 것은 비난과 오해, 그리고 그로 인한 갈등과 해소를 신체적 표현을 통해 드러내는 데 중점을 둔다. 이 주제는 무용수의 섬세하고 표현적인 몸짓을 통해 비난의 순간과 그로 인한 감정의 변화를 극적으로 전달할 수 있다.

비난의 시작은 강렬한 눈빛과 날카로운 동작으로 표현된다. 무용수는 무대에 등장하여, 눈빛으로 강한 비난을 전달한다. 그의 시선은 날카롭고, 팔과 다리는 긴장된 상태로 움직인다. 이 동작은 무용수가 비난을 시작하는 순간의 강한 감정과 긴장감을 상징한다.

비난의 전개는 불안정한 동작과 예민한 움직임으로 표현된다. 무용수는 비난이 계속되면서 점점 불안정해지고 예민해진다. 그의 몸짓은 불안정하고, 팔과 다리는 예민하게 떨린다. 이 동작은 무용수가 비난을 받고 있는 상황에서 느끼는 불안과 압박을 나타낸다.

내면의 갈등은 격렬한 동작과 혼란스러운 움직임으로 표현된다. 무용수는 비난으로 인해 내면에서 갈등을 겪으며, 격렬한 움직임을 선보인다. 그의 몸은 이리저리 흔들리고, 팔과 다리는 혼란스럽게 움직인다. 이 동작은 무용수가 비난으로 인한 심리적 갈등과 혼란을 겪는 모습을 상징한다.

비난에 대한 반응은 강한 동작과 대립적인 움직임으로 표현된다. 무용수는 비난에 맞서 싸우며, 강한 움직임을 선보인다. 그의 몸은 단호하고, 이 동작은 무용수가 비난에 저항하고 자신의 입장을 지키려는 모습을 나타낸다.

오해의 풀림과 화해는 조화로운 동작과 상호작용으로 표현된다. 무용수는 비난이 사라진 후, 오해가 풀리고 화해하는 모습을 조화로운 움직임으로 나타낸다. 그의 몸짓은 다른 무용수들과 상호작용하며, 서로의 감정을 이해하고 받아들이는 모습을 보여준다. 이 동작은 무용수가 비난을 넘어 화해와 이해를 이루는 과정을 상징한다.

성장의 과정은 유연하고 안정된 동작으로 표현된다. 무용수는 비난과 갈등을 극복한 후, 성장의 과정을 유연한 움직임으로 나타낸다. 그의 몸짓은 균형 잡히고 안정적이며, 발걸음은 지쳐 있다. 이 동작은 무용수가 비난과 갈등을 통해 배우고 성장하는 모습을 상징한다.

마지막으로, 비난의 여운은 평온하고 안정된 동작으로 마무리된다. 무용수는 무대의 중심에서 평온한 자세를 취하며, 비난의 여운을 남긴다. 그의 몸짓은 부드럽고 안정적이며, 내면의 평화와 성숙을 나타낸다.

accustomed lucidity 익숙한 명석함

"익숙한 명석함"이라는 주제를 움직임으로 표현하는 것은 명확한 사고와 이해의 연속성을 신체적 표현을 통해 드러내는 데 중점을 둔다. 이 주제는 무용수의 유연하고 명확한 몸짓을 통해 명석함의 자연스러움과 그로 인한 감정의 변화를 극적으로 전달할 수 있다.

명석함의 시작은 고요하고 정돈된 동작으로 표현된다. 무용수는 무대에 천천히 등장하여, 고요하고 정돈된 움직임을 선보인다. 그의 발걸음은 안정적이고, 이 동작은 무용수가 명석함을 갖춘 상태에서 상황을 인식하는 순간을 상징한다.

명석함의 전개는 유연하고 명확한 동작으로 표현된다. 무용수의 움직임은 유연하고 명확하게 이어지며, 그의 몸짓은 정확하고 일관되게 이어진다. 발걸음은 리드미컬하고, 팔과 다리는 일정한 리듬에 맞춰 움직인다. 이 동작은 무용수가 명석한 사고를 통해 상황을 분석하고 이해하는 과정을 나타낸다.

내면의 평온과 확신은 차분하고 조화로운 동작으로 표현된다. 무용수는 명석함 속에서 내면의 평온과 확신을 느끼며, 차분하고 조화로운 움직임을 선보인다. 그의 몸짓은 균형 잡히고, 발걸음은 안정적이다. 이 동작은 무용수가 명석한 사고로 인한 내면의 평화를 경험하는 모습을 상징한다.

문제 해결의 과정은 신속하고 결정적인 동작으로 표현된다. 무용수는 명석함을 바탕으로 문제를 해결하는 과정을 신속하고 결정적인 움직임으로 나타낸다. 그의 발걸음은 빠르고, 팔과 다리는 명확하게 움직인다. 이 동작은 무용수가 명확한 사고를 통해 문제를 해결하는 순간의 결단력과 자신감을 상징한다.

지속적인 명석함은 반복적이고 일관된 동작으로 표현된다. 무용수는 명석한 사고를 지속하기 위해 반복적인 움직임을 선보인다. 그의 몸짓은 일정한 패턴을 따르며, 발걸음은 리드미컬하게 이어진다. 이 동작은 무용수가 지속적으로 명석함을 유지하며, 그로 인해 안정감을 얻는 과정을 상징한다.

명석함의 성취는 확고하고 자랑스러운 동작으로 표현된다. 무용수는 명석함을 통해 성취를 이루며, 확고하고 자랑스러운 움직임을 선보인다. 그의 발걸음은 강하고, 팔과 다리는 넓게 펼쳐진다. 이 동작은 무용수가 명석한 사고로 인해 성취를 이루는 순간의 기쁨과 자부심을 나타낸다.

마지막으로, 명석함의 여운은 평온하고 안정된 동작으로 마무리된다. 무용수는 무대의 중심에서 평온한 자세를 취하며, 명석함의 여운을 남긴다. 그의 몸짓은 부드럽고 안정적이며, 내면의 평화와 만족을 나타낸다.

"익숙한 명석함"은 이렇게 다양한 움직임을 통해 명확한 사고와 이해의 연속성을 시각적으로 표현한다. 무용수의 몸짓 하나하나는 명석함의 시작, 전개, 내면의 평온, 문제 해결, 지속, 성취, 공유, 그리고 여운을 생생하게 전달한다.

aching desire 괴로운 욕망

"괴로운 욕망"이라는 주제를 움직임으로 표현하는 것은 강렬한 욕망과 그로 인한 내면의 갈등, 그리고 그 욕망을 극복하려는 과정을 신체적 표현을 통해 드러내는 데 중점을 둔다. 이 주제는 무용수의 강렬하고 내면적인 몸짓을 통해 욕망의 고통과 그로 인한 감정의 변화를 극적으로 전달할 수 있다.

욕망의 시작은 긴장된 동작과 집중된 시선으로 표현된다. 무용수는 무대에 강렬하게 등장하여, 그의 발걸음은 힘이 들어가 있고, 팔과 다리는 긴장된 상태로 움직인다. 이 동작은 무용수가 강렬한 욕망을 처음으로 느끼는 순간의 긴장감과 집중을 상징한다.

욕망의 고조는 불안정하고 격렬한 동작으로 표현된다. 무용수의 몸짓은 점점 더 불안정해지고 격렬해진다. 그의 발걸음은 흔들리고, 팔과 다리는 예기치 않게 움직인다. 이 동작은 무용수가 욕망의 고조에 이르러 내면의 갈등과 혼란을 경험하는 과정을 나타낸다.

내면의 갈등은 강렬하고 대립적인 동작으로 표현된다. 무용수는 자신의 욕망과 싸우며, 강한 움직임을 선보인다. 그의 몸은 긴장감으로 가득 차 있으며, 팔과 다리는 대립하는 방향으로 움직인다. 이 동작은 무용수가 욕망과 내면의 도덕적 갈등 사이에서 겪는 심리적 투쟁을 상징한다.

욕망의 고통은 무거운 동작과 억제된 움직임으로 표현된다. 무용수는 욕망의 무게를 느끼며, 그의 발걸음은 무겁고, 팔과 다리는 억제된 상태로 움직인다. 이 동작은 무용수가 욕망으로 인한 고통과 그로 인해 겪는 내면의 고통을 나타낸다. 욕망의 극복은 점진적이고 유연한 동작으로 표현된다. 무용수는 욕망을 극복하기 위해 노력하며, 그의 몸짓은 점점 더 유연하고 부드러워진다. 발걸음은 가벼워지고, 팔과 다리는 자유롭게 움직인다. 이 동작은 무용수가 욕망을 극복하고 내면의 평화를 찾는 과정이다.

해방의 순간은 활기차고 자유로운 동작으로 표현된다. 무용수는 욕망을 완전히 극복한 후, 활기차고 자유로운 움직임을 선보인다. 그의 발걸음은 가볍고, 팔과 다리는 넓게 펼쳐진다. 이 동작은 무용수가 욕망을 극복한 후 느끼는 해방감과 자유를 나타낸다.

성장의 과정은 유연하고 조화로운 동작으로 표현된다. 무용수는 욕망을 극복한 후, 성장의 과정을 유연하고 조화롭게 나타낸다. 그의 몸짓은 부드럽고 자연스럽게 이어지며, 발걸음은 안정적이다. 이 동작은 무용수가 욕망을 극복하고 내면적으로 성장하는 모습을 보여준다.

마지막으로, 욕망의 여운은 평온하고 안정된 동작으로 마무리된다. 무용수는 무대의 중심에서 평온한 자세를 취하며, 욕망의 여운을 남긴다. 그의 몸짓은 부드럽고 안정적이며, 내면의 평화와 성숙을 나타낸다. 무용수의 시선은 멀리 바라보며, 앞으로의 가능성을 기대하는 모습을 나타낸다.

"괴로운 욕망"은 이렇게 다양한 움직임을 통해 강렬한 욕망과 그로 인한 내면의 갈등, 그리고 그 욕망을 극복하는 과정을 시각적으로 표현한다. 무용수의 몸짓 하나하나는 욕망의 시작, 고조, 내면의 갈등, 고통, 극복, 해방, 성장, 그리고 여운을 생생하게 전달하며, 관객에게 깊은 인상을 남긴다.

acknowledged authority 정평 있는 권위

"정평 있는 권위"라는 주제를 움직임으로 표현하는 것은 확고한 권위와 신뢰를 가진 인물의 존재감과 그로 인한 존경, 그리고 그 권위를 받아들이는 과정을 신체적 표현을 통해 드러내는 데 중점을 둔다. 이 주제는 무용수의 강인하고 확신에 찬 몸짓을 통해 권위의 힘과 그로 인한 감정의 변화를 극적으로 전달할 수 있다.

권위의 시작은 강렬하고 확고한 동작으로 표현된다. 무용수는 무대에 당당하게 등장하여, 단호하고 결단력 있는 움직임을 선보인다. 그의 발걸음은 확고하고. 이 동작은 무용수가 정평 있는 권위를 가진 인물로서의 존재감을 드러내는 순간을 상징한다.

권위의 확립은 일정하고 규칙적인 동작으로 표현된다. 무용수의 움직임은 일관되고 규칙적이며, 그의 몸짓은 안정적이고 균형 잡혀 있다. 발걸음은 정돈되고, 팔과 다리는 리드미컬하게 움직인다. 이 동작은 무용수가 권위를 확립하고, 그 권위를 통해 안정감을 주는 모습을 나타낸다.

존경과 신뢰는 부드럽고 조화로운 동작으로 표현된다. 무용수는 주변 무용수들과 상호작용하며, 부드럽고 조화로운 움직임을 선보인다. 그의 몸짓은 유연하고 상호작용 적이며, 다른 무용수들과의 조화로운 관계를 보여준다. 이 동작은 무용수가 정평 있는 권위를 통해 다른 사람들에게 신뢰와 존경을 받는 모습을 상징한다.

권위에 대한 도전과 갈등은 긴장된 동작과 대립적인 움직임으로 표현된다. 무용수는 권위에 도전하거나 갈등을 겪는 순간을 격렬한 동작으로 나타낸다. 그의 몸은 긴장감으로 가득 차 있으며, 팔과 다리는 대립하는 방향으로 움직인다. 이 동작은 무용수가 권위에 대한 도전과 갈등을 겪는 상황을 상징한다.

권위의 수용과 화해는 부드럽고 유연한 동작으로 표현되며 무용수는 갈등이 해소되고 권위가 다시 수용되는 과정을 부드러운 움직임으로 나타낸다.

그의 몸짓은 차분하고 유연하며, 발걸음은 가볍고 자연스럽다. 이 동작은 무용수가 권위를 다시 받아들이고 내면의 평화를 찾는 과정을 상징한다.

권위의 유지와 지속은 반복적이고 안정된 동작으로 표현된다. 무용수는 권위를 지속적으로 유지하기 위해 반복적인 움직임을 선보인다. 그의 몸짓은 일정한 패턴을 따르며, 발걸음은 규칙적이고 안정적이다. 이 동작은 무용수가 권위를 지속적으로 유지하며, 그로 인해 안정감을 주는 모습을 나타낸다.

마지막으로, 권위의 여운은 평온하고 안정된 동작으로 마무리된다. 무용수는 무대의 중심에서 평온한 자세를 취하며, 권위의 여운을 남긴다. 그의 몸짓은 부드럽고 안정적이며, 내면의 평화와 성숙을 나타낸다.

"정평 있는 권위"는 이렇게 다양한 움직임을 통해 확고한 권위와 신뢰를 가진 인물의 존재감과 그로 인한 존경, 그리고 그 권위를 받아들이는 과정을 시각적으로 표현한다. 무용수의 몸짓 하나하나는 권위의 시작, 확립, 존경과 신뢰, 도전과 갈등, 수용과 화해, 유지와 지속, 성장, 그리고 여운을 생생하게 전달하며, 관객에게 깊은 인상을 남긴다.

acoustical effects 음향 효과

"음향 효과"라는 주제를 움직임으로 표현하는 것은 소리의 다양한 특성과 그로 인한 감정과 경험을 신체적 표현을 통해 드러내는 데 중점을 둔다. 이 주제는 무용수의 유연하고 변화무쌍한 몸짓을 통해 소리의 파동과 그로 인한 감각을 극적으로 전달할 수 있다.

소리의 시작은 미세하고 은은한 동작으로 표현된다. 무용수는 무대에 조용히 등장하여, 부드럽고 은은한 움직임을 선보인다. 그의 발걸음은 가볍고 조심스럽게 옮겨지며, 팔과 다리는 작은 범위 안에서 유연하게 움직인다. 이 동작은 무용수가 소리가 시작되는 순간의 미묘한 떨림과 기대감을 상징한다.

음의 파동은 유연하고 리드미컬한 동작으로 표현된다. 무용수의 움직임은 물결치듯 유연하고 리드미컬하게 이어지며, 그의 몸짓은 소리의 파동처럼 일정한 리듬을 따르며 변화한다. 발걸음은 부드럽게 이어지고, 팔과 다리는 자연스럽게 뻗어 나간다. 이 동작은 무용수가 소리의 파동을 몸으로 표현하며, 소리의 흐름을 시각적으로 나타낸다.

소리의 다양성은 다채롭고 변화무쌍한 동작으로 표현된다. 무용수는 소리의 높낮이와 강약을 다양한 움직임으로 드러낸다. 그의 몸짓은 때로는 빠르고 강렬하며, 때로는 느리고 부드럽게 변한다. 이 동작은 무용수가 소리의 다양한 특성을 몸으로 표현하며, 그 변화를 생생하게 전달한다.

소리의 충돌과 공명은 강렬하고 격렬한 동작으로 표현된다. 무용수는 소리가 충돌하고 공명하는 순간을 강렬한 움직임으로 나타낸다. 그의 몸은 긴장감으로 가득 차 있으며, 팔과 다리는 격렬하게 움직인다. 이 동작은 무용수가 소리의 충돌과 그로 인한 공명을 몸으로 표현하며, 그 강렬함을 전달한다.

음향의 공간감은 넓고 개방적인 동작으로 표현되며 무용수는 무대 전체를 활용하며, 넓고 개방적인 움직임을 선보인다. 그의 발걸음은 넓게 뻗어지고, 팔과 다리는 자유롭게 펼쳐진다. 이 동작은 무용수가 음향의 공간 감을 표현하며, 소리가 공간을 채우는 모습을 나타낸다.

소리의 잔향과 여운은 부드럽고 잔잔한 동작으로 표현된다. 무용수는 소리가 사라진 후 남은 잔향과 여운을 부드럽게 표현한다. 그의 몸짓은 느리고 잔잔하며, 발걸음은 조용히 이어진다. 이 동작은 무용수가 소리의 여운을 몸으로 표현하며, 그 여운을 생생하게 전달한다.

소리의 감정적 효과는 감정이 담긴 동작으로 표현된다. 무용수는 소리가 불러일으키는 감정을 강렬하게 표현한다. 그의 몸짓은 소리의 감정에 따라 변화하며, 발걸음은 감정의 흐름에 맞춰 움직인다. 이 동작은 무용수가 소리의 감정을 몸으로 표현하며, 그 감정을 관객에게 전달한다.

마지막으로, 음향 효과의 종합적인 표현은 조화롭고 균형 잡힌 동작으로 마무리된다. 무용수는 무대의 중심에서 조화로운 자세를 취하며, 다양한 음향 효과를 종합적으로 표현한다. 그의 몸짓은 부드럽고 안정적이며, 소리의 모든 요소를 하나로 통합한 모습을 나타낸다. 무용수의 시선은 멀리 바라보며, 소리의 무한한 가능성을 기대하는 모습을 나타낸다.

"음향 효과"는 이렇게 다양한 움직임을 통해 소리의 다양한 특성과 그로 인한 감정과 경험을 시각적으로 표현한다. 무용수의 몸짓 하나하나는 소리의 시작, 파동, 다양성, 충돌과 공명, 공간감, 잔향과 여운, 감정적 효과, 그리고 종합적인 표현을 생생하게 전달하며, 관객에게 깊은 소리의 여운을 남긴다.

acquired timidity 후천적 소심함

"후천적 소심함"이라는 주제를 움직임으로 표현하는 것은 삶의 경험과 상황에 의해 형성된 소심함과 그로 인한 내면의 갈등, 두려움, 그리고 극복하려는 노력을 신체적 표현을 통해 드러내는 데 중점을 둔다. 이 주제는 무용수의 섬세하고 내성적인 몸짓을 통해 소심함의 형성과 그로 인한 감정의 변화를 극적으로 전달할 수 있다.

소심함의 시작은 작은 동작과 억제된 움직임으로 표현된다. 무용수는 무대에 조용히 등장하여, 그의 몸짓은 작고 억제된 상태로 움직인다. 발걸음은 조심스럽고, 팔과 다리는 몸에 가까이 붙어 있다. 이 동작은 무용수가 소심함을 느끼기 시작하는 순간의 내성적이고 불안한 감정을 상징한다.

소심함의 형성은 불안정한 동작과 긴장된 움직임으로 표현된다. 무용수는 점점 더 불안정해지고 긴장된 움직임을 선보인다. 그의 몸짓은 예기치 않게 흔들리고, 팔과 다리는 긴장감으로 가득 차 있다. 이 동작은 무용수가 경험과 상황으로 인해 소심함을 느끼게 되는 과정을 나타낸다.

내면의 갈등과 두려움은 격렬한 동작과 혼란스러운 움직임으로 표현된다. 무용수는 소심함으로 인해 내면에서 갈등을 겪으며, 격렬한 움직임을 선보인다. 그의 몸은 긴장감과 두려움으로 가득 차 있으며, 팔과 다리는 불안하게 움직인다. 이 동작은 무용수가 소심함으로 인한 심리적 갈등과 두려움을 겪는 모습을 상징한다.

소심함의 극복을 위한 노력은 점진적이고 유연한 동작으로 표현된다. 무용수는 소심함을 극복하려는 노력을 기울이며, 그의 몸짓은 점점 더 유연하고 부드러워진다. 발걸음은 가벼워지고, 팔과 다리는 조금씩 더 자유롭게 움직인다. 이 동작은 무용수가 소심함을 극복하고 내면의 평화를 찾는 과정을 상징한다. 내면의 성장과 변화는 조화로운 동작과 안정된 움직임으로 표현된다.

무용수는 소심함을 극복한 후, 성장과 변화를 나타내는 조화로운 움직임을 선보인다. 그의 몸짓은 균형 잡히고 안정적이며, 발걸음은 확고하다. 이 동작은 무용수가 소심함을 극복하고 내면적으로 성장하는 모습을 상징한다.

소심함을 극복한 후의 자유는 활기차고 확장된 동작으로 표현된다. 무용수는 소심함을 완전히 극복한 후, 활기차고 확장된 움직임을 선보인다. 그의 발걸음은 가볍고, 팔과 다리는 넓게 펼쳐진다. 이 동작은 무용수가 소심함을 극복한 후 느끼는 해방감과 자유를 나타낸다.

상호작용과 협력은 상호작용 적인 동작으로 표현된다. 무용수는 다른 무용수들과 함께 춤을 추며, 협력과 상호작용을 통해 소심함을 극복하는 모습을 보여준다. 그들의 움직임은 조화롭고 상호작용하며, 서로의 지원과 격려를 나타낸다. 이 동작은 무용수가 소심함을 극복하고 다른 사람들과 협력하는 모습을 상징한다.

마지막으로, 소심함을 극복한 후의 평온은 평온하고 안정된 동작으로 마무리된다. 무용수는 무대의 중심에서 평온한 자세를 취하며, 소심함을 극복한 후의 평화를 표현한다. 그의 몸짓은 부드럽고 안정적이며, 내면의 평화와 성숙을 나타낸다.

"후천적 소심함"은 이렇게 다양한 움직임을 통해 삶의 경험과 상황에 의해 형성된 소심함과 그로 인한 내면의 갈등, 두려움, 그리고 극복하려는 노력을 시각적으로 표현한다. 무용수의 몸짓 하나하나는 소심함의 시작, 형성, 내면의 갈등, 극복을 위한 노력, 성장과 변화, 자유, 상호작용, 그리고 평온을 생생하게 전달하며, 관객에게 깊은 인상을 남긴다.

acrid controversy 신랄한 논쟁

"신랄한 논쟁"이라는 주제를 움직임으로 표현하는 것은 감정적으로 격렬한 갈등과 대립, 그리고 그로 인한 충돌과 해소를 신체적 표현을 통해 드러내는 데 중점을 둔다. 이 주제는 무용수의 강렬하고 대립적인 몸짓을 통해 논쟁의 긴장과 그로 인한 감정의 변화를 극적으로 전달할 수 있다.

논쟁의 시작은 긴장된 동작과 강렬한 시선으로 표현된다. 무용수는 무대에 단호하게 등장하여, 긴장감 넘치는 움직임을 선보인다. 그의 발걸음은 단호하고, 팔과 다리는 긴장된 상태로 움직인다. 이 동작은 무용수가 논쟁의 시작을 알리는 순간의 긴장감과 결의를 상징한다.

논쟁의 전개는 격렬하고 대립적인 동작으로 표현된다. 무용수의 움직임은 점점 더 격렬해지고, 그의 몸짓은 대립하는 방향으로 뻗어 나간다. 발걸음은 빠르고, 팔과 다리는 강하게 뻗어진다. 이 동작은 무용수가 논쟁 속에서 강하게 자신의 입장을 주장하며, 상대방과 대립하는 과정을 나타낸다.

내면의 갈등과 충돌은 불안정하고 혼란스러운 동작으로 표현된다. 무용수는 논쟁으로 인해 내면에서 갈등을 겪으며, 불안정한 움직임을 선보인다. 그의 몸은 흔들리고, 팔과 다리는 불안하게 움직인다. 이 동작은 무용수가 논쟁으로 인한 심리적 갈등과 혼란을 겪는 모습을 상징한다.

논쟁의 절정은 폭발적이고 강렬한 동작으로 표현된다. 무용수는 논쟁의 절정에서 폭발적인 움직임을 선보인다. 그의 몸짓은 빠르고 강렬하며, 발걸음은 힘차고 팔과 다리는 넓게 펼쳐진다. 이 동작은 무용수가 논쟁의 절정에서 모든 에너지를 쏟아내는 순간을 나타낸다.

논쟁의 해소는 부드럽고 유연한 동작으로 표현된다. 무용수는 논쟁이 해소되면서 부드럽고 유연한 움직임을 선보인다. 그의 몸짓은 차분하고 유연하며, 발걸음은 가볍고 자연스럽다. 이 동작은 무용수가 논쟁을 끝내고 내면의 평화를 찾는 과정을 상징한다.

화해와 이해는 조화로운 동작과 상호작용으로 표현된다. 무용수는 다른 무용수들과 함께 춤을 추며, 논쟁 후의 화해와 이해를 나타낸다. 그들의 움직임은 조화롭고 상호작용하며, 서로의 입장을 이해하고 받아들이는 모습을 보여준다. 이 동작은 무용수가 논쟁을 통해 화해와 이해를 이루는 과정을 상징한다.

내면의 성장과 성찰은 유연하고 안정된 동작으로 표현된다. 무용수는 논쟁을 통해 성장하고 성찰하는 모습을 유연한 움직임으로 나타낸다. 그의 몸짓은 부드럽고 안정적이며, 발걸음은 확고하다. 이 동작은 무용수가 논쟁을 통해 배우고 성장하는 모습을 상징한다.

마지막으로, 논쟁의 여운은 평온하고 안정된 동작으로 마무리된다. 무용수는 무대의 중심에서 평온한 자세를 취하며, 논쟁의 여운을 남긴다. 그의 몸짓은 부드럽고 안정적이며, 내면의 평화와 성숙을 나타낸다.

"신랄한 논쟁"은 이렇게 다양한 움직임을 통해 감정적으로 격렬한 갈등과 대립, 그리고 그로 인한 충돌과 해소를 시각적으로 표현한다. 무용수의 몸짓 하나하나는 논쟁의 시작, 전개, 내면의 갈등과 충돌, 절정, 해소, 화해와 이해, 성장과 성찰, 그리고 여운을 생생하게 전달하며, 관객에게 깊은 인상을 남긴다.

acrimonious warfare 끔찍한 전쟁

"끔찍한 전쟁"이라는 주제를 움직임으로 표현하는 것은 전쟁의 잔혹함과 혼란, 그리고 그로 인한 고통과 파괴를 신체적 표현을 통해 드러내는 데 중점을 둔다. 이 주제는 무용수의 강렬하고 격렬한 몸짓을 통해 전쟁의 참상과 그로 인한 감정의 변화를 극적으로 전달할 수 있다.

전쟁의 시작은 긴장된 동작과 강렬한 시선으로 표현된다. 무용수는 무대에 단호하게 등장하여, 긴장감 넘치는 움직임을 선보인다. 발걸음은 단호하고, 팔과 다리는 긴장된 상태로 움직인다. 이 동작은 무용수가 전쟁의 시작을 알리는 순간의 긴장감과 결의를 상징한다.

전투의 혼란은 격렬하고 불규칙한 동작으로 표현된다. 무용수의 움직임은 점점 더 격렬해지고 불규칙하게 변한다. 그의 몸짓은 빠르고 강렬하며, 발걸음은 혼란스럽고 팔과 다리는 격렬하게 뻗어진다. 이 동작은 무용수가 전쟁 속에서 혼란과 공포를 겪으며, 그로 인해 신체적으로나 정신적으로 불안정해지는 과정을 나타낸다.

파괴와 고통은 무겁고 둔한 동작으로 표현되며. 무용수는 전쟁의 참상 속에서 고통과 파괴를 경험하며, 그의 몸짓은 무겁고 둔하게 변한다. 발걸음은 느리고 힘겹게 이어지며, 팔과 다리는 무거운 짐을 짊어진 듯 움직인다. 이 동작은 무용수가 전쟁으로 인한 고통과 파괴를 경험하는 모습을 상징한다.

내면의 갈등과 두려움은 불안정하고 혼란스러운 동작으로 표현된다. 무용수는 전쟁으로 인한 내면의 갈등과 두려움을 격렬한 움직임으로 드러낸다. 그의 몸은 긴장감과 두려움으로 가득 차 있으며, 팔과 다리는 불안하게 움직인다. 이 동작은 무용수가 전쟁으로 인한 심리적 갈등과 두려움을 겪는 모습을 상징한다.

전쟁의 절정은 폭발적이고 매우 강렬한 동작으로 표현된다. 무용수는 전쟁의 절정에서 폭발적인 움직임을 선보인다. 그의 몸짓은 빠르고 강렬하며, 발걸음은 힘차고 팔과 다리는 넓게 펼쳐진다. 이 동작은 무용수가 전쟁의 절정에서 모든 에너지를 쏟아내는 순간을 나타낸다.

전쟁의 여파는 부드럽고 유연한 동작으로 표현된다. 무용수는 전쟁이 끝난 후, 그 여파를 부드럽게 표현한다. 그의 몸짓은 차분하고 유연하며, 발걸음이 지쳐 있어 힘이 없다. 이 동작은 무용수가 전쟁의 여파로 인해 쉬면서 내면의 평화를 찾으려는 과정을 상징한다.

재건과 회복은 조화로운 동작과 상호작용으로 표현된다. 무용수는 전쟁 후의 재건과 회복을 조화로운 움직임으로 나타낸다. 다른 무용수들과 함께 춤을 추며, 서로의 도움과 협력을 통해 재건하는 모습을 보여준다. 이 동작은 무용수가 전쟁 후의 재건과 회복을 통해 새로운 희망을 찾는 과정을 상징한다.

마지막으로, 전쟁의 여운은 평온하고 안정된 동작으로 마무리된다. 무용수는 무대의 중심에서 평온한 자세를 취하며, 전쟁의 여운을 남긴다. 그의 몸짓은 부드럽고 안정적이며, 내면의 평화와 성숙을 나타낸다.

"끔찍한 전쟁"은 이렇게 다양한 움직임을 통해 전쟁의 잔혹함과 혼란, 그리고 그로 인한 고통과 파괴를 시각적으로 표현한다. 무용수의 몸짓 하나하나는 전쟁의 시작, 혼란, 파괴와 고통, 내면의 갈등과 두려움, 절정, 여파, 재건과 회복, 그리고 여운을 생생하게 전달하며, 관객에게 강한 이미지를 선사한다.

actively zealous 적극적으로 열성적인

"적극적으로 열성적인"이라는 주제를 움직임으로 표현하는 것은 열정과 활력, 그리고 그로 인한 에너지를 신체적 표현을 통해 드러내는 데 중점을 둔다. 이 주제는 무용수의 역동적이고 활기찬 몸짓을 통해 열정의 강렬함과 그로 인한 감정의 변화를 극적으로 전달할 수 있다.

열정의 시작은 강렬하고 에너제틱한 동작으로 표현된다. 무용수는 무대에 빠르게 등장하여, 그의 발걸음은 경쾌하고, 팔과 다리는 적극적으로 움직인다. 이 동작은 무용수가 열정으로 가득 차 있는 순간의 활력과 강한 의지를 상징한다.

열성적인 노력은 역동적이고 힘찬 동작으로 표현되며 무용수의 움직임은 빠르고 힘차며, 그의 몸짓은 에너지가 넘쳐 흐른다. 발걸음은 빠르고, 팔과 다리는 크게 움직인다. 이 동작은 무용수가 열성적으로 목표를 향해 나아가는 모습을 나타낸다.

내면의 활력은 조용하고 강렬한 동작으로 표현된다. 무용수는 내면의 활력을 강렬한 움직임으로 드러낸다. 그의 몸은 에너지로 가득 차 있으며, 팔과 다리는 부드럽게 움직이면서도 강한 힘을 보여준다. 이 동작은 무용수가 열정으로 내면의 활력을 끌어내는 모습을 상징한다.

열정의 고조는 폭발적이고 빠른 동작으로 표현된다. 무용수는 열정의 절정에서 폭발적인 움직임을 선보인다. 그의 몸짓은 빠르고 강렬하며, 발걸음은 힘차고 팔과 다리는 넓게 펼쳐진다. 이 동작은 무용수가 열정의 절정에서 모든 에너지를 쏟아내는 순간을 나타낸다.

열정의 지속은 반복적이고 리드미컬한 동작으로 표현된다. 무용수는 열정을 지속하기 위해 반복적인 움직임을 선보인다. 그의 몸짓은 일정한 리듬을 따르며, 발걸음은 리드미컬하게 이어진다. 이 동작은 무용수가 열정적으로 일관성을 유지하며 목표를 향해 나아가는 과정을 상징한다.

열정의 성취는 확고하고 자랑스러운 동작으로 표현된다. 무용수는 열정을 통해 목표를 달성한 후, 자랑스러운 움직임을 선보인다. 그의 발걸음은 강하고, 팔과 다리는 넓게 펼쳐진다. 이 동작은 무용수가 열정을 통해 성취감을 느끼고 자부심을 가지는 순간을 나타낸다.

마지막으로, 열정의 여운은 평온하고 안정된 동작으로 마무리된다. 무용수는 무대의 중심에서 평온한 자세를 취하며, 열정의 여운을 남긴다. 그의 몸짓은 부드럽고 안정적이며,

내면의 평화와 만족을 나타낸다. 무용수의 시선은 멀리 바라보며, 앞으로의 가능성을 기대하는 모습을 나타낸다.

"적극적으로 열성적인"은 이렇게 다양한 움직임을 통해 열정과 활력, 그리고 그로 인한 에너지를 시각적으로 표현한다. 무용수의 몸짓 하나하나는 열정의 시작, 노력, 활력, 고조, 지속, 상호작용과 협력, 성취, 그리고 여운을 생생하게 전달한다.

actualized ideals 실현된 이상

"실현된 이상"이라는 주제를 움직임으로 표현하는 것은 이상을 꿈꾸고, 그것을 현실로 만드는 과정을 신체적 표현을 통해 드러내는 데 중점을 둔다. 이 주제는 무용수의 희망적이고 목적 지향적인 몸짓을 통해 이상이 현실로 구현되는 과정을 극적으로 전달할 수 있다.

이상의 시작은 부드럽고 희망에 찬 동작으로 표현된다. 무용수는 무대에 천천히 등장하여, 그의 발걸음은 가볍고, 팔과 다리는 부드럽게 움직인다. 이 동작은 무용수가 이상을 꿈꾸기 시작하는 순간의 희망과 기대를 상징한다.

이상을 향한 노력은 점점 강렬해지는 동작으로 표현된다. 무용수의 움직임은 점점 더 강해지고 집중된다. 그의 몸짓은 에너지로 가득 차 있으며, 발걸음은 빠르고 힘차다. 이 동작은 무용수가 이상을 실현하기 위해 열심히 노력하는 모습을 나타낸다.

내면의 갈등과 도전은 불규칙하고 격렬한 동작으로 표현된다. 무용수는 이상을 향한 여정에서 겪는 내면의 갈등과 도전을 격렬한 움직임으로 드러낸다. 이 동작은 무용수가 이상을 실현하는 과정에서 마주하는 어려움과 장애물을 상징한다.

다시 이상의 실현은 확고하고 자신감 있는 동작으로 표현되며. 무용수는 이상을 마침내 현실로 이루며, 그의 발걸음은 확고하고, 팔과 다리는 힘차게 뻗어진다. 이 동작은 무용수가 이상을 실현하는 순간의 성취감과 자부심을 나타낸다.

이상 실현의 기쁨은 활기차고 자유로운 동작으로 표현된다. 무용수는 이상이 실현된 후의 기쁨과 자유를 활기찬 움직임으로 선보인다. 그의 발걸음은 가볍고, 팔과 다리는 넓게 펼쳐진다. 이 동작은 무용수가 이상을 실현한 후 느끼는 해방감과 기쁨을 나타낸다.

이상 실현 후의 평화는 부드럽고 조화로운 동작으로 표현된다. 무용수는 이상이 실현된 후 찾아오는 내면의 평화를 부드러운 움직임으로 드러낸다. 그의 몸짓은 차분하고 유연하며, 발걸음은 가벼워진다. 이 동작은 무용수가 이상 실현 후 내면의 평화와 안정을 찾는 과정을 상징한다.

이상의 지속은 반복적이고 리드미컬한 동작으로 표현된다. 무용수는 실현된 이상을 유지하기 위해 반복적인 움직임을 선보인다. 그의 몸짓은 일정한 리듬을 따르며, 발걸음은 리드미컬하게 이어진다. 이 동작은 무용수가 이상을 지속적으로 유지하며 현실 속에서 이상을 살아가는 모습을 나타낸다.

마지막으로, 이상 실현의 여운은 평온하고 안정된 동작으로 마무리된다. 무용수는 무대의 중심에서 평온한 자세를 취하며, 실현된 이상의 여운을 남긴다. 그의 몸짓은 부드럽고 안정적이며, 내면의 평화와 만족을 나타낸다.

"실현된 이상"은 이렇게 다양한 움직임을 통해 이상을 꿈꾸고, 그것을 현실로 만드는 과정을 시각적으로 표현한다. 무용수의 움직임 하나하나는 이상의 시작, 노력, 내면의 갈등과 도전, 실현, 기쁨, 평화, 지속, 그리고 여운을 생생하게 전달한다.

acutely conscious 예민하게 의식하는

"예민하게 의식하는"이라는 주제를 움직임으로 표현하는 것은 감각과 인식을 극도로 예민하게 느끼는 상태를 신체적 표현을 통해 드러내는 데 중점을 둔다. 이 주제는 무용수의 세심하고 집중된 몸짓을 통해 예민한 인식과 그로 인한 감정의 변화를 극적으로 전달할 수 있다.

예민한 의식의 시작은 미세하고 조심스러운 동작으로 표현된다. 무용수는 무대에 조용히 등장하여, 그의 발걸음은 가볍고 조심스럽게 옮겨진다. 팔과 다리는 작은 범위 안에서 유연하게 움직이며, 그의 시선은 주의 깊게 주변을 살핀다. 이 동작은 무용수가 환경을 예민하게 인식하는 순간의 섬세함과 집중을 상징한다.

감각의 예민함은 유연하고 민감한 동작으로 표현된다. 무용수의 움직임은 부드럽고 유연하며, 그의 몸짓은 감각적으로 민감하게 반응한다. 발걸음은 느리지만 확실하게 옮겨지고, 팔과 다리는 조심스럽게 뻗어진다. 이 동작은 무용수가 환경의 작은 변화에도 민감하게 반응하는 모습을 나타낸다.

내면의 긴장과 집중은 긴장된 동작과 집중된 움직임으로 표현된다. 무용수는 예민한 의식으로 인해 내면에서 긴장감을 느끼며, 그의 몸짓은 강한 집중력으로 가득 차 있다. 발걸음은 신중하고, 팔과 다리는 단호하게 움직인다. 이 동작은 무용수가 예민한 의식 속에서 내면의 긴장과 집중을 유지하는 모습을 상징한다.

주변 환경의 변화는 불규칙하고 빠른 동작으로 표현된다. 무용수는 주변 환경의 변화에 즉각적으로 반응하며, 그의 몸짓은 불규칙하고 빠르게 변한다. 발걸음은 예기치 않게 방향을 바꾸고, 팔과 다리는 다양한 형태로 움직인다. 이 동작은 무용수가 예민하게 주변 환경의 변화를 감지하고 반응하는 과정을 나타낸다.

의식의 고조는 강렬하고 집중된 동작으로 표현된다. 무용수는 예민한 의식이 최고조에 달한 순간, 강렬하고 집중된 움직임을 선보인다. 그의 몸짓은 단호하고 힘차며, 발걸음은 확고하게 이어진다. 이 동작은 무용수가 예민한 의식속에서 최대한의 집중력과 에너지를 발휘하는 순간을 나타낸다.

의식의 해소는 부드럽고 편안한 동작으로 표현된다. 무용수는 긴장이 풀리고 의식이 해소되면서 부드럽고 유연한 움직임을 선보인다. 그의 몸짓은 차분하고 유연하며, 발걸음은 가볍고 자연스럽다. 이 동작은 무용수가 예민한 의식의 긴장을 풀고 내면의 평화를 찾는 과정을 상징한다.

내면의 평화와 안정은 조화로운 동작과 상호작용으로 표현된다. 무용수는 다른 무용수들과 함께 춤을 추며, 내면의 평화와 안정을 찾는 모습을 보여준다. 그들의 움직임은 조화롭고 상호작용하며, 서로의 존재를 느끼고 이해하는 과정을 나타낸다. 이 동작은 무용수가 예민한 의식을 통해 내면의 평화를 찾고 안정감을 느끼는 모습을 상징한다.

마지막으로, 예민한 의식의 여운은 평온하고 안정된 동작으로 마무리된다. 무용수는 무대의 중심에서 평온한 자세를 취하며, 예민한 의식의 여운을 남긴다. 그의 몸짓은 부드럽고 안정적이며, 내면의 평화와 만족을 나타낸다

"예민하게 의식하는"은 이렇게 다양한 움직임을 통해 감각과 인식을 극도로 예민하게

느끼는 상태와 그로 인한 감정의 변화를 시각적으로 표현한다. 무용수의 몸짓 하나하나는 의식의 시작, 감각의 예민함, 내면의 긴장과 집중, 환경의 변화, 의식의 고조, 해소, 평화와 안정, 그리고 여운을 생생하게 전달하며, 관객에게 자세한 관찰을 요구한다.

adamantine rigidity 반석 같은 강인함

"반석 같은 강인함"이라는 주제를 움직임으로 표현하는 것은 확고하고 변치 않는 강인함과 그로 인한 안정감, 그리고 그 강인함 속에 감춰진 내면의 힘을 신체적 표현을 통해 드러내는 데 중점을 둔다. 이 주제는 무용수의 강력하고 안정된 몸짓을 통해 강인함의 본질과 그로 인한 감정의 변화를 극적으로 전달할 수 있다.

강인함의 시작은 단단하고 확고한 동작으로 표현된다. 무용수는 무대에 강렬하게 등장하여, 그의 발걸음은 단호하며, 팔과 다리는 단정하게 상체에 붙었다. 이 동작은 무용수가 반석 같은 강인함을 처음으로 드러내는 순간의 결의와 단호함을 상징한다.

강인함의 표현은 꾸준하고 일관된 동작으로 이어진다. 무용수의 움직임은 일정하고 반복적이며, 그의 몸짓은 확고하고 안정적이다. 발걸음은 느리지만 확실하게 이어지고, 팔과 다리는 강인함을 나타내는 자세로 고정된다. 이 동작은 무용수가 강인함을 유지하며 그 안에서 안정감을 찾는 모습을 나타낸다.

내면의 힘은 깊고 집중된 동작으로 표현된다. 무용수는 내면의 힘을 끌어내며, 그의 몸짓은 집중력으로 가득 차 있다. 발걸음은 신중하고, 팔과 다리는 단호하게 뻗어진다. 이 동작은 무용수가 반석 같은 강인함 속에서 내면의 깊은 힘을 발휘하는 모습을 상징한다.

강인함의 시험은 격렬하고 대립적인 동작으로 표현된다. 무용수는 외부의 도전과 갈등을 격렬한 움직임으로 맞서며, 그의 몸은 긴장감으로 가득 차 있다. 발걸음은 빠르고 강하며, 팔과 다리는 대립적인 방향으로 뻗어진다. 이 동작은 무용수가 강인함을 시험받는 순간의 갈등과 도전을 나타낸다.

강인함의 극복은 강하고 확신에 찬 동작으로 표현된다. 무용수는 도전을 극복하며, 그의 몸짓은 더욱 확고하고 자신감 넘친다. 발걸음은 확고하게 이어지고, 팔과 다리는 강하게 뻗어진다. 이 동작은 무용수가 도전을 극복하고 더욱 강인해지는 모습을 상징한다.

강인함의 성취는 자랑스럽고 당당한 동작으로 표현된다. 무용수는 강인함을 통해 목표를 달성한 후, 그의 몸짓은 자랑스럽고 당당하다. 발걸음은 힘차고, 팔과 다리는 넓게 펼쳐진다. 이 동작은 무용수가 강인함을 통해 성취를 이루는 순간의 기쁨과 자부심을 나타낸다.

강인함의 내면적 안정은 부드럽고 유연한 동작으로 표현된다. 무용수는 강인함 속에서도 내면의 평화와 안정을 찾으며, 그의 몸짓은 부드럽고 유연하다. 발걸음은 차분하고, 팔과 다리는 조화롭게 움직인다. 이 동작은 무용수가 강인함 속에서 내면의 평화를 찾는 모습을 상징한다.

마지막으로, 강인함의 여운은 평온하고 안정된 동작으로 마무리된다. 무용수는 무대의 중심에서 평온한 자세를 취하며, 강인함의 여운을 남긴다. 무용수의 시선은 멀리 바라보며, 앞으로의 가능성을 기대하는 모습을 나타낸다.

"반석 같은 강인함"은 이렇게 다양한 움직임을 통해 확고하고 변치 않는 강인함과 그로 인한 안정감, 그리고 그 강인함 속에 감춰진 내면의 힘을 시각적으로 표현한다. 무용수의 몸짓 하나하나는 강인함의 시작, 표현, 내면의 힘, 시험, 극복, 성취, 내면적 안정, 그리고 여운을 생생하게 전달하며, 관객에게 강한 이미지와 여운을 남긴다.

adduced facts 제시된 사실들

"제시된 사실들"이라는 주제를 움직임으로 표현하는 것은 정확성과 명확성을 통해 진실을 드러내고, 그로 인한 인식과 이해를 신체적 표현을 통해 드러내는 데 중점을 둔다. 이 주제는 무용수의 세밀하고 명확한 몸짓을 통해 사실의 제시와 그로 인한 감정의 변화를 극적으로 전달할 수 있다.

사실의 제시는 정돈되고 명확한 동작으로 표현된다. 무용수는 무대에 신중하게 등장하여, 그의 발걸음은 조심스럽고, 팔과 다리는 명확하게 움직인다. 이 동작은 무용수가 사실을 제시하는 순간의 신중함과 명확함을 상징한다.

사실의 분석은 세밀하고 규칙적인 동작으로 표현된다. 무용수의 움직임은 세밀하고 규칙적으로 이어지며, 그의 몸짓은 사실의 세부사항을 분석하는 듯하다. 발걸음은 일정한 패턴을 따르며, 팔과 다리는 섬세하게 움직인다. 이 동작은 무용수가 사실을 분석하고 이해하는 과정을 나타낸다.

사실의 인식은 확고하고 집중된 동작으로 표현된다. 무용수는 사실을 인식하며, 그의 몸짓은 집중력으로 가득 차 있다. 발걸음은 단호하고, 팔과 다리는 명확하게 뻗어진다. 이 동작은 무용수가 제시된 사실을 인식하고 그 진실을 받아들이는 모습을 상징한다.

사실의 전달은 유연하고 조화로운 동작으로 표현된다. 무용수는 사실을 다른 이들에게 전달하며, 그의 몸짓은 유연하고 조화롭다. 발걸음은 부드럽고, 팔과 다리는 자연스럽게 뻗어진다. 이 동작은 무용수가 제시된 사실을 다른 사람들과 공유하며, 그 사실을 통해 조화를 이루는 과정을 나타낸다.

사실의 영향은 강렬하고 변화무쌍한 동작으로 표현된다. 무용수는 사실이 주는 영향을 강렬하게 표현하며, 그의 몸짓은 다양한 방향으로 뻗어 나간다. 발걸음은 빠르고, 팔과 다리는 힘차게 움직인다. 이 동작은 무용수가 사실의 영향으로 인한 변화를 겪는 모습을 상징한다.

사실의 수용과 이해는 부드럽고 안정된 동작으로 표현된다. 무용수는 사실을 완전히 수용하고 이해하며, 그의 몸짓은 차분하고 안정적이다. 발걸음은 가볍고, 팔과 다리는 유연하게 움직인다. 이 동작은 무용수가 제시된 사실을 완전히 받아들이고 이해하는 과정을 상징한다.

사실의 정리는 정돈되고 균형 잡힌 동작으로 표현된다. 무용수는 제시된 사실을 정리하며, 그의 몸짓은 정돈되고 균형 잡혀 있다. 발걸음은 확고하고, 팔과 다리는 조화롭게 움직인다. 이 동작은 무용수가 사실을 정리하고 체계적으로 이해하는 모습을 상징한다.

마지막으로, 사실의 여운은 평온하고 안정된 동작으로 마무리된다. 무용수는 무대의 중심에서 평온한 자세를 취하며, 사실의 여운을 남긴다. 그의 몸짓은 부드럽고 안정적이며, 제시된 사실을 통해 얻은 내면의 평화와 만족을 나타낸다.

"제시된 사실들"은 이렇게 다양한 움직임을 통해 사실의 제시와 그로 인한 인식과 이해를 시각적으로 표현한다. 무용수의 몸짓 하나하나는 사실의 제시, 분석, 인식, 전달, 영향, 수용과 이해, 정리, 그리고 여운을 생생하게 전달하며, 관객에게 깊은 인상을 남긴다.

"충분한 수행"이라는 주제를 움직임으로 표현하는 것은 일의 완전하고 정확한 이행과 그로 인한 성취감, 안정감을 신체적 표현을 통해 드러내는 데 중점을 둔다. 이 주제는 무용수의 정확하고 자신감 있는 몸짓을 통해 수행의 과정과 결과를 극적으로 전달할 수 있다.

수행의 시작은 확고하고 명확한 동작으로 표현된다. 무용수는 무대에 단호하게 등장하여, 그의 발걸음은 규칙적이고, 팔과 다리는 명확하게 움직인다. 이 동작은 무용수가 작업을 시작하는 순간의 결의와 확신을 상징한다.

수행의 진행은 일관되고 집중된 동작으로 표현된다. 무용수의 움직임은 일정하고 집중적이며, 그의 몸짓은 정확하고 일관되다. 발걸음은 일정한 리듬을 유지하며, 팔과 다리는 세밀하게 움직인다. 이 동작은 무용수가 작업을 진행하며 주의를 기울이고 정확성을 유지하는 모습을 나타낸다.

수행 중의 도전과 극복은 강렬하고 의지적인 동작으로 표현된다. 무용수는 수행 과정에서 마주하는 도전과 장애물을 격렬한 움직임으로 맞서며, 그의 몸은 긴장감으로 가득 차 있다. 발걸음은 빠르고 강하며, 팔과 다리는 대립적인 방향으로 뻗어진다. 이 동작은 무용수가 수행 과정에서의 어려움을 극복하는 모습을 상징한다.

수행의 완성에서는 강하고 자신감 넘치는 동작으로 표현된다. 무용수는 작업을 완성하며, 그의 몸짓은 자신감으로 가득 차 있다. 이 동작은 무용수가 작업을 완수하는 순간의 성취감과 자부심을 나타낸다.

완성 후의 성취감은 활기차고 자유로운 동작으로 표현된다. 무용수는 작업을 완성한 후 느끼는 성취감과 자유를 활기찬 움직임으로 선보인다. 그의 발걸음은 가볍고, 팔과 다리는 넓게 펼쳐진다. 이 동작은 무용수가 충분한 수행을 통해 얻는 기쁨과 해방감을 나타낸다.

수행의 안정감은 부드럽고 조화로운 동작으로 표현된다. 무용수는 작업을 완수한 후 느끼는 안정감을 부드럽고 조화로운 움직임으로 드러낸다. 그의 몸짓은 차분하고 유연하며, 발걸음은 안정적이다. 이 동작은 무용수가 충분한 수행을 통해 내면의 평화와 안정을 찾는 과정을 상징한다.

지속적인 수행은 반복적이고 리드미컬한 동작으로 표현된다. 무용수는 충분한 수행을 유지하기 위해 반복적인 움직임을 선보인다. 그의 몸짓은 일정한 리듬을 따르며, 발걸음은 리드미컬하게 이어진다. 이 동작은 무용수가 지속적으로 충분한 수행을 유지하며, 일관성을 지키는 모습을 나타낸다.

마지막으로, 충분한 수행의 여운은 평온하고 안정된 동작으로 마무리된다. 무용수는 무대의 중심에서 평온한 자세를 취하며, 충분한 수행의 여운을 남긴다. 그의 몸짓은 부드럽고 안정적이며, 작업을 완수한 후의 내면의 평화와 만족을 나타낸다.

무용수의 몸짓 하나하나는 수행의 시작, 진행, 도전과 극복, 완성, 성취감, 안정감, 지속, 그리고 여운을 생생하게 전달한다.

adhesive quality 점착성

"점착성"이라는 주제를 움직임으로 표현하는 것은 끈적임과 결속, 그리고 그로 인한 상호작용을 신체적 표현을 통해 드러내는 데 중점을 둔다. 이 주제는 무용수의 밀착되고 유기적인 몸짓을 통해 점착성의 특성과 그로 인한 감정의 변화를 극적으로 전달할 수 있다.

점착성의 시작은 부드럽고 느린 동작으로 표현된다. 무용수는 무대에 천천히 등장하여, 그의 발걸음은 조심스럽고, 팔과 다리는 부드럽게 움직인다. 이 동작은 무용수가 점착성을 처음으로 느끼는 순간의 섬세함과 신중함을 상징한다.

결속의 형성은 점진적이고 유연한 동작으로 표현된다. 무용수의 움직임은 점점 더 유연해지고 밀착된다. 그의 몸짓은 다른 무용수들과 결속되며, 발걸음은 느리지만 확실하게 이어진다. 이 동작은 무용수가 점착성을 통해 결속을 형성하는 과정을 나타낸다.

상호작용은 밀착되고 유기적인 동작으로 표현된다. 무용수들은 서로 밀착되어 움직이며, 그들의 몸짓은 유기적으로 연결된다. 발걸음은 조화롭게 맞물리고, 팔과 다리는 서로의 움직임에 반응한다. 이 동작은 무용수들이 점착성을 통해 긴밀하게 상호작용하는 모습을 상징한다.

점착성의 강도는 강하고 끈적이는 동작으로 표현된다. 무용수는 점착성이 강해질수록 그의 움직임은 더 강하고 끈적이게 변한다. 발걸음은 무겁고, 팔과 다리는 강하게 연결된다. 이 동작은 무용수가 점착성의 강도를 느끼며, 그로 인해 더 깊이 결속되는 과정을 나타낸다.

점착성의 부담은 느리고 무거운 동작으로 표현된다. 무용수는 점착성으로 인한 부담감을 느끼며, 그의 몸짓은 느리고 무겁게 변한다. 발걸음은 무겁게 이어지고, 팔과 다리는 강하게 붙어 있다. 이 동작은 무용수가 점착성으로 인해 겪는 부담과 그로 인한 고충을 상징한다.

해소의 과정은 점진적이고 부드러운 동작으로 표현된다. 무용수는 점착성을 해소하며, 그의 움직임은 점점 더 부드럽고 자유로워진다. 발걸음은 가벼워지고, 팔과 다리는 유연하게 움직인다. 이 동작은 무용수가 점착성을 벗어나 내면의 자유를 찾는 과정을 나타낸다.

자유와 해방은 활기차고 개방적인 동작으로 표현된다. 무용수는 점착성에서 벗어나 자유를 느끼며, 그의 몸짓은 활기차고 개방적이다. 발걸음은 빠르고 가볍고, 팔과 다리는 넓게 펼쳐진다. 이 동작은 무용수가 점착성을 극복한 후 느끼는 해방감과 기쁨을 나타낸다.

마지막으로, 점착성의 여운은 평온하고 안정된 동작으로 마무리된다. 무용수는 무대의 중심에서 평온한 자세를 취하며, 점착성의 여운을 남긴다. 그의 몸짓은 부드럽고 안정적이며, 내면의 평화와 만족을 나타낸다.

"점착성"은 이렇게 다양한 움직임을 통해 끈적임과 결속, 그리고 그로 인한 상호작용을 시각적으로 표현한다.

administered rebuke 시행된 비난

시행된 비난은 종종 불가피하게 발생하는 상황에서 이루어지며, 그로 인해 양쪽 모두에게 심리적 영향을 미친다. 비난을 받는 사람은 자신의 행동이나 실수에 대한 강한 비판을 받으며, 그로 인해 부정적인 감정과 자존감의 하락을 경험할 수 있다. 무용수는 비난이라는 표현을 하기위해 위해 긴장되고 예리한 동작을 사용하여, 비난의 강도와 그로인한 감정적 충격을 시각적으로 전달한다.

비난을 하는 사람 또한 그 비난을 정당화하고, 비난의 이유를 명확히 전달하려는 노력을 기울인다. 이러한 상황은 종종 강한 손짓과 빠른 발걸음으로 표현되며, 비난의 에너지가 어떻게 전달되는지를 보여준다. 비난의 여파는 무거운 분위기와 느린 동작으로 표현되며, 이는 비난을 받은 사람의 심리적 상태를 반영한다.

결국, 시행된 비난은 양쪽 모두에게 깊은 영향을 미치며, 이는 비난의 목적이 개선과 성장을 위한 것인지, 단순한 공격인지를 고려하게 만든다. 비난을 받은 후의 내면적 변화는 점차 부드럽고 유연한 움직임으로 표현되며, 이는 자기반성과 성찰을 통해 새로운 깨달음을 얻는 과정을 상징한다. 마지막으로, 비난을 극복하고 성장하는 모습은 안정적이고 확고한 동작으로 마무리된다. 무용수는 비난을 통해 얻은 교훈을 바탕으로 더 강하고 성숙한 모습을 보여준다. 이 과정을 통해 비난은 단순한 부정적 경험이 아닌, 개인의 성장을 위한 중요한 요소로 재해석될 수 있다.

admissible evidence 인정될만한 증거

인정될만한 증거는 법정이나 논쟁에서 중요한 역할을 한다. 이는 사건의 진실을 밝히기 위해 신뢰할 수 있고, 법적으로 허용되는 자료를 의미한다. 무용수의 움직임으로 이를 표현하는 것은 증거가 제시되고 검토되는 과정을 신체적 표현을 통해 드러내는 데 중점을 둔다.

증거의 제시는 확고하고 명확한 동작으로 표현된다. 무용수는 무대에 단호하게 등장하여, 그의 발걸음은 강하고 확실하며, 팔과 다리는 정확하고 의미 있는 동작들로 뻗어진다. 이 동작은 무용수가 증거를 제시하는 순간의 신뢰성과 확실성을 상징한다.

증거의 검토는 세밀하고 신중한 동작으로 표현된다. 무용수의 움직임은 느리고 세밀하며, 그의 몸짓은 주의 깊게 검토하는 모습을 드러낸다. 발걸음은 천천히 이어지고, 팔과 다리는 신중하게 움직인다. 이 동작은 무용수가 증거를 검토하고 그 신뢰성을 평가하는 과정을 나타낸다.

증거의 인식은 집중적이고 확고한 동작으로 표현된다. 무용수는 증거를 인식하며, 그의 몸짓은 강한 집중력으로 가득 차 있다. 발걸음은 단호하고, 팔과 다리는 명확하게 천천히 그리고 무겁다. 이 동작은 무용수가 제시된 증거를 인식하고 그 중요성을 받아들이는 모습을 상징한다. 증거의 영향은 강렬하고 변화무쌍한 동작으로 표현된다. 무용수는 증거가 주는 영향을 강렬하게 표현하며, 그의 몸짓은 다양한 몸짓의 방향으로 뻗어 나간다. 발걸음은 빠르고, 팔과 다리는 힘차게 움직이며 이 동작은 무용수가 증거의 영향으로 인한 많은 변화를 겪는 모습을 상징한다.

증거의 채택은 부드럽고 안정된 동작으로 표현된다. 무용수는 증거가 채택된 후, 그의 움직임은 안정적이다. 발걸음은 가볍고, 팔과 다리는 유연하게 움직인다. 이 동작은 무용수가 증거를 받아들이고 내면의 평화를 찾는 과정을 상징하고 증거의 여파는 조화로운 동작과 상호작용으로 표현된다.

마지막으로, 증거의 여운은 평온하고 안정된 동작으로 마무리된다. 무용수는 무대의 중심에서 평온한 자세를 취하며, 증거의 여운을 남긴다. 그의 몸짓은 부드럽고 안정적이며, 증거를 통해 얻은 내면의 평화와 만족을 나타낸다. 무용수의 시선은 멀리 바라보며, 앞으로의 가능성을 기대하는 모습을 나타낸다.

"인정될만한 증거"는 이렇게 다양한 움직임을 통해 증거가 제시되고 검토되며, 채택되고 영향을 미치는 과정을 시각적으로 표현한다.

admittedly inferior 수긍할 만하게 열등한

"수긍할 만하게 열등한"이라는 주제를 움직임으로 표현하는 것은 자신이 열등하다고 느끼는 감정과 그로 인한 내면의 갈등, 그리고 이를 수용하는 과정을 신체적 표현을 통해 드러내는 데 중점을 둔다. 이 주제는 무용수의 섬세하고 감정적인 몸짓을 통해 열등감과 그로 인한 감정의 변화를 극적으로 전달할 수 있다.

열등감의 시작은 주저하고 위축된 동작으로 표현된다. 무용수는 무대에 천천히 그의 발걸음은 조심스럽고, 팔과 다리는 몸에 가까이 붙어 있다. 이 동작은 무용수가 자신이 열등하다고 느끼기 시작하는 순간의 불안과 주저함을 상징한다.

열등감의 고조는 불안정하고 긴장된 동작으로 표현된다. 무용수의 움직임은 점점 더 불안정해지고 긴장감이 가득 차 있다. 그의 몸짓은 예기치 않게 흔들리고, 팔과 다리는 긴장감으로 가득 차 있다. 이 동작은 무용수가 자신의 열등감에 압도되어 내면의 갈등과 혼란을 겪는 과정을 나타낸다.

내면의 갈등과 자아 비판은 격렬한 동작과 혼란스러운 움직임으로 표현된다. 무용수는 열등감으로 인해 내면에서 심리적 갈등과 자아 비판을 겪으며, 격렬한 움직임을 선보인다. 그의 몸은 이리저리 흔들리고, 팔과 다리는 불안하게 움직인다. 이 동작은 무용수가 열등감으로 인해 자기 자신을 비판하고 갈등을 겪는 모습을 상징한다.

열등감의 수용은 점진적이고 유연한 동작으로 표현된다. 무용수는 자신의 열등감을 인정하고 수용하며, 그의 움직임은 점점 더 유연하고 부드러워진다. 발걸음은 가벼워지고, 팔과 다리는 조금씩 더 자유롭게 움직인다. 이 동작은 무용수가 자신의 열등감을 받아들이고 내면의 평화를 찾는 과정을 상징한다. 수용 후의 내면 평화는 조화롭고 안정된 동작으로 표현된다.

무용수는 열등감을 수용한 후, 내면의 평화를 찾으며 조화로운 움직임을 선보인다. 그의 몸짓은 부드럽고 안정적이며, 발걸음은 차분하다. 이 동작은 무용수가 열등감을 극복하고 내면의 평화를 이루는 모습을 나타낸다.

성장의 가능성은 활기차고 자유로운 동작으로 표현된다. 무용수는 열등감을 극복한 후, 성장의 가능성을 탐색하며 활기차고 자유로운 움직임을 선보인다. 그의 발걸음은 빠르고 가벼우며, 팔과 다리는 넓게 펼쳐진다. 이 동작은 무용수가 열등감을 극복하고 새로운 가능성을 향해 나아가는 모습을 상징한다.

다른 사람들과의 상호작용과 협력은 상호작용 적인 동작으로 표현된다. 무용수는 다른 무용수들과 함께 춤을 추며, 열등감을 극복하고 상호작용하는 모습을 보여준다. 그들의 움직임은 조화롭고 상호작용하며, 서로의 지원과 격려를 나타낸다. 이 동작은 무용수가 열등감을 극복하고 다른 사람들과 협력하는 모습을 상징한다.

마지막으로, 열등감을 극복한 후의 평온은 평온하고 안정된 동작으로 마무리된다. 무용수는 무대의 중심에서 평온한 자세를 취하며, 열등감을 극복한 후의 평화를 표현한다.

그의 몸짓은 부드럽고 안정적이며, 내면의 평화와 성숙을 나타낸다.

"수긍할 만하게 열등한"은 이렇게 다양한 움직임을 통해 자신이 열등하다고 느끼는 감정과 그로 인한 내면의 갈등, 그리고 이를 수용하는 과정을 시각적으로 표현한다. 무용수의 몸짓 하나하나는 열등감의 시작, 고조, 내면의 갈등과 자아 비판, 수용, 내면 평화, 성장, 상호작용과 협력, 그리고 평온을 모든 것을 관객에게 전달한다.

admonitory gesture 훈계하는 몸짓

"훈계하는 몸짓"이라는 주제를 움직임으로 표현하는 것은 권위와 지침을 전달하는 과정을 신체적 표현을 통해 드러내는 데 중점을 둔다. 이 주제는 무용수의 명확하고 단호한 몸짓을 통해 훈계의 본질과 그로 인한 감정의 변화를 극적으로 전달할 수 있다.

훈계의 시작은 단호하고 명확한 동작으로 표현된다. 무용수는 무대에 단호하게 등장하여, 그의 발걸음은 강하고 확실하며, 이 동작은 무용수가 훈계를 시작하는 순간의 결의와 확신을 상징한다.

훈계의 전달은 정확하고 일관된 동작으로 표현된다. 무용수의 움직임은 일정하고 일관되며, 그의 몸짓은 정확하고 명확하다. 발걸음은 일정한 리듬을 유지하며, 팔과 다리는 지시를 나타내듯이 움직인다. 이 동작은 무용수가 훈계를 통해 지침과 권위를 전달하는 모습을 나타낸다.

내면의 반응은 불안정하고 긴장된 동작으로 표현된다. 무용수는 훈계를 받는 사람의 내면의 반응을 나타내며, 그의 몸짓은 긴장감과 불안정함을 드러낸다. 발걸음은 주저하고, 팔과 다리는 긴장된 상태로 움직인다. 이 동작은 훈계를 받는 사람이 느끼는 내면의 갈등과 불안을 상징한다.

훈계의 수용은 점진적이고 유연한 동작으로 표현된다. 무용수는 훈계를 수용하며, 그의 움직임은 점점 더 유연하고 부드러워진다. 발걸음은 가벼워지고, 팔과 다리는 유연하게 움직인다. 이 동작은 무용수가 훈계를 받아들이고 내면의 평화를 찾는 과정을 상징한다.

훈계 후의 성찰은 차분하고 깊이 있는 동작으로 표현된다. 무용수는 훈계를 통해 성찰하며, 그의 몸짓은 차분하고 깊이 있다. 발걸음은 천천히 이어지고, 팔과 다리는 자연스럽게 움직인다. 이 동작은 무용수가 훈계를 통해 자신을 되돌아보고 내면의 변화를 경험하는 모습을 나타낸다.

훈계의 영향은 조화롭고 상호작용 적인 동작으로 표현된다. 무용수는 다른 무용수들과 함께 춤을 추며, 훈계가 주는 영향을 반영한다. 그들의 움직임은 조화롭고 상호작용하며, 서로의 존재를 느끼고 이해하는 과정을 나타낸다. 이 동작은 무용수가 훈계를 통해 얻은 교훈을 바탕으로 다른 사람들과 상호작용하는 모습을 상징한다.

훈계를 통해 얻은 성장은 활기차고 자유로운 동작으로 표현된다. 무용수는 훈계를 통해 성장하고 발전하며, 그의 몸짓은 활기차고 자유롭다. 발걸음은 빠르고 가벼우며, 팔과 다리는 넓게 펼쳐진다. 이 동작은 무용수가 훈계를 통해 얻은 성장과 발전을 나타낸다.

마지막으로, 훈계의 여운은 평온하고 안정된 동작으로 마무리된다. 무용수는 무대의 중심에서 평온한 자세를 취하며, 훈계의 여운을 남긴다. 그의 몸짓은 부드럽고 안정적이며, 훈계를 통해 얻은 내면의 평화와 성숙을 나타낸다.

"훈계하는 몸짓"은 이렇게 다양한 움직임을 통해 권위와 지침을 전달하는 과정과 그로 인한 감정의 변화를 시각적으로 표현한다. 무용수의 몸짓 하나하나는 훈계의 시작, 전달, 내면의 반응, 수용, 성찰, 영향, 성장, 그리고 여운을 생생하게 전달하며, 관객에게 깊은 인상을 남긴다.

adorable vanity 귀여운 허영심

"귀여운 허영심"이라는 주제를 움직임으로 표현하는 것은 자신감 넘치고 다소 과장된 자기 표현의 즐거움과 그로 인한 상호작용을 신체적 표현을 통해 드러내는 데 중점을 둔다. 이 주제는 무용수의 경쾌하고 장난기 넘치는 몸짓을 통해 허영심의 사랑스러운 측면과 그로 인한 감정의 변화를 극적으로 전달할 수 있다.

허영심의 시작은 경쾌하고 자신감 넘치는 동작으로 표현된다. 무용수는 무대에 활기차게 등장하여, 그의 발걸음은 가볍고, 팔과 다리는 넓게 펼쳐진다. 이 동작은 무용수가 자신을 과감하게 드러내고자 하는 순간의 자신감과 기대감을 상징한다.

자기 표현은 유연하고 과장된 동작으로 표현된다. 무용수의 움직임은 다소 과장되고 유연하며, 그의 몸짓은 자신감으로 가득 차 있다. 발걸음은 경쾌하고, 팔과 다리는 자유롭게 움직인다. 이 동작은 무용수가 자신의 매력을 과시하고 주위를 즐겁게 하는 모습을 나타낸다.

주변의 반응은 부드럽고 상호작용 적인 동작으로 표현된다. 무용수는 주변 무용수들과 상호작용하며, 그들의 반응을 끌어낸다. 그의 몸짓은 조화롭고 상호작용 적이며, 발걸음은 부드럽게 이어진다. 이 동작은 무용수가 자신의 허영심으로 인해 주변의 관심과 반응을 이끌어내는 모습을 상징한다.

자기 도취는 행복하고 활기찬 동작으로 표현된다. 무용수는 자신의 허영심에 도취되어, 그의 움직임은 더욱 활기차고 행복하다. 발걸음은 가볍고, 팔과 다리는 넓게 펼쳐진다. 이 동작은 무용수가 자신의 허영심 속에서 행복을 찾고 즐거움을 느끼는 모습을 나타낸다.

허영심의 귀여운 측면은 장난기 넘치고 사랑스러운 동작으로 표현된다. 무용수는 장난스럽고 귀여운 몸짓을 통해 허영심의 사랑스러운 측면을 드러낸다. 발걸음은 경쾌하고, 팔과 다리는 유연하게 움직인다. 이 동작은 무용수가 자신의 허영심을 통해 주위를 즐겁게 하고 사랑받는 모습을 상징한다.

내면의 반성은 잠시 멈추고 깊이 있는 동작으로 표현된다. 무용수는 자신의 허영심을 돌아보며, 잠시 멈추고 깊이 있는 움직임을 선보인다. 발걸음은 느리고 조심스럽게 옮겨지고, 팔과 다리는 차분하게 움직인다. 이 동작은 무용수가 자신의 허영심을 반성하고 내면의 진정한 자신을 찾으려는 과정을 나타낸다.

자기 수용과 성장은 부드럽고 조화로운 동작으로 표현된다. 무용수는 자신의 허영심을 수용하며, 그의 몸짓은 부드럽고 조화롭다. 발걸음은 안정적이고, 팔과 다리는 유연하게 움직인다. 이 동작은 무용수가 자신의 허영심을 수용하고 내면의 성장을 이루는 모습을 상징한다.

마지막으로, 허영심의 여운은 평온하고 안정된 동작으로 마무리된다. 무용수는 무대의 중심에서 평온한 자세를 취하며, 허영심의 여운을 남긴다. 그의 몸짓은 부드럽고 안정적이며, 내면의 평화와 만족을 나타낸다. 무용수의 시선은 멀리 바라보며, 앞으로의 가능성을 기대하는 모습을 나타낸다.

"귀여운 허영심"은 이렇게 다양한 움직임을 통해 자신감 넘치고 다소 과장된 자기 표현의 즐거움과 그로 인한 상호작용을 시각적으로 표현한다. 무용수의 몸짓 하나하나는 허영심의 시작, 자기 표현, 주변의 반응, 자기 도취, 귀여운 측면, 내면의 반성, 자기 수용과 성장, 그리고 여운을 생생하게 전달하며, 관객에게 인상을 남긴다.

adroit flatterer 노련한 아첨꾼

"노련한 아첨꾼"이라는 주제를 움직임으로 표현하는 것은 상대방을 기쁘게 하고 설득하는 기술과 그로 인한 미묘한 감정의 변화를 신체적 표현을 통해 드러내는 데 중점을 둔다. 이 주제는 무용수의 유연하고 교묘한 몸짓을 통해 아첨의 예술과 그로 인한 심리적 반응을 극적으로 전달할 수 있다.

아첨의 시작은 부드럽고 유연한 동작으로 표현된다. 무용수는 무대에 부드럽게 등장하여, 그의 발걸음은 조심스럽고, 팔과 다리는 유연하게 움직인다. 이 동작은 무용수가 아첨을 시작하는 순간의 신중함과 우아함을 상징한다.

칭찬의 전달은 정교하고 교묘한 동작으로 표현된다. 무용수의 움직임은 세밀하고 교묘하며, 그의 몸짓은 자연스럽고 매끄럽다. 발걸음은 리드미컬하게 이어지고, 팔과 다리는 섬세하게 움직인다. 이는 무용수가 상대방을 칭찬하고 기쁘게 하는 기술을 나타낸다.

상대방의 반응은 상호작용적이고 긍정적인 동작으로 표현된다. 무용수는 상대방의 반응을 끌어내며, 그의 몸짓은 상대방과의 상호작용을 반영한다. 발걸음은 가볍고, 팔과 다리는 열정적으로 움직인다. 이 동작은 무용수가 아첨을 통해 상대방의 긍정적인 반응을 이끌어내는 모습을 상징한다.

아첨의 깊이는 섬세하고 조화로운 동작으로 표현된다. 무용수는 아첨의 깊이를 섬세한 움직임으로 드러낸다. 그의 몸짓은 조화롭고, 발걸음은 신중하게 이어진다. 팔과 다리는 자연스럽게 뻗어져 상대방과의 긴밀한 상호작용을 나타낸다. 이 동작은 무용수가 아첨의 깊이를 통해 상대방과의 관계를 더욱 강화하는 과정을 상징한다.

내면의 갈등과 진정성의 결여는 불안정하고 긴장된 동작으로 표현된다. 무용수는 아첨을 하면서 내면에서 느끼는 갈등과 진정성의 결여를 불안정한 움직임으로 드러낸다. 그의 몸은 긴장감으로 가득 차 있으며, 팔과 다리는 불안하게 움직인다. 이 동작은 무용수가 아첨 속에서 내면의 갈등을 겪는 모습을 상징한다.

아첨의 효과와 한계는 점진적이고 유연한 동작으로 표현된다. 무용수는 아첨의 효과와 한계를 인식하며, 그의 움직임은 점점 더 유연하고 부드러워진다. 발걸음은 가벼워지고, 팔과 다리는 자연스럽게 움직인다. 이 동작은 무용수가 아첨의 한계를 인식하고 내면의 평화를 찾는 과정을 상징한다.

관계의 변화와 성장은 조화로운 동작과 상호작용으로 표현된다. 무용수는 아첨을 통해 변화된 관계를 나타내며, 다른 무용수들과 함께 춤을 춘다. 그들의 움직임은 조화롭고 상호작용하며, 서로의 감정을 이해하고 받아들이는 과정을 나타낸다. 이 동작은 무용수가 아첨을 통해 관계를 발전시키고 성장하는 모습을 상징한다.

마지막으로, 아첨의 여운은 평온하고 안정된 동작으로 마무리된다. 무용수는 무대의 중심에서 평온한 자세를 취하며, 아첨의 여운을 남긴다. 그의 몸짓은 부드럽고 안정적이며, 아첨을 통해 얻은 내면의 평화와 성숙을 나타낸다. 무용수의 시선은 멀리 바라보며, 앞으로의 가능성을 기대하는 모습을 나타낸다.

"노련한 아첨꾼"은 이렇게 다양한 움직임을 통해 상대방을 기쁘게 하고 설득하는 기술과 그로 인한 미묘한 감정의 변화를 시각적으로 표현한다. 무용수의 몸짓 하나하나는 아첨의 시작, 칭찬의 전달, 상대방의 반응, 아첨의 깊이, 내면의 갈등과 진정성의 결여, 효과와 한계, 관계의 변화와 성장, 그리고 여운을 생생하게 전달하며, 관객에게 깊은 인상을 남긴다.

adventitious way 우발적인 방식

"우발적인 방식"이라는 주제를 움직임으로 표현하는 것은 예측할 수 없고 즉흥적인 행동과 그로 인한 변화를 신체적 표현을 통해 드러내는 데 중점을 둔다. 이 주제는 무용수의 예기치 않은 몸짓과 즉흥적인 움직임을 통해 우발적인 상황과 그로 인한 감정의 변화를 극적으로 전달할 수 있다.

우발성의 시작은 느리고 조심스러운 동작으로 표현된다. 무용수는 무대에 천천히 등장하여, 그의 발걸음은 조심스럽고, 팔과 다리는 신중하게 움직인다. 이 동작은 무용수가 우발적인 상황을 처음으로 인식하는 순간의 불안과 기대를 상징한다. 즉흥적인 행동은 빠르고 불규칙한 동작으로 표현된다. 무용수의 움직임은 갑작스럽고 예측할 수 없으며, 그의 몸짓은 즉흥적으로 변한다. 발걸음은 불규칙하게 이어지고, 팔과 다리는 다양한 방향으로 움직인다. 이 동작은 무용수가 우발적인 방식으로 행동하며, 그로 인해 발생하는 변화를 나타낸다.

예기치 않은 상황은 격렬하고 혼란스러운 동작으로 표현된다. 무용수는 예상치 못한 상황에 직면하며, 그의 몸짓은 격렬하고 혼란스럽다. 발걸음은 빠르고, 팔과 다리는 불안정하게 움직인다. 이 동작은 무용수가 우발적인 상황에서 느끼는 혼란과 긴장을 상징한다.

내면의 갈등은 강렬하고 긴장된 동작으로 표현된다. 무용수는 우발적인 상황으로 인해 내면에서 갈등을 겪으며, 그의 몸짓은 강한 긴장감으로 가득 차 있다. 발걸음은 무겁고, 팔과 다리는 긴장된 상태로 움직인다. 이 동작은 무용수가 우발적인 상황에서 겪는 내면의 갈등과 고민을 나타낸다.

우발성의 수용은 점진적이고 내려놓는 듯한 동작으로 표현된다. 무용수는 우발적인 상황을 받아들이며, 그의 움직임은 점점 더 유연하고 부드러워진다. 발걸음은 가벼워지고, 팔과 다리는 자연스럽게 움직인다. 이 동작은 무용수가 우발적인 상황을 수용하고 내면의 평화를 찾는 과정을 상징한다.

변화와 적응은 조화롭고 안정된 동작으로 표현된다. 무용수는 우발적인 상황에 적응하며, 그의 몸짓은 조화롭고 안정적이다.

발걸음은 일정한 리듬을 유지하며, 팔과 다리는 부드럽게 움직인다. 이 동작은 무용수가 우발적인 상황에 적응하고 새로운 환경에 적응하는 모습을 나타낸다.

즉흥성의 즐거움은 활기차고 자유로운 동작으로 표현된다. 무용수는 우발적인 상황을 즐기며, 그의 몸짓은 활기차고 자유롭다. 발걸음은 빠르고 가벼우며, 팔과 다리는 넓게 펼쳐진다. 이 동작은 무용수가 즉흥적인 방식으로 행동하며 얻는 즐거움과 해방감을 나타낸다.

마지막으로, 우발적인 방식의 여운은 평온하고 안정된 동작으로 마무리된다. 무용수는 무대의 중심에서 평온한 자세를 취하며, 우발적인 방식의 여운을 남긴다. 그의 몸짓은 부드럽고 안정적이며, 우발적인 경험을 통해 얻은 내면의 평화와 만족을 나타낸다.

"우발적인 방식"은 이렇게 다양한 움직임을 통해 예측할 수 없고 즉흥적인 행동과 그로 인한 변화를 시각적으로 표현한다. 무용수의 몸짓 하나하나는 우발성의 시작, 즉흥적인 행동, 예기치 않은 상황, 내면의 갈등, 수용, 변화와 적응, 즉흥성의 즐거움, 그리고 여운을 생생하게 전달한다.

adventurous mind 모험심

"모험심"이라는 주제를 움직임으로 표현하는 것은 탐험과 도전, 그리고 그로 인한 성취와 기쁨을 신체적 표현을 통해 드러내는 데 중점을 둔다. 이 주제는 무용수의 활기차고 대담한 몸짓을 통해 모험의 열정과 그로 인한 감정의 변화를 극적으로 전달할 수 있다.

모험의 시작은 활기차고 대담한 동작으로 표현된다. 무용수는 무대에 경쾌하게 등장하여, 그의 발걸음은 가볍고, 팔과 다리는 자신감 있게 뻗어진다. 이 동작은 무용수가 새로운 모험을 시작하는 순간의 흥분과 결의를 상징한다.

탐험의 진행은 유연하고 역동적인 동작으로 표현된다. 무용수의 움직임은 자유롭고 다채로우며, 그의 몸짓은 호기심과 열정으로 가득 차 있다. 발걸음은 빠르고, 팔과 다리는 넓게 펼쳐진다. 이 동작은 무용수가 모험을 통해 새로운 경험과 지식을 탐험하는 과정을 나타낸다.

도전과 장애물은 격렬하고 강렬한 동작으로 표현된다. 무용수는 모험 중에 마주하는 도전과 장애물을 격렬한 움직임으로 표현한다. 그의 몸짓은 힘차고 결연하며, 발걸음은 단호하고 강하게 이어진다. 이 동작은 무용수가 모험 중에 마주하는 어려움을 극복하는 모습을 상징한다.

내면의 갈등과 성찰은 느리고 깊이 있는 동작으로 표현된다. 무용수는 모험 중에 내면의 갈등과 성찰을 경험하며, 그의 움직임은 느리고 깊이 있다. 발걸음은 천천히 이어지고, 팔과 다리는 차분하게 움직인다. 이 동작은 무용수가 모험 중에 자신의 내면을 돌아보고 성장하는 과정을 나타낸다.

성취와 기쁨은 활기차고 자유로운 동작으로 표현된다. 무용수는 모험의 성취를 경험하며, 그의 몸짓은 활기차고 자유롭다. 발걸음은 빠르고 가벼우며, 팔과 다리는 넓게 펼쳐진다. 이 동작은 무용수가 모험을 통해 성취를 이루고 기쁨을 느끼는 모습을 상징한다.

모험의 여운과 평화는 부드럽고 조화로운 동작으로 표현된다. 무용수는 모험을 마치고 내면의 평화를 찾으며, 그의 움직임은 부드럽고 조화롭다. 발걸음은 차분하고, 팔과 다리는 유연하게 움직인다. 이 동작은 무용수가 모험을 통해 얻은 내면의 평화와 안정을 나타낸다.

모험심의 지속은 반복적이고 리드미컬한 동작으로 표현된다. 무용수는 지속적으로 모험심을 유지하며, 그의 움직임은 반복적이고 리드미컬하다. 발걸음은 일정한 리듬을 유지하며, 팔과 다리는 조화롭게 움직인다. 이 동작은 무용수가 끊임없이 새로운 도전을 향해 나아가는 모습을 상징한다.

마지막으로, 모험심의 여운은 평온하고 안정된 동작으로 마무리된다. 무용수는 무대의 중심에서 평온한 자세를 취하며, 모험심의 여운을 남긴다. 그의 몸짓은 부드럽고 안정적이며, 모험을 통해 얻은 내면의 평화와 만족을 나타낸다.

"모험심"은 이렇게 다양한 움직임을 통해 탐험과 도전, 그리고 그로 인한 성취와 기쁨을 시각적으로 표현한다. 무용수의 몸짓 하나하나는 모험의 시작, 탐험의 진행, 도전과 장애물, 내면의 갈등과 성찰, 성취와 기쁨, 모험의 여운과 평화, 모험심의 지속, 그리고 여운을 생생하게 전달하며, 관객에게 시각적인 이미지를 전달한다.

adverse experience 불리한 경험

"불리한 경험"이라는 주제를 움직임으로 표현하는 것은 고난과 역경, 그리고 그로 인한 고통과 회복의 과정을 신체적 표현을 통해 드러내는 데 중점을 둔다. 이 주제는 무용수의 강렬하고 감정적인 몸짓을 통해 불리한 상황과 그로 인한 감정의 변화를 극적으로 전달할 수 있다.

고난의 시작은 무겁고 느린 동작으로 표현되며, 무용수는 무대에 천천히 등장하여, 그의 발걸음은 무겁고, 팔과 다리는 지친 듯 움직인다. 이 동작은 무용수가 불리한 상황을 처음으로 맞닥뜨리는 순간의 절망과 두려움을 상징한다.

역경의 진행은 격렬하고 혼란스러운 동작으로 표현된다. 무용수의 움직임은 불규칙하고 격렬하며, 그의 몸짓은 역경 속에서의 혼란과 고통을 나타낸다. 발걸음은 빠르고 불안정하며, 팔과 다리는 힘겹게 움직인다. 이 동작은 무용수가 불리한 상황에서 고군분투하는 모습을 상징한다.

내면의 갈등과 고통은 강렬하고 긴장된 동작으로 표현된다. 무용수는 내면의 갈등과 고통을 겪으며, 그의 몸짓은 강한 긴장감과 감정으로 가득 차 있다. 발걸음은 무겁고 힘들게 이어지고, 팔과 다리는 불안하게 떨린다. 이 동작은 무용수가 역경 속에서 내면의 갈등과 고통을 경험하는 과정을 나타낸다.

고통의 극복은 점진적으로 사라지는 동작으로 표현된다. 무용수는 고통을 극복하며, 그의 움직임은 점점 더 유연하고 부드러워진다. 발걸음은 가벼워지고, 팔과 다리는 자연스럽게 움직인다. 이 동작은 무용수가 고통을 이겨내고 내면의 평화를 찾는 과정을 상징한다.

회복과 성장의 과정은 조화롭고 안정된 동작으로 표현된다. 무용수는 고통을 극복한 후, 회복과 성장을 이루며 그의 몸짓은 조화롭고 안정적이다. 발걸음은 일정한 리듬을 유지하며, 팔과 다리는 부드럽게 움직인다. 이 동작은 무용수가 불리한 경험을 통해 성장하고 회복하는 모습을 나타낸다.

불리한 경험의 영향은 강하고 확고한 동작으로 표현되고 무용수는 고난을 통해 강해진 자신을 표현하며, 그의 움직임은 강하고 확고하다. 발걸음은 단호하고 힘차게 이어지며, 팔과 다리는 자신감 있게 뻗어진다. 이 동작은 무용수가 불리한 경험을 통해 더욱 강해진 모습을 상징한다.

내면의 평화와 성찰은 부드럽고 조화로운 동작으로 표현된다. 무용수는 불리한 경험을 성찰하며, 내면의 평화를 찾는다. 그의 몸짓은 차분하고 조화로우며, 발걸음은 안정적이다. 이 동작은 무용수가 고난을 통해 내면의 평화와 성숙을 이루는 과정을 나타낸다.

마지막으로, 불리한 경험의 여운은 평온하고 안정된 동작으로 마무리된다. 무용수는 무대의 중심에서 평온한 자세를 취하며, 불리한 경험의 여운을 남긴다. 그의 몸짓은 부드러고 안정적이며, 고난을 통해 얻은 내면의 평화와 만족을 나타낸다. 무용수의 시선은 멀리 바라보며, 앞으로의 가능성을 기대하는 모습을 나타낸다.

"불리한 경험"은 이렇게 다양한 움직임을 통해 고난과 역경, 그리고 그로 인한 고통과 회복의 과정을 시각적으로 표현한다. 무용수의 몸짓 하나하나는 고난의 시작, 역경의 진행, 내면의 갈등과 고통, 극복, 회복과 성장, 경험의 영향, 내면의 평화와 성찰, 그리고 여운을 남겼다.

affably accommodating 싹싹하게 잘 협조하는

"싹싹하게 잘 협조하는"이라는 주제를 움직임으로 표현하는 것은 상호작용과 협력, 그리고 그로 인한 조화와 평화를 신체적 표현을 통해 드러내는 데 중점을 둔다. 이 주제는 무용수의 부드럽고 유연한 몸짓을 통해 협력의 아름다움과 그로 인한 감정의 변화를 극적으로 전달할 수 있다.

협력의 시작은 부드럽고 따뜻한 동작으로 표현된다. 무용수는 무대에 유연하게 등장하여, 그의 발걸음은 가볍고 조심스럽게 옮겨지며, 팔과 다리는 부드럽게 움직인다. 이 동작은 무용수가 협력을 시작하는 순간의 따뜻함과 친근함을 상징한다.

상호작용은 유연하고 조화로운 동작으로 표현된다. 무용수의 움직임은 부드럽고 자연스럽게 이어지며, 그의 몸짓은 다른 무용수들과의 상호작용을 나타낸다. 발걸음은 리드미컬하게 이어지고, 팔과 다리는 서로의 움직임에 반응하여 조화롭게 움직인다. 이 동작은 무용수가 다른 사람들과 협력하며 조화를 이루는 모습을 상징한다.

협력의 과정은 일관되고 부드러운 동작으로 표현된다. 무용수는 협력의 과정에서 일관성과 부드러움을 유지하며, 그의 몸짓은 지속적으로 안정적이다. 발걸음은 일정한 리듬을 유지하며, 팔과 다리는 유연하게 움직인다. 이 동작은 무용수가 협력의 과정에서 일관성을 유지하며 안정감을 주는 모습을 나타낸다.

무용수는 다른 무용수들과의 상호 이해와 배려를 세밀한 움직임으로 나타낸다. 그의 발걸음은 조심스럽고, 팔과 다리는 섬세하게 움직인다. 이 동작은 무용수가 협력 과정에서 서로를 이해하고 배려하는 모습을 상징한다.

협력의 성과는 활기차고 기쁜 동작으로 표현된다. 무용수는 협력을 통해 성과를 이루며, 그의 몸짓은 활기차고 기쁘다. 발걸음은 빠르고 가벼우며, 팔과 다리는 넓게 펼쳐진다. 이 동작은 무용수가 협력을 통해 얻은 성과와 그로 인한 기쁨을 나타낸다.

협력의 조화는 부드럽고 안정된 동작으로 표현된다. 무용수는 협력의 결과로 이루어진 조화를 부드럽게 나타낸다. 그의 몸짓은 차분하고 안정적이며, 발걸음은 조화롭게 이어진다. 이 동작은 무용수가 협력의 결과로 얻은 내면의 평화와 안정을 상징한다.

지속적인 협력은 반복적이고 리드미컬한 동작으로 표현된다. 무용수는 지속적으로 협력을 유지하며, 그의 움직임은 반복적이고 리드미컬하다. 발걸음은 일정한 리듬을 유지하며, 팔과 다리는 유연하게 움직인다. 이 동작은 무용수가 계속해서 다른 사람들과 협력하며 일관성을 지키는 모습을 나타낸다.

마지막으로, 협력의 여운은 평온하고 안정된 동작으로 마무리된다. 무용수는 무대의 중심에서 평온한 자세를 취하며, 협력의 여운을 남긴다. 그의 몸짓은 부드럽고 안정적이며, 협력을 통해 얻은 내면의 평화와 만족을 나타낸다.

"싹싹하게 잘 협조하는"은 이렇게 다양한 움직임을 통해 상호작용과 협력, 그리고 그로 인한 조화와 평화를 시각적으로 표현한다. 무용수의 몸짓 하나하나는 협력의 시작, 상호작용, 과정, 상호 이해와 배려, 성과, 조화, 지속, 그리고 여운을 생생하게 전달한다.

affected indifference 가장된 무관심

"가장된 무관심"이라는 주제를 움직임으로 표현하는 것은 겉으로는 무관심해 보이지만 내면에는 강한 감정과 갈등이 있는 상태를 신체적 표현을 통해 드러내는 데 중점을 둔다. 이 주제는 무용수의 섬세하고 다층적인 몸짓을 통해 무관심의 가장과 그로 인한 감정의 변화를 극적으로 전달할 수 있다.

무관심의 시작은 차분하고 느린 동작으로 표현된다. 무용수는 무대에 천천히 등장하여, 그의 발걸음은 가볍고 느리게 옮겨지며, 팔과 다리는 부드럽게 움직인다. 이 동작은 무용수가 겉으로는 무관심한 태도를 취하는 순간의 차분함과 거리감을 상징한다.

가장된 무관심은 고정된 시선과 단조로운 동작으로 표현된다. 무용수의 움직임은 일정하고 단조로우며, 그의 몸짓은 감정을 드러내지 않으려는 듯하다. 발걸음은 리드미컬하게 이어지고, 팔과 다리는 고정된 패턴으로 움직인다. 이 동작은 무용수가 무관심을 가장하려는 노력을 나타낸다.

내면의 갈등은 긴장되고 불안한 동작으로 표현된다. 무용수는 무관심 속에서도 내면의 갈등을 느끼며, 그의 몸짓은 긴장감과 불안으로 가득 차 있다. 발걸음은 주저하고, 팔과 다리는 불안하게 떨린다. 이 동작은 무용수가 겉으로는 무관심해 보이지만 내면에서는 심리적 갈등을 겪는 모습을 상징한다.

무관심의 가장은 반복적이고 기계적인 동작으로 표현된다. 무용수는 반복적인 움직임을 통해 무관심을 가장하려고 한다. 그의 몸짓은 기계적이고 일관되며, 발걸음은 일정한 리듬을 유지한다. 이 동작은 무용수가 무관심을 지속적으로 가장하려는 노력을 나타낸다.

내면의 고통은 강렬하고 혼란스러운 동작으로 표현된다. 무용수는 무관심 속에서도 내면의 고통을 느끼며, 그의 몸짓은 격렬하고 혼란스럽다. 발걸음은 불안정하고, 팔과 다리는 다양한 방향으로 움직인다. 이 동작은 무용수가 내면의 고통을 숨기려는 모습을 상징하며 감정의 폭발은 갑작스럽고 강렬한 동작으로 표출된다.

 무용수는 더 이상 무관심을 가장할 수 없게 되어 감정을 폭발 시킨다. 그의 몸짓은 갑작스럽고 강렬하며, 발걸음은 빠르고 힘차게 이어진다. 이 동작은 무용수가 내면의 감정을 드러내는 순간을 나타낸다.

내면의 평화와 수용은 부드럽고 처연한 동작으로 표현된다. 무용수는 감정을 드러낸 후 내면의 평화를 찾으며, 그의 움직임은 부드럽고 힘이 없다. 발걸음은 가벼워지고, 팔과 다리는 자연스럽게 움직인다. 이 동작은 무용수가 자신의 감정을 수용하고 내면의 평화를 찾는 과정을 상징한다.

마지막으로, 가장된 무관심의 여운은 평온하고 안정된 동작으로 마무리된다. 무용수는 무대의 중심에서 평온한 자세를 취하며, 가장된 무관심의 여운을 남긴다. 그의 몸짓은 부드럽고 안정적이며, 내면의 평화와 성숙을 나타낸다.

"가장된 무관심"은 이렇게 다양한 움직임을 통해 겉으로는 무관심해 보이지만 내면에는 강한 감정과 갈등이 있는 상태를 시각적으로 표현한다. 무용수의 몸짓 하나하나는 무관심의 시작, 가장된 무관심, 내면의 갈등, 가장의 반복, 내면의 고통, 감정의 폭발, 평화와 수용, 그리고 여운을 생생하게 전달하며, 관객에게 여운이 있는 인상을 남긴다.

affectionate approval 애정 어린 인정

"애정 어린 인정"이라는 주제를 움직임으로 표현하는 것은 따뜻한 감정과 진심 어린 인정의 순간을 신체적 표현을 통해 드러내는 데 중점을 둔다. 이 주제는 무용수의 부드럽고 감동적인 몸짓을 통해 인정의 따뜻함과 그로 인한 감정의 변화를 극적으로 전달할 수 있다.

인정의 시작은 부드럽고 따뜻한 동작으로 표현된다. 무용수는 무대에 천천히 등장하여, 그의 발걸음은 가볍고, 팔과 다리는 부드럽게 움직인다. 이 동작은 무용수가 처음으로 애정 어린 인정을 느끼는 순간의 따뜻함과 기대감을 상징한다.

인정의 표현은 포근하고 유연한 동작으로 나타난다. 무용수의 움직임은 자연스럽고 포근하며, 그의 몸짓은 따뜻한 감정으로 가득 차 있다. 발걸음은 유연하게 이어지고, 팔과 다리는 상대방을 감싸듯이 움직인다. 이 동작은 무용수가 상대방을 인정하고 사랑을 표현하는 모습을 나타낸다.

상호작용은 조화롭고 섬세한 동작으로 표현된다. 무용수는 다른 무용수들과 상호작용하며, 그들의 움직임은 조화롭고 섬세하다. 발걸음은 서로를 배려하며 조심스럽게 이어지고, 팔과 다리는 부드럽게 연결된다. 이 동작은 무용수가 다른 사람들과 애정 어린 상호작용을 통해 유대감을 형성하는 모습을 상징한다.

인정의 깊이는 깊고 안정된 동작으로 표현된다. 무용수는 애정 어린 인정을 통해 깊은 감정을 느끼며, 그의 움직임은 안정적이고 부드럽다. 발걸음은 천천히 이어지고, 팔과 다리는 자연스럽게 움직인다. 이 동작은 무용수가 애정 어린 인정을 통해 내면의 안정과 평화를 찾는 과정을 나타낸다.

감사의 표현은 활기차고 기쁜 동작으로 나타난다. 무용수는 애정 어린 인정을 받은 후 감사의 감정을 표현하며, 그의 몸짓은 활기차고 기쁘다. 발걸음은 빠르고 가벼우며, 팔과 다리는 넓게 펼쳐진다. 이 동작은 무용수가 감사의 마음을 전하는 순간을 상징한다.

인정의 지속은 반복적이고 리드미컬한 동작으로 표현된다. 무용수는 지속적으로 애정 어린 인정을 유지하며, 그의 움직임은 반복적이고 리드미컬하다. 발걸음은 일정한 리듬을 유지하며, 팔과 다리는 유연하게 움직인다. 이 동작은 무용수가 계속해서 애정 어린 인정을 통해 관계를 유지하고 발전시키는 모습을 나타낸다.

성장의 과정은 부드럽고 조화로운 동작으로 표현된다. 무용수는 애정 어린 인정을 통해 성장하며, 그의 몸짓은 부드럽고 조화롭다. 발걸음은 차분하고, 팔과 다리는 유연하게 움직인다. 이 동작은 무용수가 애정 어린 인정을 통해 내면적으로 성장하고 발전하는 과정을 상징한다.

마지막으로, 애정 어린 인정의 여운은 평온하고 안정된 동작으로 마무리된다. 무용수는 무대의 중심에서 평온한 자세를 취하며, 애정 어린 인정의 여운을 남긴다. 그의 몸짓은 부드럽고 안정적이며, 내면의 평화와 만족을 나타낸다. 무용수의 시선은 멀리 바라보며, 앞으로의 가능성을 기대하는 모습을 나타낸다.

"애정 어린 인정"은 이렇게 다양한 움직임을 통해 따뜻한 감정과 진심 어린 인정의 순간을 시각적으로 표현한다. 무용수의 몸짓 하나하나는 인정의 시작, 표현, 상호작용, 깊이, 감사, 지속, 성장,등의 여운을 전달하며, 마무리한다.

affirmative attitude 긍정적인 태도

"긍정적인 태도"라는 주제를 움직임으로 표현하는 것은 희망과 낙관, 그리고 그로 인한 활력과 자신감을 신체적 표현을 통해 드러내는 데 중점을 둔다. 이 주제는 무용수의 활기차고 자신감 넘치는 몸짓을 통해 긍정적인 태도의 힘과 그로 인한 감정의 변화를 극적으로 전달할 수 있다.

긍정의 시작은 밝고 경쾌한 동작으로 표현된다. 무용수는 무대에 활기차게 등장하여, 그의 발걸음은 가볍고 리드미컬하게 옮겨지며, 팔과 다리는 자유롭게 움직인다. 이 동작은 무용수가 긍정적인 태도로 하루를 시작하는 순간의 기쁨과 희망을 상징한다.

긍정적인 태도의 표현은 유연하고 자신감 넘치는 동작으로 나타난다. 무용수의 움직임은 자연스럽고 자신감으로 가득 차 있으며, 그의 몸짓은 강한 에너지를 방출한다. 발걸음은 리드미컬하게 이어지고, 팔과 다리는 넓게 펼쳐진다. 이 동작은 무용수가 긍정적인 태도를 통해 자신감과 에너지를 표현하는 모습을 나타낸다.

상호작용과 격려는 따뜻하고 조화로운 동작으로 표현된다. 무용수는 다른 무용수들과 상호작용하며, 그들의 움직임은 따뜻하고 조화롭다. 발걸음은 서로를 배려하며 이어지고, 팔과 다리는 부드럽게 연결된다. 이 동작은 무용수가 긍정적인 태도로 다른 사람들과 상호작용하며 서로를 격려하는 모습을 상징한다.

내면의 평화와 안정은 부드럽고 안정된 동작으로 표현된다. 무용수는 긍정적인 태도를 통해 내면의 평화와 안정을 찾으며, 그의 움직임은 부드럽고 안정적이다. 발걸음은 천천히 이어지고, 팔과 다리는 자연스럽게 움직인다. 이 동작은 무용수가 긍정적인 태도를 통해 내면의 평화와 안정을 이루는 과정을 나타낸다.

도전과 극복은 강하고 단호한 동작으로 표현된다. 무용수는 긍정적인 태도로 도전에 맞서며, 그의 몸짓은 강하고 단호하다. 발걸음은 힘차고, 팔과 다리는 강하게 뻗어진다. 이 동작은 무용수가 긍정적인 태도를 통해 도전을 극복하고 앞으로 나아가는 모습을 상징한다.

성취와 기쁨은 활기차고 자유로운 동작으로 표현된다. 무용수는 긍정적인 태도로 목표를 달성하며, 그의 몸짓은 활기차고 자유롭다. 발걸음은 빠르고 가벼우며, 팔과 다리는 넓게 펼쳐진다. 이 동작은 무용수가 긍정적인 태도로 성취를 이루고 기쁨을 느끼는 순간을 나타낸다.

지속적인 긍정은 반복적이고 리드미컬한 동작으로 표현된다. 무용수는 지속적으로 긍정적인 태도를 유지하며, 그의 움직임은 반복적이고 리드미컬하다. 발걸음은 일정한 리듬을 유지하며, 팔과 다리는 유연하게 움직인다. 이 동작은 무용수가 계속해서 긍정적인 태도로 삶을 살아가는 모습을 나타낸다.

마지막으로, 긍정적인 태도의 여운은 평온하고 안정된 동작으로 마무리된다. 무용수는 무대의 중심에서 평온한 자세를 취하며, 긍정적인 태도의 여운을 남긴다. 그의 몸짓은 부드럽고 안정적이며, 긍정적인 태도를 통해 얻은 내면의 평화와 만족을 나타내며, 앞으로의 가능성을 기대하는 모습도 나타낸다.

"긍정적인 태도"는 이렇게 다양한 움직임을 통해 희망과 낙관, 그리고 그로 인한 활력과 자신감을 시각적으로 표현한다. 무용수의 몸짓 하나하나는 긍정의 시작, 표현, 상호작용과 격려, 내면의 평화와 안정, 도전과 극복, 성취와 기쁨, 지속적인 긍정, 그리고 여운을 생생하게 전달하며, 관객에게 긍정의 힘을 전달한다.

affluent language 풍부한 언어

"풍부한 언어"라는 주제를 움직임으로 표현하는 것은 다채롭고 풍성한 표현력과 그로 인한 감정과 소통을 신체적 표현을 통해 드러내는 데 중점을 둔다. 이 주제는 무용수의 유연하고 다채로운 몸짓을 통해 언어의 풍부함과 그로 인한 감정의 변화를 극적으로 전달할 수 있다.

언어의 시작은 섬세하고 다양한 동작으로 표현된다. 무용수는 무대에 유연하게 등장하여, 그의 발걸음은 가볍고, 팔과 다리는 부드럽고 다양한 형태로 움직인다. 이 동작은 무용수가 다양한 언어 표현을 탐구하는 순간의 기대감과 호기심을 상징한다.

풍부한 표현력은 유연하고 다채로운 동작으로 나타난다. 무용수의 움직임은 자유롭고 풍부하며, 그의 몸짓은 다양한 감정을 담아내고 있다. 발걸음은 리드미컬하게 이어지고, 팔과 다리는 넓게 펼쳐져 다양한 형태를 그린다. 이 동작은 무용수가 풍부한 언어를 통해 자신의 감정을 표현하는 모습을 나타낸다.

소통의 과정은 조화롭고 상호작용 적인 동작으로 표현된다. 무용수는 다른 무용수들과 상호작용하며, 그들의 움직임은 조화롭고 섬세하다. 발걸음은 서로를 배려하며 이어지고, 팔과 다리는 자연스럽게 연결된다. 이 동작은 무용수가 언어를 통해 다른 사람들과 소통하고 이해하는 모습을 상징한다.

내면의 깊이는 느리고 안정된 동작으로 표현된다. 무용수는 풍부한 언어를 통해 내면의 깊이를 탐구하며, 그의 움직임은 느리고 안정적이다. 발걸음은 천천히 이어지고, 팔과 다리는 부드럽게 움직인다. 이 동작은 무용수가 언어를 통해 자신의 내면을 탐구하고 표현하는 과정을 나타낸다.

창의성의 발현은 활기차고 자유로운 동작으로 표현된다. 무용수는 언어의 풍부함을 통해 창의성을 발현하며, 그의 몸짓은 활기차고 자유롭다. 발걸음은 빠르고 가벼우며, 팔과 다리는 넓게 펼쳐진다. 이 동작은 무용수가 언어의 풍부함을 통해 창의적 표현을 이끌어내는 순간을 상징한다.

언어의 조화는 부드럽고 유연한 동작으로 표현된다. 무용수는 언어의 조화를 이루며, 그의 움직임은 부드럽고 유연하다. 발걸음은 차분하고, 팔과 다리는 조화롭게 움직인다. 이 동작은 무용수가 풍부한 언어를 통해 조화를 이루는 모습을 나타낸다.

지속적인 소통은 반복적이고 리드미컬한 동작으로 표현된다. 무용수는 지속적으로 언어를 사용하며, 그의 움직임은 반복적이고 리드미컬하다. 발걸음은 일정한 리듬을 유지하며, 팔과 다리는 유연하게 움직인다. 이 동작은 무용수가 계속해서 언어를 통해 소통하고 이해하는 모습을 나타낸다.

무용수는 무대의 중심에서 평온한 자세를 취하며, 언어의 풍부함이 남긴 여운을 표현한다. 그의 몸짓은 부드럽고 안정적이며, 언어를 통해 얻은 내면의 평화와 만족을 나타낸다. 무용수의 시선은 멀리 바라보며, 앞으로의 가능성을 기대하는 모습을 나타낸다.

"풍부한 언어"는 이렇게 다양한 움직임을 통해 다채롭고 풍성한 표현력과 그로 인한 감정과 소통을 시각적으로 표현한다. 무용수의 몸짓 하나하나는 언어의 시작, 표현력, 소통의 과정, 내면의 깊이, 창의성의 발현, 조화, 지속적인 소통, 그리고 여운을 생생하게 전달한다.

affrighted slave 두려워진 노예

"두려워진 노예"라는 주제를 움직임으로 표현하는 것은 억압과 두려움, 그리고 그로 인한 내면의 갈등과 고통을 신체적 표현을 통해 드러내는 데 중점을 둔다. 이 주제는 무용수의 긴장되고 불안한 몸짓을 통해 두려움의 깊이와 그로 인한 감정의 변화를 극적으로 전달할 수 있다.

두려움의 시작은 긴장되고 조심스러운 동작으로 표현된다. 무용수는 무대에 천천히 등장하여, 그의 발걸음은 조심스럽고, 팔과 다리는 불안하게 움직인다. 이 동작은 무용수가 처음으로 두려움을 느끼는 순간의 불안과 공포를 상징한다.

억압과 속박은 무겁고 제한된 동작으로 나타난다. 무용수의 움직임은 제한적이고 무겁게 이어지며, 그의 몸짓은 속박된 상태를 나타낸다. 발걸음은 무겁고 힘겹게 옮겨지고, 팔과 다리는 몸에 가깝게 붙어 있다. 이 동작은 무용수가 억압 속에서 느끼는 무력감과 속박을 상징한다.

내면의 갈등과 고통은 격렬하고 혼란스러운 동작으로 표현된다. 무용수는 두려움으로 인한 내면의 갈등과 고통을 겪으며, 그의 몸짓은 격렬하고 혼란스럽다. 발걸음은 빠르고 불규칙하며, 팔과 다리는 다양한 방향으로 움직인다. 이 동작은 무용수가 내면의 고통과 갈등을 표현하는 모습을 상징한다.

두려움의 절정은 강렬하고 긴장된 동작으로 표현된다. 무용수는 두려움의 절정에서 몸을 긴장시키며, 그의 움직임은 강하고 긴장감으로 가득 차 있다. 발걸음은 단호하고, 팔과 다리는 힘차게 뻗어진다. 이 동작은 무용수가 두려움의 절정에서 느끼는 공포와 절망을 나타낸다. 내면의 저항과 희망은 점진적이고 유연한 동작으로 표현된다. 무용수는 두려움을 극복하려는 내면의 저항과 희망을 나타내며, 그의 움직임은 점차 유연하고 부드러워진다. 발걸음은 가벼워지고, 팔과 다리는 유연하게 움직인다. 이 동작은 무용수가 두려움을 극복하고자 하는 의지를 상징한다. 해방과 자유는 활기차고 자유로운 동작으로 표현된다. 무용수는 두려움을 극복하고 자유를 찾아가며, 그의 몸짓은 활기차고 자유롭다. 발걸음은 빠르고 가벼우며, 팔과 다리는 넓게 펼쳐진다. 이 동작은 무용수가 두려움을 벗어나 자유를 찾는 모습을 상징한다.

내면의 평화와 안정은 부드럽고 조화로운 동작으로 표현된다. 무용수는 두려움을 극복한 후 내면의 평화를 찾으며, 그의 움직임은 부드럽고 안정적이다. 발걸음은 차분하고, 팔과 다리는 조화롭게 움직인다. 이 동작은 무용수가 두려움을 극복하고 내면의 평화를 이루는 과정을 나타낸다.

마지막으로, 두려움의 여운은 평온하고 안정된 동작으로 마무리된다. 무용수는 무대의 중심에서 평온한 자세를 취하며, 두려움의 여운을 남긴다. 그의 몸짓은 부드럽고 안정적이며, 내면의 평화와 만족을 나타낸다.

"두려워진 노예"는 이렇게 다양한 움직임을 통해 억압과 두려움, 그리고 그로 인한 내면의 갈등과 고통을 시각적으로 표현한다. 무용수의 몸짓 하나하나는 두려움의 시작, 억압과 속박, 내면의 갈등과 고통, 두려움의 절정, 저항과 희망, 해방과 자유, 내면의 평화와 안정, 그리고 여운을 생생하게 전달하며, 관객에게 깊은 잔상을 남긴다.

aggravated faults 악화된 잘못/결함

"악화된 잘못/결함"이라는 주제를 움직임으로 표현하는 것은 실수와 결함이 점점 더 큰 문제로 발전하는 과정을 신체적 표현을 통해 드러내는 데 중점을 둔다. 이 주제는 무용수의 긴장되고 복잡한 몸짓을 통해 잘못이 커져가는 과정과 그로 인한 감정의 변화를 극적으로 전달할 수 있다.

잘못의 시작은 작은 동작과 불안한 움직임으로 표현된다. 무용수는 무대에 천천히 등장하여, 그의 발걸음은 조심스럽고, 팔과 다리는 작은 범위 안에서 불안하게 움직인다. 이 동작은 무용수가 처음으로 잘못을 인식하는 순간의 불안과 긴장감을 상징한다.

잘못의 증가는 복잡하고 격렬한 동작으로 나타난다. 무용수의 움직임은 점점 더 복잡해지고, 그의 몸짓은 혼란과 갈등으로 가득 차 있다. 발걸음은 불규칙하게 이어지고, 팔과 다리는 다양한 방향으로 움직인다. 이 동작은 무용수가 잘못이 커져가는 과정을 나타낸다.

내면의 갈등과 좌절은 강렬하고 긴장된 동작으로 표현된다. 무용수는 잘못으로 인해 내면에서 갈등과 좌절을 느끼며, 그의 움직임은 강하고 긴장감으로 가득 차 있다. 발걸음은 무겁고 힘들게 이어지고, 팔과 다리는 불안하게 떨린다. 이 동작은 무용수가 잘못으로 인한 내면의 고통과 좌절을 상징한다.

잘못의 절정은 폭발적이고 혼란스러운 동작으로 표현된다. 무용수는 잘못이 절정에 이르며, 그의 몸짓은 폭발적이고 혼란스럽다. 발걸음은 빠르고 격렬하며, 팔과 다리는 다양한 방향으로 움직인다. 이 동작은 무용수가 잘못이 극대화되는 순간을 나타낸다.

내면의 반성과 성찰은 느리고 깊이 있는 동작으로 표현된다. 무용수는 잘못을 반성하고 성찰하며, 그의 움직임은 느리고 깊이 있다. 발걸음은 천천히 이어지고, 팔과 다리는 차분하게 움직인다. 이 동작은 무용수가 잘못을 반성하고 내면의 변화를 경험하는 과정을 상징한다.

잘못의 수용과 극복은 부드럽고 유연한 동작으로 표현된다. 무용수는 잘못을 수용하고 극복하며, 그의 움직임은 점점 더 유연하고 부드러워진다. 발걸음은 가벼워지고, 팔과 다리는 자연스럽게 움직인다. 이 동작은 무용수가 잘못을 극복하고 내면의 평화를 찾는 과정을 나타낸다.

성장의 과정은 조화롭고 안정된 동작으로 표현된다. 무용수는 잘못을 극복한 후 성장하며, 그의 몸짓은 조화롭고 안정적이다. 발걸음은 일정한 리듬을 유지하며, 팔과 다리는 부드럽게 움직인다. 이 동작은 무용수가 잘못을 통해 성장하고 발전하는 모습을 상징한다. 마지막으로, 잘못의 여운은 평온하고 안정된 동작으로 마무리된다. 무용수는 무대의 중심에서 평온한 자세를 취하며, 잘못의 여운을 남긴다. 그의 몸짓은 부드럽고 안정적이며, 잘못을 극복한 후의 내면의 평화와 만족을 나타낸다.

"악화된 잘못/결함"은 이렇게 다양한 움직임을 통해 실수와 결함이 점점 더 큰 문제로 발전하는 과정을 시각적으로 표현한다. 무용수의 몸짓 하나하나는 잘못의 시작, 증가, 내면의 갈등과 좌절, 절정, 반성과 성찰, 수용과 극복, 성장, 그리고 여운을 생생하게 전달하며, 관객에게 깊은 인상을 남긴다.

aggregate body 집합체, 종합체

"집합체, 종합체"라는 주제를 움직임으로 표현하는 것은 다양한 개체가 모여 하나의 통일된 전체를 이루는 과정을 신체적 표현을 통해 드러내는 데 중점을 둔다. 이 주제는 무용수들의 조화롭고 상호작용 적인 몸짓을 통해 개별 요소들이 모여 하나의 집합체를 형성하는 과정을 극적으로 전달할 수 있다.

집합체의 시작은 개별적이고 독립적인 동작으로 표현된다. 무용수들은 무대에 각각 등장하여, 각자의 개성을 드러내는 움직임을 선보인다. 발걸음은 서로 다르고, 팔과 다리는 다양한 방향으로 뻗어진다. 이 동작은 무용수들이 개별적으로 존재하는 상태를 상징한다.

집합의 형성은 점진적이고 상호작용 적인 동작으로 나타난다. 무용수들은 서로에게 다가가며, 그들의 움직임은 점점 더 상호작용적으로 변한다. 발걸음은 서로를 향해 다가가고, 팔과 다리는 다른 무용수들과 연결된다. 이 동작은 무용수들이 서로 상호작용하며 집합

체를 형성하는 과정을 나타낸다.

조화의 단계는 유연하고 조화로운 동작으로 표현된다. 무용수들의 움직임은 조화롭게 이어지며, 그들의 몸짓은 하나의 통일된 전체를 형성한다. 발걸음은 일관된 리듬을 유지하며, 팔과 다리는 조화롭게 움직인다. 이 동작은 무용수들이 하나의 집합체로서 조화를 이루는 모습을 상징한다.

내면의 유대는 깊고 안정된 동작으로 표현된다. 무용수들은 집합체로서의 내면적 유대를 깊이 느끼며, 그들의 움직임은 차분하고 안정적이다. 발걸음은 천천히 이어지고, 팔과 다리는 자연스럽게 연결된다. 이 동작은 무용수들이 집합체로서의 내면적 유대와 안정감을 나타낸다. 집합체의 힘과 영향력은 강하고 역동적인 동작으로 표현된다. 무용수들 은 집합체로서의 힘과 영향력을 발휘하며, 그들의 몸짓은 강하고 역동적이다. 발걸음은 힘차게 이어지고, 팔과 다리는 강하게 뻗어진다. 이 동작은 무용수들이 집합체로서의 힘과 영향력을 발휘하는 모습을 상징한다. 성장의 과정은 반복적이고 리드미컬한 동작으로 표현된다.

무용수들은 집합체로서 성장하며, 그들의 움직임은 반복적이고 리드미컬하다. 발걸음은 일정한 리듬을 유지하며, 팔과 다리는 유연하게 움직인다. 이 동작은 무용수들이 집합체로서 지속적으로 성장하고 발전하는 과정을 나타낸다.

최종적인 완성은 평온하고 안정된 동작으로 표현된다. 무용수들은 집합체로서의 최종적인 완성을 이루며, 그들의 움직임은 평온하고 안정적이다. 발걸음은 차분하고, 팔과 다리는 부드럽게 연결된다. 이 동작은 무용수들이 집합체로서 완전한 조화와 안정감을 이루는 모습을 상징한다.

마지막으로, 집합체의 여운은 평온하고 안정된 동작으로 마무리된다. 무용수들은 무대의 중심에서 평온한 자세를 취하며, 집합체의 여운을 남긴다. 그들의 몸짓은 부드럽고 안정

적이며, 집합체로서의 내면의 평화와 만족을 나타낸다.

"집합체, 종합체"는 이렇게 다양한 움직임을 통해 개별 요소들이 모여 하나의 통일된 전체를 이루는 과정을 시각적으로 표현한다. 무용수들의 몸짓 하나하나는 집합체의 시작, 형성, 조화, 내면의 유대, 힘과 영향력, 성장, 최종적인 완성, 그리고 여운을 생생하게 전달하며, 관객에게 깊은 인상을 남긴다.

aggressive selfishness 공격적 이기심

"공격적 이기심"이라는 주제를 움직임으로 표현하는 것은 자기 중심적인 행동과 그로 인한 갈등, 그리고 내면의 복잡한 감정을 신체적 표현을 통해 드러내는 데 중점을 둔다. 이 주제는 무용수의 강렬하고 대립적인 몸짓을 통해 이기심의 극단적인 모습을 극적으로 전달할 수 있다.

이기심의 시작은 확고하고 단호한 동작으로 표현된다. 무용수는 무대에 단호하게 등장하여, 그의 발걸음은 강하고, 팔과 다리는 힘차게 뻗어진다. 이 동작은 무용수가 자신만의 이익을 위해 행동을 시작하는 순간의 결의를 상징한다.

공격적 행동은 격렬하고 강렬한 동작으로 표현된다. 무용수의 움직임은 빠르고 강하며, 그의 몸짓은 공격적이고 대립적이다. 발걸음은 빠르고, 팔과 다리는 넓게 펼쳐져 상대를 밀어내듯 움직인다. 이 동작은 무용수가 자신의 이기심을 드러내며, 다른 사람들과의 갈등을 일으키는 모습을 나타낸다.

내면의 갈등과 충돌은 혼란스럽고 불안한 동작으로 표현된다. 무용수는 내면에서 갈등과 충돌을 겪으며, 그의 움직임은 불안정하고 혼란스럽다. 발걸음은 주저하고, 팔과 다리는 불안하게 떨린다. 이 동작은 무용수가 자신의 이기심으로 인해 내면에서 갈등을 겪는 모습을 상징한다.

갈등의 절정은 폭발적이고 강렬한 동작으로 표현된다. 무용수는 갈등이 절정에 이르며, 그의 몸짓은 폭발적이고 강렬하다. 발걸음은 빠르고 격렬하며, 팔과 다리는 힘차게 뻗어져 대립을 표현한다. 이 동작은 무용수가 이기심으로 인해 갈등이 최고조에 달하는 순간을 나타낸다.

내면의 반성과 성찰은 느리고 깊이 있는 동작으로 표현된다. 무용수는 자신의 이기심을 반성하고 성찰하며, 그의 움직임은 느리고 깊이 있다. 발걸음은 천천히 이어지고, 팔과 다리는 차분하게 움직인다. 이 동작은 무용수가 자신의 행동을 돌아보고 내면의 변화를 경험하는 과정을 상징한다.

이기심의 극복과 화해는 부드럽고 유연한 동작으로 표현된다. 무용수는 이기심을 극복하고 화해하며, 그의 움직임은 점점 더 유연하고 부드러워진다. 발걸음은 가벼워지고, 팔과 다리는 자연스럽게 움직인다. 이 동작은 무용수가 이기심을 극복하고 다른 사람들과 화해하는 모습을 나타낸다.

성장의 과정은 조화롭고 안정된 동작으로 표현된다. 무용수는 이기심을 극복한 후 성장하며, 그의 몸짓은 조화롭고 안정적이다. 발걸음은 일정한 리듬을 유지하며, 팔과 다리는 부드럽게 움직인다. 이 동작은 무용수가 이기심을 통해 성장하고 발전하는 모습을 상징한다.

마지막으로, 이기심의 여운은 평온하고 안정된 동작으로 마무리된다. 무용수는 무대의 중심에서 평온한 자세를 취하며, 이기심의 여운을 남긴다. 그의 몸짓은 부드럽고 안정적이며, 내면의 평화와 만족을 나타낸다. 무용수의 시선은 멀리 바라보며, 앞으로의 가능성을 기대하는 모습을 나타낸다.

"공격적 이기심"은 이렇게 다양한 움직임을 통해 자기 중심적인 행동과 그로 인한 갈등, 그리고 내면의 복잡한 감정을 시각적으로 표현한다. 무용수의 몸짓 하나하나는 이기심의 시작, 공격적 행동, 내면의 갈등과 충돌, 절정, 반성과 성찰, 극복과 화해, 성장, 그리고 여운을 생생하게 전달하며, 관객에게 깊은 인상을 남긴다.

agile mind 민첩한 생각

민첩한 생각은 빠르고 유연한 사고력과 문제 해결 능력을 의미한다. 이 주제는 무용수의 기민하고 다채로운 움직임을 통해 표현할 수 있다. 무용수는 무대 위에서 부드럽고 빠른 동작으로 생각의 속도와 유연성을 나타낸다. 그의 발걸음은 경쾌하고, 팔과 다리는 여러 방향으로 자유롭게 뻗어 나가며, 이는 무용수가 상황에 따라 재빨리 반응하고 적응하는 모습을 상징한다.

또한, 무용수의 움직임은 예측할 수 없는 방향으로 변화하며, 이는 다양한 아이디어와 창의적 사고의 흐름을 나타낸다. 무용수는 순간적으로 방향을 바꾸고, 새로운 동작을 창조해내며, 관객에게 민첩한 생각의 역동성과 생동감을 전달한다. 그의 몸짓은 때로는 부드럽고 유연하게, 때로는 빠르고 강렬하게 변화하며, 이는 생각의 유연성과 집중력을 시각적으로 표현한다.

무용수의 동작 사이의 전환은 매끄럽고 자연스럽게 이어지며, 이는 복잡한 문제를 신속하게 분석하고 해결하는 과정을 나타낸다. 발걸음과 팔 동작이 유기적으로 연결되면서, 무용수는 민첩한 사고가 가진 효율성과 유연성을 강조한다. 관객은 이러한 표현을 통해 민첩한 생각이 단순히 빠른 사고 뿐만 아니라, 다양한 상황에서 창의적이고 적응력 있는 해결책을 찾아내는 능력임을 느낄 수 있다.

마지막으로, 무용수의 안정적이고 조화로운 마무리 동작은 민첩한 생각의 결과로 얻어지는 내면의 평화와 만족감을 상징한다. 무용수는 무대의 중심에서 평온한 자세를 취하며, 그의 시선은 멀리 바라보며 앞으로의 가능성을 기대하는 모습을 보여준다. 이러한 마무리는 민첩한 생각이 단순히 순간적인 반응이 아니라, 지속적인 성장과 발전을 위한 중요한 요소임을 나타낸다.

agonizing appeal 고통스러운 호소

고통스러운 호소는 깊은 절망과 간절함이 담긴 요청이나 외침을 의미한다. 이는 무용수의 강렬하고 감정적인 몸짓을 통해 표현될 수 있다. 무용수는 무대 위에서 고통과 절망을 나타내는 동작으로 시작한다. 그의 몸은 구부러지고, 발걸음은 무겁고 힘겹게 옮겨지며, 팔과 다리는 불안하게 떨린다. 이 초기 동작은 무용수가 느끼는 내면의 깊은 고통과 절망을 시각적으로 전달한다.

무용수의 동작은 점점 더 격렬하고 강렬해지며, 그의 몸짓은 절망 속에서 도움을 호소하는 모습을 나타낸다. 발걸음은 빠르고 불규칙하며, 팔과 다리는 다양한 방향으로 뻗어지면서 절박한 감정을 표현한다. 그의 얼굴 표정과 몸의 긴장은 그가 겪고 있는 고통을 생생하게 전달하며, 관객은 그의 고통과 절망을 공감하게 된다.

호소의 절정은 폭발적인 동작으로 표현된다. 무용수는 갑작스러운 움직임과 강렬한 몸짓을 통해 절망의 극한에 이른 모습을 나타낸다. 발걸음은 급격히 빨라지고, 팔과 다리는 격렬하게 움직이며, 그의 몸은 공중으로 뛰어오르거나 땅에 강하게 내리친다. 이 절정의 순간은 무용수가 고통 속에서 마지막으로 호소하는 절박함을 상징한다.

내면의 갈등과 고통은 느리고 깊이 있는 동작으로 표현된다. 무용수는 호소 후 내면에서 갈등과 고통을 느끼며, 그의 움직임은 느리고 깊이 있다. 발걸음은 천천히 이어지고, 팔과 다리는 차분하게 움직인다. 이 동작은 무용수가 자신의 상황을 되돌아보며, 내면의 고통과 절망을 극복하려는 과정을 상징한다.

마지막으로, 무용수의 동작은 부드럽고 유연해지며, 이는 고통을 극복하고 내면의 평화를 찾는 과정을 나타낸다. 발걸음은 가벼워지고, 팔과 다리는 자연스럽게 움직인다. 무용수는 무대의 중심에서 평온한 자세를 취하며, 고통스러운 호소의 여운을 남긴다. 그의 몸짓은 부드럽고 안정적이며, 내면의 평화와 성숙을 상징한다.

agreeable frankness 기분 좋은 솔직함

기분 좋은 솔직함은 진솔하면서도 상대방에게 긍정적인 영향을 주는 대화를 의미한다. 이는 무용수의 개방적이고 자연스러운 몸짓을 통해 표현될 수 있다. 무용수는 무대 위에서 부드럽고 친근한 동작으로 시작한다. 그의 발걸음은 가볍고, 팔과 다리는 자유롭게 움직이며, 이 초기 동작은 무용수가 솔직하게 자신을 표현하는 순간의 편안함과 개방성을 상징한다.

솔직한 대화의 표현은 유연하고 자연스러운 동작으로 나타난다. 무용수의 움직임은 부드럽고 자연스러우며, 그의 몸짓은 다른 무용수들과의 상호작용에서 진솔함을 드러낸다. 발걸음은 리드미컬하게 이어지고, 팔과 다리는 서로를 향해 열려 있다. 이 동작은 무용수가 솔직한 대화를 통해 상대방과 유쾌하게 소통하는 모습을 나타낸다.

솔직함의 깊이는 조화롭고 안정된 동작으로 표현된다. 무용수는 솔직한 대화를 통해 내면의 평화와 안정을 느끼며, 그의 움직임은 조화롭고 안정적이다. 발걸음은 일정한 리듬을 유지하며, 팔과 다리는 부드럽게 움직인다. 이 동작은 무용수가 솔직한 대화를 통해 얻은 내면의 평화와 안정감을 상징한다. 솔직한 대화의 상호작용은 따뜻하고 유연한 동작으로 표현된다. 무용수는 다른 무용수들과의 상호작용에서 솔직함을 통해 유대감을 형성하며, 그의 몸짓은 따뜻하고 유연하다. 발걸음은 서로를 배려하며 이어지고, 팔과 다리는 자연스럽게 연결된다. 이 동작은 무용수가 솔직한 대화를 통해 다른 사람들과의 관계를 강화하는 모습을 나타낸다.

솔직함의 기쁨은 활기차고 자유로운 동작으로 표현된다. 무용수는 솔직함을 통해 기쁨을 느끼며, 그의 몸짓은 활기차고 자유롭다. 발걸음은 빠르고 가벼우며, 팔과 다리는 넓게 펼쳐진다. 이 동작은 무용수가 솔직함을 통해 얻은 기쁨과 자유를 상징한다.

솔직함의 지속은 반복적이고 리드미컬한 동작으로 표현된다. 무용수는 지속적으로 솔직한 태도를 유지하며, 그의 움직임은 반복적이고 리드미컬하다. 발걸음은 일정한 리듬을 유지하며, 팔과 다리는 유연하게 움직인다. 이 동작은 무용수가 계속해서 솔직한 대화를 통해 관계를 발전시키는 모습을 나타낸다.

마지막으로, 솔직함의 여운은 평온하고 안정된 동작으로 마무리된다. 무용수는 무대의 중심에서 평온한 자세를 취하며, 솔직함의 여운을 남긴다. 그의 몸짓은 부드럽고 안정적이며, 솔직한 대화를 통해 얻은 내면의 평화와 만족을 나타낸다. 무용수의 시선은 멀리 바라보며, 앞으로의 가능성을 기대하는 모습을 표현한다. "기분 좋은 솔직함"은 이렇게 다양한 움직임을 통해 진솔하면서도 상대방에게 긍정적인 영향을 주는 대화를 시각적으로 표현한다. 무용수의 몸짓 하나하나는 솔직함의 시작, 대화의 표현, 깊이, 상호작용, 기쁨, 지속, 그리고 여운을 생생하게 전달하며, 관객에게 깊은 인상을 남긴다.

aimless confusion 막연한 혼란

막연한 혼란은 방향성을 잃고 불확실한 상태에서 느끼는 혼란과 불안함을 의미한다. 이는 무용수의 불안정하고 혼란스러운 몸짓을 통해 표현될 수 있다. 무용수는 무대 위에서 어지럽고 혼란스러운 동작으로 시작한다. 그의 발걸음은 불규칙하고, 팔과 다리는 무작위로 움직이며, 이 초기 동작은 무용수가 방향을 잃고 혼란스러운 상태를 시각적으로 전달한다.

혼란의 증가는 더욱 복잡하고 예측할 수 없는 동작으로 표현된다. 무용수의 움직임은 점점 더 복잡해지고, 그의 몸짓은 혼란과 갈등으로 가득 차 있다. 발걸음은 갑작스럽고 불규칙하게 변화하며, 팔과 다리는 다양한 방향으로 뻗어진다. 이 동작은 무용수가 혼란 속에서 갈피를 잡지 못하는 모습을 나타낸다.

내면의 갈등은 긴장되고 불안한 동작으로 표현된다. 무용수는 혼란으로 인한 내면의 갈등을 느끼며, 그의 움직임은 긴장감과 불안으로 가득 차 있다. 발걸음은 주저하고, 팔과 다리는 떨린다. 이 동작은 무용수가 내면의 혼란과 갈등을 경험하는 과정을 상징한다.

혼란의 절정은 폭발적이고 강렬한 동작으로 표현된다. 무용수는 혼란이 절정에 이르며, 그의 몸짓은 폭발적이고 강렬하다. 발걸음은 빠르고 격렬하며, 팔과 다리는 힘차게 뻗어져 대립을 표현한다. 이 동작은 무용수가 혼란 속에서 극한의 감정을 표현하는 순간을 나타낸다.

내면의 정리는 점진적이고 유연한 동작으로 표현된다. 무용수는 혼란을 정리하고 평화를 찾기 위해 노력하며, 그의 움직임은 점점 더 유연하고 부드러워진다. 발걸음은 가벼워지고, 팔과 다리는 자연스럽게 움직인다. 이 동작은 무용수가 내면의 혼란을 극복하고 평화를 찾는 과정을 상징한다.

평온의 회복은 조화롭고 안정된 동작으로 표현된다. 무용수는 혼란을 극복한 후 평온을 회복하며, 그의 움직임은 조화롭고 안정적이다. 발걸음은 일정한 리듬을 유지하며, 팔과 다리는 부드럽게 움직인다. 이 동작은 무용수가 혼란 속에서도 평온을 되찾는 모습을 나타낸다.

마지막으로, 혼란의 여운은 평온하고 안정된 동작으로 마무리된다. 무용수는 무대의 중심에서 평온한 자세를 취하며, 혼란의 여운을 남긴다. 그의 몸짓은 부드럽고 안정적이며, 내면의 평화와 만족을 나타낸다. 무용수의 시선은 멀리 바라보며, 앞으로의 가능성을 기대하는 모습을 나타낸다. "막연한 혼란"은 이렇게 다양한 움직임을 통해 방향성을 잃고 불확실한 상태에서 느끼는 혼란과 불안함을 시각적으로 표현한다. 무용수의 몸짓 하나하나는 혼란의 시작, 증가, 내면의 갈등, 절정, 정리, 평온의 회복, 그리고 여운을 생생하게 전달하며, 관객에게 깊은 인상을 남긴다.

airy splendor 공허한 화려함

"공허한 화려함"은 외면적으로는 아름답고 화려해 보이지만, 그 내면에는 텅 빈 공허함이 존재하는 상태를 의미한다. 이는 무용수의 화려하고도 공허한 움직임을 통해 표현될 수 있다. 무용수는 무대 위에서 눈부시고 화려한 동작으로 시작한다. 그의 발걸음은 경쾌하고, 팔과 다리는 우아하게 뻗어지며, 이 초기 동작은 무용수가 외적으로는 화려함을 뽐내는 순간을 상징한다.

화려함의 표현은 유연하고 다채로운 동작으로 나타난다. 무용수의 움직임은 부드럽고 우아하며, 그의 몸짓은 다양한 색채와 화려함으로 가득 차 있다. 발걸음은 리드미컬하게 이어지고, 팔과 다리는 넓게 펼쳐져 아름다움을 극대화한다. 이 동작은 무용수가 외적인 화려함을 강조하며, 관객의 시선을 사로잡는 모습을 나타낸다.

그러나, 이 화려함 속에는 내면의 공허함이 존재한다. 무용수는 점차 느리고 불안한 동작으로 변하며, 그의 움직임은 불안정하고 혼란스럽다. 발걸음은 주저하고, 팔과 다리는 무겁게 내려온다. 이 동작은 무용수가 내면의 공허함을 느끼는 순간을 상징한다.

내면의 갈등은 강렬하고 혼란스러운 동작으로 표현된다. 무용수는 화려함 속에서 내면의 갈등과 공허함을 겪으며, 그의 몸짓은 격렬하고 혼란스럽다. 발걸음은 불규칙하게 이어지고, 팔과 다리는 떨린다. 이 동작은 무용수가 내면의 공허함과 갈등을 경험하는 과정을 나타낸다.

화려함의 공허함을 인식하는 순간은 갑작스럽고 강렬한 동작으로 표현된다. 무용수는 화려함의 이면에 있는 공허함을 인식하며, 그의 몸짓은 갑작스럽고 강렬하다. 발걸음은 빠르고, 팔과 다리는 힘차게 뻗어진다. 이 동작은 무용수가 내면의 공허함을 직면하는 순간을 상징한다.

내면의 회복은 점진적이고 유연한 동작으로 표현된다. 무용수는 내면의 공허함을 극복하며, 그의 움직임은 점점 더 유연하고 부드러워진다. 발걸음은 가벼워지고, 팔과 다리는 자연스럽게 움직인다. 이 동작은 무용수가 내면의 평화를 찾는 과정을 상징한다.

성장의 과정은 조화롭고 안정된 동작으로 표현된다. 무용수는 내면의 공허함을 극복한 후 성장하며, 그의 몸짓은 조화롭고 안정적이다. 발걸음은 일정한 리듬을 유지하며, 팔과 다리는 부드럽게 움직인다. 이 동작은 무용수가 내면의 공허함을 극복하고 성장하는 모습을 나타낸다.

마지막으로, 화려함과 공허함의 여운은 평온하고 안정된 동작으로 마무리된다. 무용수는 무대의 중심에서 평온한 자세를 취하며, 공허한 화려함의 여운을 남긴다. 그의 몸짓은 부드럽고 안정적이며, 내면의 평화와 만족을 나타낸다.

"공허한 화려함"은 이렇게 다양한 움직임을 통해 외면적으로는 아름답고 화려해 보이지만, 내면에는 텅 빈 공허함이 존재하는 상태를 시각적으로 표현한다. 무용수의 몸짓 하나하나는 화려함의 시작, 내면의 공허함, 갈등과 혼란, 공허함의 인식, 내면의 회복과 성장, 그리고 여운을 생생하게 전달하며, 관객에게 깊은 인상을 남긴다.

alarming rapidity 놀랄 만큼 빠른 속도

"놀랄 만큼 빠른 속도"는 빠르게 진행되는 상황이나 변화에 대한 놀라움과 긴장감을 의미한다. 이는 무용수의 급격하고 역동적인 움직임을 통해 표현될 수 있다. 무용수는 무대 위에서 빠르고 경쾌한 동작으로 시작한다. 그의 발걸음은 경쾌하고, 팔과 다리는 날렵하게 움직이며, 이 초기 동작은 무용수가 빠른 속도로 상황에 대응하는 순간의 긴장감과 흥분을 상징한다.

속도의 증가와 긴장은 점점 더 빠르고 강렬한 동작으로 표현된다. 무용수의 움직임은 점차 가속화되며, 그의 몸짓은 강하고 역동적이다. 발걸음은 점점 더 빠르게 이어지고, 팔과 다리는 다양한 방향으로 힘차게 뻗어진다. 이 동작은 무용수가 놀라울 만큼 빠른 속도로 변화하는 상황에 대응하는 모습을 나타낸다.

빠른 속도의 절정은 폭발적이고 격렬한 동작으로 표현된다. 무용수는 속도의 절정에서 몸을 최대한으로 사용하여 강렬한 움직임을 선보인다. 발걸음은 빠르고 격렬하며, 팔과 다리는 힘차게 뻗어져 공간을 가로지른다. 이 동작은 무용수가 빠른 속도에 완전히 몰입하여 긴장과 흥분의 절정을 경험하는 순간을 상징한다.

내면의 갈등과 불안은 강렬하고 혼란스러운 동작으로 표현된다. 무용수는 빠른 속도로 인해 내면에서 갈등과 불안을 느끼며, 그의 움직임은 긴장감과 혼란으로 가득 차 있다. 발걸음은 불규칙하게 이어지고, 팔과 다리는 떨린다. 이 동작은 무용수가 빠른 속도로 인해 내면의 혼란과 불안을 경험하는 과정을 나타내며 속도의 적응과 조절은 점진적이고 유연한 동작으로 표현된다. 무용수는 빠른 속도에 적응하고 상황을 조절하기 시작하며, 그의 움직임은 점점 더 유연하고 부드러워진다. 발걸음은 가벼워지고, 팔과 다리는 자연스럽게 움직인다. 이 동작은 무용수가 빠른 속도에 적응하여 내면의 평화를 찾는 과정을 상징한다.

성장의 과정은 조화롭고 안정된 동작으로 표현된다. 무용수는 빠른 속도에 적응한 후 성장하며, 그의 몸짓은 조화롭고 안정적이다. 발걸음은 일정한 리듬을 유지하며, 팔과 다리는 부드럽게 움직인다. 이 동작은 무용수가 빠른 속도를 극복하고 성장하는 모습을 나타낸다.

마지막으로, 빠른 속도의 여운은 평온하고 안정된 동작으로 마무리된다. 무용수는 무대의 중심에서 평온한 자세를 취하며, 빠른 속도의 여운을 남긴다. 그의 몸짓은 부드럽고 안정적이며, 내면의 평화와 만족을 나타낸다. 무용수의 시선은 멀리 바라보며, 앞으로의 가능성을 기대하는 모습을 나타낸다.

"놀랄 만큼 빠른 속도"는 이렇게 다양한 움직임을 통해 빠르게 진행되는 상황이나 변화에 대한 놀라움과 긴장감을 시각적으로 표현한다. 무용수의 몸짓 하나하나는 속도의 시작, 증가, 절정, 내면의 갈등과 불안, 적응과 조절, 성장, 그리고 여운을 생생하게 전달하며, 관객에게 깊은 인상을 남긴다.

alert acceptance 신속한 승낙

신속한 승낙은 결정과 행동이 빠르고 효율적으로 이루어지는 순간을 의미한다. 이는 무용수의 민첩하고 결단력 있는 몸짓을 통해 표현될 수 있다. 무용수는 무대 위에서 빠르고 단호한 동작으로 시작한다. 그의 발걸음은 경쾌하고, 팔과 다리는 확고하게 움직이며, 이 초기 동작은 무용수가 신속하게 결정을 내리는 순간의 결단력과 자신감을 상징한다.

결정의 표현은 유연하고 효율적인 동작으로 나타난다. 무용수의 움직임은 빠르고 자연스러우며, 그의 몸짓은 명확하고 일관성이 있다. 발걸음은 빠르고 리드미컬하게 이어지고, 팔과 다리는 강하게 뻗어진다. 이 동작은 무용수가 신속한 결정을 내리고 행동으로 옮기는 모습을 나타낸다.

결정의 결과는 강렬하고 확신에 찬 동작으로 표현된다. 무용수는 자신의 결정을 확신하며, 그의 움직임은 강렬하고 단호하다. 발걸음은 힘차게 이어지고, 팔과 다리는 확신에 차서 움직인다. 이 동작은 무용수가 신속한 결정을 통해 성취감을 느끼는 모습을 상징한다. 면의 평화와 안정은 부드럽고 조화로운 동작으로 표현된다. 무용수는 결정을 내린 후 내면의 평화를 찾으며, 그의 움직임은 부드럽고 안정적이다. 발걸음은 일정한 리듬을 유지하며, 팔과 다리는 유연하게 움직인다. 이 동작은 무용수가 신속한 결정을 통해 내면의 평화와 안정을 이루는 과정을 나타낸다.

결정의 상호작용은 조화롭고 상호작용 적인 동작으로 표현된다. 무용수는 다른 무용수들과 상호작용하며, 그들의 움직임은 조화롭고 자연스럽다. 발걸음은 서로를 배려하며 이어지고, 팔과 다리는 부드럽게 연결된다. 이 동작은 무용수가 신속한 결정을 통해 다른 사람들과 원활하게 상호작용하는 모습을 상징한다.

성장의 과정은 지속적이고 리드미컬한 동작으로 표현된다. 무용수는 신속한 결정을 통해 성장하며, 그의 움직임은 지속적이고 리드미컬하다. 발걸음은 일정한 리듬을 유지하며, 팔과 다리는 유연하게 움직인다.

이 동작은 무용수가 신속한 결정을 통해 지속적으로 성장하고 발전하는 모습을 나타낸다. 지막으로, 신속한 승낙의 여운은 평온하고 안정된 동작으로 마무리된다. 무용수는 무대의 중심에서 평온한 자세를 취하며, 신속한 승낙의 여운을 남긴다. 그의 몸짓은 부드럽고 안정적이며, 내면의 평화와 만족을 나타낸다.

"신속한 승낙"은 이렇게 다양한 움직임을 통해 빠르고 효율적으로 이루어지는 결정과 행동의 순간을 시각적으로 표현한다.

algebraic brevity 대수의 간결성

"대수의 간결성"이라는 주제를 움직임으로 표현하는 것은 복잡한 문제를 간결하게 해결하는 과정을 신체적 표현을 통해 드러내는 데 중점을 둔다. 이는 무용수의 정교하고 효율적인 몸짓을 통해 대수의 간결함과 그로 인한 감정의 변화를 극적으로 전달할 수 있다.

간결함의 시작은 간단하고 명확한 동작으로 표현된다. 무용수는 무대에 천천히 등장하여, 그의 발걸음은 신중하고, 팔과 다리는 간결하게 움직인다. 이 초기 동작은 무용수가 복잡한 문제를 간결하게 표현하려는 순간의 집중과 결의를 상징한다.

대수적 표현은 유연하고 정교한 동작으로 나타난다. 무용수의 움직임은 부드럽고 정교하며, 그의 몸짓은 논리적이고 효율적이다. 발걸음은 일정한 리듬을 유지하며, 팔과 다리는 매끄럽게 이어진다. 이 동작은 무용수가 대수의 원리를 적용하여 문제를 간결하게 해결하는 모습을 나타낸다.

복잡한 문제의 간결한 해결은 강렬하고 단호한 동작으로 표현된다. 무용수는 복잡한 문제를 간결하게 해결하는 순간, 그의 움직임은 강렬하고 단호하다. 발걸음은 힘차고, 팔과 다리는 강하게 뻗어진다. 이 동작은 무용수가 대수적 사고를 통해 복잡한 문제를 명확하고 간단하게 해결하는 모습을 상징한다.

간결성의 아름다움은 조화롭고 부드러운 동작으로 표현된다. 무용수는 간결함을 통해 얻은 아름다움을 나타내며, 그의 움직임은 조화롭고 부드럽다. 발걸음은 유연하게 이어지고, 팔과 다리는 자연스럽게 움직인다. 이 동작은 무용수가 대수의 간결성을 통해 얻은 내면의 평화와 아름다움을 상징한다.

내면의 평화와 만족은 안정된 동작으로 표현된다. 무용수는 문제를 간결하게 해결한 후 내면의 평화를 찾으며, 그의 움직임은 차분하고 안정적이다. 발걸음은 천천히 이어지고, 팔과 다리는 부드럽게 움직인다. 이 동작은 무용수가 간결한 해결책을 통해 내면의 평화를 이루는 과정을 나타낸다.

효율성의 지속은 반복적이고 리드미컬한 동작으로 표현된다. 무용수는 지속적으로 간결하고 효율적인 해결책을 유지하며, 그의 움직임은 반복적이고 리드미컬하다. 발걸음은 일정한 리듬을 유지하며, 팔과 다리는 유연하게 움직인다. 이 동작은 무용수가 대수적 사고를 통해 지속적으로 효율성을 유지하는 모습을 나타낸다.

성장의 과정은 지속적이고 리드미컬한 동작으로 표현된다. 무용수는 간결한 해결책을 통해 성장하며, 그의 움직임은 지속적이고 리드미컬하다. 발걸음은 일정한 리듬을 유지하며, 팔과 다리는 유연하게 움직인다. 이 동작은 무용수가 간결한 사고를 통해 지속적으로 성장하고 발전하는 모습을 나타낸다.

마지막으로, 대수의 간결성의 여운은 평온하고 안정된 동작으로 마무리된다. 무용수는 무대의 중심에서 평온한 자세를 취하며, 대수의 간결성의 여운을 남긴다. 그의 몸짓은 부드럽고 안정적이며, 내면의 평화와 만족을 나타낸다.

"대수의 간결성"은 이렇게 다양한 움직임을 통해 복잡한 문제를 간결하게 해결하는 과정을 시각적으로 표현한다. 무용수의 몸짓 하나하나는 간결함의 시작, 대수적 표현, 간결한 해결, 아름다움, 내면의 평화와 만족, 효율성의 지속, 성장, 그리고 여운을 생생하게 전달하며, 관객에게 깊은 인상을 남긴다.

alien splendor 이질적인 화려함

"이질적인 화려함"이라는 주제를 움직임으로 표현하는 것은 낯설고 이국적인 아름다움과 그로 인한 감정의 변화를 신체적 표현을 통해 드러내는 데 중점을 둔다. 이는 무용수의 독특하고 기묘한 몸짓을 통해 이질적이면서도 매혹적인 아름다움을 극적으로 전달할 수 있다.

이질적 화려함의 시작은 독특하고 예기치 않은 동작으로 표현된다. 무용수는 무대에 천천히 등장하여, 그의 발걸음은 불규칙하고, 팔과 다리는 이국적인 곡선을 그리며 움직인다. 이 초기 동작은 무용수가 낯선 아름다움을 처음으로 마주하는 순간의 놀라움과 호기심을 상징한다.

화려함의 표현은 다채롭고 복잡한 동작으로 나타난다. 무용수의 움직임은 다채롭고 복잡하며, 그의 몸짓은 다양한 색채와 패턴을 그려낸다. 발걸음은 리드미컬하게 이어지고, 팔과 다리는 넓게 펼쳐져 독특한 형상을 만든다. 이 동작은 무용수가 이질적인 화려함을 탐험하며, 그 매력에 빠져드는 모습을 나타낸다.

내면의 갈등과 경이로움은 강렬하고 예리한 동작으로 표현된다. 무용수는 이질적인 화려함 속에서 내면의 갈등과 경이로움을 느끼며, 그의 움직임은 강렬하고 예리하다. 발걸음은 빠르고 강렬하게 이어지고, 팔과 다리는 힘차게 뻗어진다. 이 동작은 무용수가 이질적인 화려함 속에서 겪는 내면의 복잡한 감정을 상징한다.

화려함의 절정은 폭발적이고 웅장한 동작으로 표현된다. 무용수는 화려함의 절정에서 몸을 최대한으로 사용하여 웅장한 움직임을 선보인다. 발걸음은 빠르고 강렬하며, 팔과 다리는 힘차게 뻗어져 공간을 가로지른다. 이 동작은 무용수가 이질적인 아름다움의 절정에서 느끼는 감탄과 경외를 나타낸다.

내면의 수용과 평화는 점진적이고 유연한 동작으로 표현된다. 무용수는 이질적인 화려함을 수용하며 내면의 평화를 찾기 시작하고, 그의 움직임은 점점 더 유연하고 부드러워진다. 발걸음은 가벼워지고, 팔과 다리는 자연스럽게 움직인다. 이 동작은 무용수가 이질적인 아름다움을 수용하고 내면의 평화를 찾는 과정을 상징한다.

성장의 과정은 조화롭고 안정된 동작으로 표현된다. 무용수는 이질적인 화려함을 통해 성장하며, 그의 몸짓은 조화롭고 안정적이다. 발걸음은 일정한 리듬을 유지하며, 팔과 다리는 부드럽게 움직인다. 이 동작은 무용수가 이질적인 화려함을 통해 성장하고 발전하는 모습을 나타낸다.

마지막으로, 이질적인 화려함의 여운은 평온하고 안정된 동작으로 마무리된다. 무용수는 무대의 중심에서 평온한 자세를 취하며, 이질적인 화려함의 여운을 남긴다. 그의 몸짓은 부드럽고 안정적이며, 내면의 평화와 만족을 나타낸다. 무용수의 시선은 멀리 바라보며, 앞으로의 가능성을 기대하는 모습을 나타낸다.

"이질적인 화려함"은 이렇게 다양한 움직임을 통해 낯설고 이국적인 아름다움과 그로 인한 감정의 변화를 시각적으로 표현한다. 무용수의 몸짓 하나하나는 이질적 화려함의 시작, 표현, 내면의 갈등과 경이로움, 절정, 수용과 평화, 성장, 그리고 여운을 생생하게 전달하며, 관객에게 깊은 인상을 남긴다.

"만연한 영향력"이라는 주제를 움직임으로 표현하는 것은 모든 곳에 퍼져 있는 힘과 그로 인한 변화와 반응을 신체적 표현을 통해 드러내는 데 중점을 둔다. 이는 무용수의 포괄적이고 유기적인 몸짓을 통해 영향력이 어떻게 퍼지고, 작용하는지를 극적으로 전달할 수 있다.

영향력의 시작은 부드럽고 점진적인 동작으로 표현된다. 무용수는 무대에 천천히 등장하여, 그의 발걸음은 가볍고, 팔과 다리는 유연하게 움직인다. 이 초기 동작은 무용수가 처음으로 영향력을 발휘하기 시작하는 순간의 조용하고 은은한 힘을 상징한다.

영향력의 확산은 유기적이고 포괄적인 동작으로 나타난다. 무용수의 움직임은 점점 더 넓어지고, 그의 몸짓은 주변 무용수들과 상호작용하며 영향력을 퍼뜨린다. 발걸음은 리드미컬하게 이어지고, 팔과 다리는 넓게 펼쳐져 공간을 가득 채운다. 이 동작은 무용수가 영향력을 통해 주위에 미치는 변화를 나타낸다.

내면의 반응과 변화는 깊고 조화로운 동작으로 표현된다. 무용수는 영향력으로 인해 내면의 변화를 경험하며, 그의 움직임은 조화롭고 안정적이다. 발걸음은 느리게 이어지고, 팔과 다리는 자연스럽게 움직인다. 이 동작은 무용수가 영향력의 작용을 통해 내면의 변화를 겪는 모습을 상징한다.

영향력의 절정은 강렬하고 확산된 동작으로 표현된다. 무용수는 영향력이 최고조에 달하며, 그의 몸짓은 강렬하고 확산적이다. 발걸음은 빠르고 강하게 이어지며, 팔과 다리는 힘차게 뻗어져 모든 방향으로 퍼진다. 이 동작은 무용수가 영향력이 최대화되는 순간을 나타낸다.

영향력의 지속은 반복적이고 리드미컬한 동작으로 표현된다. 무용수는 지속적으로 영향력을 유지하며, 그의 움직임은 반복적이고 리드미컬하다. 발걸음은 일정한 리듬을 유지하며, 팔과 다리는 유연하게 움직인다. 이 동작은 무용수가 영향력을 통해 지속적으로 주위에 영향을 미치는 모습을 나타낸다.

내면의 평화와 균형은 부드럽고 안정된 동작으로 표현된다. 무용수는 영향력의 작용을 통해 내면의 평화와 균형을 찾으며, 그의 움직임은 부드럽고 안정적이다. 발걸음은 차분하게 이어지고, 팔과 다리는 조화롭게 움직인다. 이 동작은 무용수가 영향력을 통해 내면의 평화와 균형을 이루는 과정을 나타낸다.

영향력의 결과는 조화롭고 통합된 동작으로 표현된다. 무용수는 영향력의 결과로 조화롭고 통합된 모습을 보여주며, 그의 몸짓은 전체적으로 균형 잡히고 안정적이다. 발걸음은 유기적으로 이어지고, 팔과 다리는 자연스럽게 연결된다. 이 동작은 무용수가 영향력을 통해 주위와의 조화를 이루는 모습을 상징한다.

마지막으로, 만연한 영향력의 여운은 평온하고 안정된 동작으로 마무리된다. 무용수는 무대의 중심에서 평온한 자세를 취하며, 영향력의 여운을 남긴다. 그의 몸짓은 부드럽고 안정적이며, 내면의 평화와 만족을 나타낸다.

"만연한 영향력"은 이렇게 다양한 움직임을 통해 모든 곳에 퍼져 있는 힘과 그로 인한 변화와 반응을 시각적으로 표현한다. 무용수의 몸짓 하나하나는 영향력의 시작, 확산, 내면의 반응과 변화, 절정, 지속, 평화와 균형, 결과, 그리고 시각적인 여운을 남긴다

alluring idleness 매혹적인 나태

"매혹적인 나태"라는 주제를 움직임으로 표현하는 것은 게으름과 여유로움 속에서 발견되는 아름다움과 그로 인한 감정의 변화를 신체적 표현을 통해 드러내는 데 중점을 둔다. 이는 무용수의 느리고 유연한 몸짓을 통해 나태함 속에서 느끼는 매혹과 편안함을 극적으로 전달할 수 있다.

나태함의 시작은 느리고 부드러운 동작으로 표현된다. 무용수는 무대에 천천히 등장하여, 그의 발걸음은 느리고, 팔과 다리는 유연하게 움직인다. 이 초기 동작은 무용수가 나태함의 매력에 빠져드는 순간의 편안함과 여유를 상징한다.

여유로움의 표현은 유연하고 흐르는 듯한 동작으로 나타난다. 무용수의 움직임은 자연스럽고 부드러우며, 그의 몸짓은 다양한 방향으로 유연하게 이어진다. 발걸음은 리드미컬하게 이어지고, 팔과 다리는 물결처럼 부드럽게 움직인다. 이 동작은 무용수가 나태함 속에서 느끼는 자유로움과 편안함을 나타낸다.

내면의 평화와 만족은 깊고 안정된 동작으로 표현된다. 무용수는 나태함 속에서 내면의

평화를 찾으며, 그의 움직임은 차분하고 안정적이다. 발걸음은 느리게 이어지고, 팔과 다리는 자연스럽게 움직인다. 이 동작은 무용수가 나태함을 통해 얻은 내면의 평화와 만족을 상징한다.

매혹적인 나태함의 절정은 유연하고 우아한 동작으로 표현된다. 무용수는 나태함의 절정에서 몸을 최대한으로 사용하여 우아한 움직임을 선보인다. 발걸음은 느리지만 우아하게 이어지고, 팔과 다리는 넓게 펼쳐져 공간을 채운다. 이 동작은 무용수가 나태함 속에서 느끼는 깊은 매혹을 나타낸다.

내면의 반성과 성찰은 느리고 깊이 있는 동작으로 표현된다. 무용수는 나태함 속에서도 자신의 내면을 돌아보며 성찰한다. 그의 움직임은 느리고 깊이 있으며, 발걸음은 천천히 이어지고, 팔과 다리는 차분하게 움직인다. 이 동작은 무용수가 나태함 속에서 자기 성찰을 경험하는 과정을 상징한다.

나태함의 회복은 점진적이고 유연한 동작으로 표현된다. 무용수는 나태함에서 벗어나 점차 활력을 찾으며, 그의 움직임은 점점 더 유연하고 부드러워진다. 발걸음은 가벼워지고, 팔과 다리는 자연스럽게 움직인다. 이 동작은 무용수가 나태함을 극복하고 내면의 활력을 되찾는 과정을 나타낸다.

성장의 과정은 조화롭고 안정된 동작으로 표현된다. 무용수는 나태함을 극복한 후 성장하며, 그의 몸짓은 조화롭고 안정적이다. 발걸음은 일정한 리듬을 유지하며, 팔과 다리는 부드럽게 움직인다. 이 동작은 무용수가 나태함을 통해 성장하고 발전하는 모습을 나타낸다.

마지막으로, 매혹적인 나태함의 여운은 평온하고 안정된 동작으로 마무리된다. 무용수는 무대의 중심에서 평온한 자세를 취하며, 나태함의 여운을 남긴다. 그의 몸짓은 부드럽고 안정적이며, 내면의 평화와 만족을 나타낸다.

"매혹적인 나태"는 이렇게 다양한 움직임을 통해 게으름과 여유로움 속에서 발견되는 아름다움과 그로 인한 감정의 변화를 시각적으로 표현한다. 무용수의 몸짓 하나하나는 나태함의 시작, 여유로움의 표현, 내면의 평화와 만족, 절정, 반성과 성찰, 회복, 성장, 그리고 여운을 생생하게 전달하며, 관객에게 깊은 인상을 남긴다.

alternating opinion 엇갈린 견해

"엇갈린 견해"라는 주제를 움직임으로 표현하는 것은 상충하는 생각과 의견의 갈등을 신체적 표현을 통해 드러내는 데 중점을 둔다. 이는 무용수의 대립적이고 교차되는 몸짓을 통해 의견의 충돌과 조화를 극적으로 전달할 수 있다.

견해의 시작은 단호하고 분명한 동작으로 표현된다. 무용수는 무대에 등장하여, 그의 발걸음은 강하고, 팔과 다리는 확고하게 뻗어진다. 이 초기 동작은 무용수가 자신의 견해를 강하게 주장하는 순간을 상징한다.

견해의 충돌은 대립적이고 빠른 동작으로 나타난다. 무용수의 움직임은 빠르고 격렬하며, 서로 다른 무용수들은 서로 반대 방향으로 움직인다. 발걸음은 빠르고, 팔과 다리는 강하게 교차되며 충돌한다. 이 동작은 무용수들이 서로의 의견을 대립하며 갈등을 일으키는 모습을 나타낸다.

내면의 갈등과 혼란은 불규칙하고 혼란스러운 동작으로 표현된다. 무용수는 의견 충돌로 인해 내면에서 갈등과 혼란을 느끼며, 그의 움직임은 불안정하고 혼란스럽다. 발걸음은 불규칙하게 이어지고, 팔과 다리는 무작위로 움직인다. 이 동작은 무용수가 내면의 혼란과 갈등을 경험하는 과정을 상징한다.

갈등의 절정은 폭발적이고 강렬한 동작으로 표현된다. 무용수는 갈등이 절정에 이르며, 그의 몸짓은 폭발적이고 강렬하다. 발걸음은 빠르고 격렬하게 이어지며, 팔과 다리는 힘차게 뻗어져 공간을 가로지른다. 이 동작은 무용수가 의견의 충돌 속에서 극한의 감정을 표현하는 순간을 나타낸다.

화해와 조화는 점진적이고 유연한 동작으로 표현된다. 무용수는 갈등을 극복하고 화해하며, 그의 움직임은 점점 더 유연하고 부드러워진다. 발걸음은 가벼워지고, 팔과 다리는 서로를 향해 유연하게 뻗어진다. 이 동작은 무용수가 의견의 충돌을 극복하고 조화를 이루는 과정을 상징한다.

조화와 상호작용은 부드럽고 조화로운 동작으로 표현된다. 무용수는 의견 충돌을 해결한 후, 다른 무용수들과 조화를 이루며 그의 몸짓은 부드럽고 조화롭다. 발걸음은 일정한 리듬을 유지하며, 팔과 다리는 자연스럽게 연결된다. 이 동작은 무용수가 의견의 차

이를 극복하고 서로 조화를 이루는 모습을 나타낸다.

성장의 과정은 지속적이고 리드미컬한 동작으로 표현된다. 무용수는 의견의 충돌을 통해 성장하며, 그의 움직임은 지속적이고 리드미컬하다. 발걸음은 일정한 리듬을 유지하며, 팔과 다리는 유연하게 움직인다. 이 동작은 무용수가 의견 충돌을 통해 성장하고 발전하는 모습을 나타낸다.

마지막으로, 엇갈린 견해의 여운은 평온하고 안정된 동작으로 마무리된다. 무용수는 무대의 중심에서 평온한 자세를 취하며, 의견 충돌의 여운을 남긴다. 그의 몸짓은 부드럽고 안정적이며, 내면의 평화와 만족을 나타낸다. 무용수의 시선은 멀리 바라보며, 앞으로의 가능성을 기대하는 모습을 나타낸다.

"엇갈린 견해"는 이렇게 다양한 움직임을 통해 상충하는 생각과 의견의 갈등을 시각적으로 표현한다. 무용수의 몸짓 하나하나는 견해의 시작, 충돌, 내면의 갈등과 혼란, 절정, 화해와 조화, 상호작용, 성장, 그리고 여운을 생생하게 전달하며, 관객에게 깊은 인상을 남긴다.

altogether dissimilar 완전히 다른

"완전히 다른"이라는 주제를 움직임으로 표현하는 것은 상이한 본질과 완전히 다른 존재들이 어떻게 상호작용하고 대비되는지를 신체적 표현을 통해 드러내는 데 중점을 둔다. 이는 무용수의 대조적이고 독특한 몸짓을 통해 서로 다른 본질과 그로 인한 감정의 변화를 극적으로 전달할 수 있다.

다름의 시작은 개별적이고 독립적인 동작으로 표현된다. 무용수들은 무대에 각각 등장하여, 각자의 개성을 드러내는 움직임을 선보인다. 발걸음은 서로 다르고, 팔과 다리는 다양한 방향으로 뻗어지며, 이 초기 동작은 무용수들이 각각 독립적인 존재임을 상징한다.

차이의 강조는 대조적이고 뚜렷한 동작으로 나타난다. 무용수들의 움직임은 상호 간에 극명한 대조를 이루며, 그들의 몸짓은 서로 다른 방향과 속도로 진행된다. 발걸음은 서로 반대 방향으로 움직이고, 팔과 다리는 다양한 형태를 그리며 대비된다. 이 동작은 무용수들이 서로의 다름을 강하게 드러내는 모습을 나타낸다.

내면의 갈등과 조화는 혼란스럽고 긴장된 동작으로 표현된다. 무용수들은 서로 다른 본질로 인해 내면에서 갈등을 느끼며, 그들의 움직임은 혼란과 긴장으로 가득 차 있다. 발걸음은 불규칙하게 이어지고, 팔과 다리는 불안정하게 움직인다. 이 동작은 무용수들이 서로 다른 본질로 인한 갈등과 긴장을 경험하는 과정을 상징한다.

갈등의 절정은 폭발적이고 강렬한 동작으로 표현된다. 무용수들은 서로 다른 본질이 충돌하는 절정에서 몸을 최대한으로 사용하여 강렬한 움직임을 선보인다. 발걸음은 빠르고 격렬하며, 팔과 다리는 힘차게 뻗어져 공간을 가로지른다. 이 동작은 무용수들이 서로의 다름이 최고조에 달하는 순간을 나타낸다.

차이의 수용과 이해는 점진적이고 유연한 동작으로 표현된다. 무용수들은 차이를 수용하고 이해하며, 그들의 움직임은 점점 더 유연하고 부드러워진다. 발걸음은 가벼워지고, 팔과 다리는 자연스럽게 연결된다. 이 동작은 무용수들이 서로의 다름을 수용하고 이해하는 과정을 상징한다.

조화와 공존은 부드럽고 조화로운 동작으로 표현된다. 무용수들은 서로 다른 본질을 이해한 후, 조화롭게 공존하며 그들의 몸짓은 부드럽고 조화롭다. 발걸음은 일정한 리듬을 유지하며, 팔과 다리는 자연스럽게 이어진다. 이 동작은 무용수들이 서로 다른 본질 속에서도 조화를 이루며 공존하는 모습을 나타낸다.

성장의 과정은 지속적이고 리드미컬한 동작으로 표현된다. 무용수들은 서로의 다름을 통해 성장하며, 그들의 움직임은 지속적이고 리드미컬하다. 발걸음은 일정한 리듬을 유지하며, 팔과 다리는 유연하게 움직인다. 이 동작은 무용수들이 서로의 다름을 통해 성장하고 발전하는 모습을 나타낸다.

마지막으로, 완전히 다른 본질의 여운은 평온하고 안정된 동작으로 마무리된다. 무용수들은 무대의 중심에서 평온한 자세를 취하며, 서로 다른 본질의 여운을 남긴다. 그들의 몸짓은 부드럽고 안정적이며, 내면의 평화와 만족을 나타낸다. 무용수들의 시선은 멀리 바라보며, 앞으로의 가능성을 기대하는 모습을 나타낸다.

"완전히 다른"은 이렇게 다양한 움직임을 통해 상이한 본질과 완전히 다른 존재들이 어떻게 상호작용하고 대비되는지를 시각적으로 표현한다. 무용수들의 몸짓 하나하나는 다름의 시작, 차이의 강조, 내면의 갈등과 조화, 절정, 수용과 이해, 조화와 공존, 성장, 그리고 여운을 생생하게 전달하며, 관객에게 깊은 인상을 남긴다.

altruistic ideal 이타적인 이상

"이타적인 이상"이라는 주제를 움직임으로 표현하는 것은 자신보다 타인을 위해 행동하는 고귀한 목표와 그로 인한 감정의 변화를 신체적 표현을 통해 드러내는 데 중점을 둔다. 이는 무용수의 희생적이고 헌신적인 몸짓을 통해 이타심과 그로 인한 내면의 변화를 극적으로 전달할 수 있다.

이타심의 시작은 부드럽고 유연한 동작으로 표현된다. 무용수는 무대에 천천히 등장하여, 그의 발걸음은 가볍고, 팔과 다리는 타인을 감싸는 듯한 포즈를 취한다. 이 초기 동작은 무용수가 타인을 위해 마음을 열고 이타적인 행동을 시작하는 순간의 따뜻함과 결의를 상징한다.

헌신과 희생의 표현은 강렬하고 집중된 동작으로 나타난다. 무용수의 움직임은 결연하고 강하며, 그의 몸짓은 타인을 위해 자신을 희생하는 모습을 담고 있다. 발걸음은 확고하게 이어지고, 팔과 다리는 넓게 펼쳐져 타인을 보호하거나 돕는 자세를 취한다. 이 동작은 무용수가 이타적인 행동을 통해 타인에게 헌신하는 모습을 나타낸다.

이타심으로 인한 내면의 갈등과 극복은 혼란스럽고 불안한 동작으로 표현된다. 무용수는 자신의 이타적인 행동으로 인해 내면에서 갈등과 혼란을 겪으며, 그의 움직임은 불안정하고 혼란스럽다. 발걸음은 불규칙하게 이어지고, 팔과 다리는 떨린다. 이 동작은 무용수가 이타적인 행동으로 인해 내면의 갈등을 경험하는 과정을 상징한다.

희생의 절정은 폭발적이고 강렬한 동작으로 표현된다. 무용수는 자신의 모든 것을 바치는 순간, 그의 몸짓은 강렬하고 폭발적이다. 발걸음은 빠르고 격렬하게 이어지며, 팔과 다리는 힘차게 뻗어져 공간을 가로지른다. 이 동작은 무용수가 이타심의 극한에서 모든 것을 바치는 순간을 나타낸다.

이타심의 수용과 평화는 점진적이고 유연한 동작으로 표현된다. 무용수는 희생을 통해 내면의 평화를 찾기 시작하고, 그의 움직임은 점점 더 유연하고 부드러워진다. 발걸음은 가벼워지고, 팔과 다리는 자연스럽게 움직인다. 이 동작은 무용수가 이타적인 행동을 통해 내면의 평화와 만족을 찾는 과정을 상징한다.

이타적인 이상을 통한 성장과 성취는 조화롭고 안정된 동작으로 표현된다. 무용수는 이타적인 이상을 실현한 후 성장하며, 그의 몸짓은 조화롭고 안정적이다. 발걸음은 일정한 리듬을 유지하며, 팔과 다리는 부드럽게 움직인다. 이 동작은 무용수가 이타적인 이상을 통해 성장하고 성취감을 느끼는 모습을 나타낸다.

이타심의 지속과 영향은 반복적이고 리드미컬한 동작으로 표현된다. 무용수는 지속적으로 이타적인 행동을 이어가며, 그의 움직임은 반복적이고 리드미컬하다. 발걸음은 일정한 리듬을 유지하며, 팔과 다리는 유연하게 움직인다. 이 동작은 무용수가 이타적인 이상을 지속적으로 실현하며 주위에 긍정적인 영향을 미치는 모습을 나타낸다.

마지막으로, 이타적인 이상의 여운은 평온하고 안정된 동작으로 마무리된다. 무용수는 무대의 중심에서 평온한 자세를 취하며, 이타적인 이상의 여운을 남긴다. 그의 몸짓은 부드럽고 안정적이며, 내면의 평화와 만족을 나타낸다. 무용수의 시선은 멀리 바라보며, 앞으로의 가능성을 기대하는 모습을 나타낸다.

"이타적인 이상"은 이렇게 다양한 움직임을 통해 자신보다 타인을 위해 행동하는 고귀한 목표와 그로 인한 감정의 변화를 시각적으로 표현한다. 무용수의 몸짓 하나하나는 이타심의 시작, 헌신과 희생, 내면의 갈등과 극복, 희생의 절정, 수용과 평화, 성장과 성취, 지속과 영향, 그리고 여운을 생생하게 전달하며, 관객에게 깊은 인상을 남긴다.

amatory effusions 성적 감정의 토로

"성적 감정의 토로"라는 주제를 움직임으로 표현하는 것은 깊고 강렬한 성적 감정과 그로 인한 열정, 갈망, 그리고 내면의 변화를 신체적 표현을 통해 드러내는 데 중점을 둔다. 이는 무용수의 관능적이고 강렬한 몸짓을 통해 성적 감정의 복잡성과 깊이를 극적으로 전달할 수 있다.

감정의 시작은 부드럽고 유혹적인 동작으로 표현된다. 무용수는 무대에 천천히 등장하여, 그의 발걸음은 느리고 우아하게 이어지며, 팔과 다리는 유연하게 움직인다. 이 초기 동작은 무용수가 성적 감정을 처음 느끼는 순간의 설렘과 기대감을 상징한다.

열정의 표현은 강렬하고 관능적인 동작으로 나타난다. 무용수의 움직임은 점점 더 강렬해지며, 그의 몸짓은 열정과 갈망으로 가득 차 있다. 발걸음은 리드미컬하고 힘차게 이어지며, 팔과 다리는 다양한 방향으로 유연하게 뻗어진다. 이 동작은 무용수가 성적 감정을 표출하며, 그 감정의 깊이를 나타낸다.

성적 감정의 절정은 폭발적이고 강렬한 동작으로 표현된다. 무용수는 감정의 절정에서 몸을 최대한으로 사용하여 폭발적인 움직임을 선보인다. 발걸음은 빠르고 격렬하며, 팔과 다리는 힘차게 뻗어져 공간을 가로지른다. 이 동작은 무용수가 성적 감정의 극한에서 느끼는 강렬한 열정과 갈망을 나타낸다.

내면의 갈등과 긴장은 불안하고 혼란스러운 동작으로 표현된다. 무용수는 성적 감정으로 인한 내면의 갈등과 긴장을 느끼며, 그의 움직임은 불안정하고 혼란스럽다. 발걸음은 불규칙하게 이어지고, 팔과 다리는 떨린다. 이 동작은 무용수가 성적 감정으로 인해 내면의 혼란과 갈등을 경험하는 과정을 상징한다.

감정의 해소와 평화는 점진적이고 유연한 동작으로 표현된다. 무용수는 성적 감정을 해소하며 내면의 평화를 찾기 시작하고, 그의 움직임은 점점 더 유연하고 부드러워진다. 발걸음은 가벼워지고, 팔과 다리는 자연스럽게 움직인다. 이 동작은 무용수가 성적 감정을 통해 내면의 평화와 만족을 찾는 과정을 나타낸다.

감정의 깊이는 조화롭고 안정된 동작으로 표현된다. 무용수는 성적 감정을 깊이 경험한 후 성장하며, 그의 몸짓은 조화롭고 안정적이다. 발걸음은 일정한 리듬을 유지하며, 팔과 다리는 부드럽게 움직인다. 이 동작은 무용수가 성적 감정을 통해 성장하고 내면의 성숙을 이루는 모습을 나타낸다.

감정의 여운은 평온하고 안정된 동작으로 마무리된다. 무용수는 무대의 중심에서 평온한 자세를 취하며, 성적 감정의 여운을 남긴다. 그의 몸짓은 부드럽고 안정적이며, 내면의 평화와 만족을 나타낸다. 무용수의 시선은 멀리 바라보며, 앞으로의 가능성을 기대하는 모습을 나타낸다.

"성적 감정의 토로"는 이렇게 다양한 움직임을 통해 깊고 강렬한 성적 감정과 그로 인한 열정, 갈망, 그리고 내면의 변화를 시각적으로 표현한다. 무용수의 몸짓 하나하나는 감정의 시작, 열정의 표현, 절정, 내면의 갈등과 긴장, 해소와 평화, 깊이, 그리고 여운을 생생하게 전달하며, 관객에게 깊은 인상을 남긴다.

amazing artifice 놀라운 계략

"놀라운 계략"이라는 주제를 움직임으로 표현하는 것은 지적이고 교묘한 계획과 그 실행 과정을 신체적 표현을 통해 드러내는 데 중점을 둔다. 이는 무용수의 정교하고 계산된 몸짓을 통해 계략의 복잡성과 그로 인한 감정의 변화를 극적으로 전달할 수 있다.

계략의 시작은 신중하고 은밀한 동작으로 표현된다. 무용수는 무대에 조용히 등장하여, 그의 발걸음은 가볍고 조심스러우며, 팔과 다리는 유연하게 움직인다. 이 초기 동작은 무용수가 계략을 세우는 순간의 긴장과 집중을 상징한다.

계획의 구상은 복잡하고 교묘한 동작으로 나타난다. 무용수의 움직임은 점점 더 복잡해지며, 그의 몸짓은 계략을 세밀하게 구상하는 모습을 담고 있다. 발걸음은 리드미컬하고 계산된 움직임으로 이어지며, 팔과 다리는 다양한 방향으로 정교하게 뻗어진다. 이 동작은 무용수가 계획을 구체화하며 세부 사항을 조율하는 모습을 나타낸다.

계략의 실행은 강렬하고 정확한 동작으로 표현된다. 무용수는 계획을 실행에 옮기며, 그의 움직임은 강하고 단호하다. 발걸음은 빠르고 확실하게 이어지고, 팔과 다리는 목표를 향해 힘차게 뻗어진다. 이 동작은 무용수가 계략을 실행하며 목표를 달성하는 순간의 자신감과 결의를 상징한다.

내면의 갈등과 긴장은 불안하고 혼란스러운 동작으로 표현된다. 무용수는 계략이 예상대로 진행되지 않을 때 느끼는 내면의 갈등과 긴장을 나타낸다. 발걸음은 불규칙하게 이어지고, 팔과 다리는 혼란스럽게 움직인다. 이 동작은 무용수가 계획의 불확실성으로 인해 내면의 혼란과 갈등을 경험하는 과정을 상징한다.

계략의 성공은 활기차고 기쁜 동작으로 표현된다. 무용수는 계략이 성공했을 때의 기쁨과 성취감을 나타내며, 그의 움직임은 활기차고 자유롭다. 발걸음은 가볍고 빠르게 이어지며, 팔과 다리는 넓게 펼쳐져 기쁨을 표현한다. 이 동작은 무용수가 계략의 성공으로 인한 만족감을 나타낸다.

성장의 과정은 조화롭고 안정된 동작으로 표현된다. 무용수는 계략의 경험을 통해 성장하며, 그의 몸짓은 조화롭고 안정적이다. 발걸음은 일정한 리듬을 유지하며, 팔과 다리는 부드럽게 움직인다. 이 동작은 무용수가 계략을 통해 얻은 교훈과 성장을 나타낸다.

계략의 여운은 평온하고 안정된 동작으로 마무리된다. 무용수는 무대의 중심에서 평온한 자세를 취하며, 계략의 여운을 남긴다. 그의 몸짓은 부드럽고 안정적이며, 내면의 평화와 만족을 나타낸다.

"놀라운 계략"은 이렇게 다양한 움직임을 통해 지적이고 교묘한 계획과 그 실행 과정을 시각적으로 표현한다. 무용수의 몸짓 하나하나는 계략의 시작, 계획의 구상, 실행, 내면의 갈등과 긴장, 성공, 성장, 그리고 깊이 있는 여운으로 마무리한다.

ambitious project 야심찬 계획

야심찬 계획은 높은 목표를 설정하고 이를 실현하기 위해 열정과 노력을 기울이는 과정을 의미한다. 이는 도전적이고 혁신적인 아이디어를 바탕으로 한 프로젝트로, 무용수의 동작을 통해 그 열정과 의지를 생생하게 표현할 수 있다.

무용수는 무대 위에서 강렬하고 확고한 동작으로 시작한다. 그의 발걸음은 확신에 차 있으며, 팔과 다리는 힘차게 뻗어져 목표를 향해 나아가는 모습을 상징한다. 이 초기 동작은 무용수가 야심찬 계획을 세우고 이를 달성하기 위한 첫걸음을 내딛는 순간의 결의를 나타낸다.

계획의 실행 과정은 복잡하고 역동적인 동작으로 나타난다. 무용수의 움직임은 다양하고 다채로우며, 그의 몸짓은 계획의 세부 사항을 조율하고 조정하는 과정을 담고 있다. 발걸음은 리드미컬하게 이어지고, 팔과 다리는 다양한 방향으로 움직이며 계획의 복잡성을 표현한다. 이 동작은 무용수가 계획을 실현하기 위해 끊임없이 노력하고 조정하는 모습을 보여준다.

내면의 갈등과 도전은 긴장되고 강렬한 동작으로 표현된다. 무용수는 계획을 실행하는 과정에서 마주하는 어려움과 도전을 나타내며, 그의 움직임은 강하고 긴장감으로 가득 차 있다. 발걸음은 불규칙하게 이어지고, 팔과 다리는 강하게 뻗어져 도전과 맞서는 모습을 상징한다. 이 동작은 무용수가 야심찬 계획을 실현하기 위해 겪는 내면의 갈등과 도전을 나타낸다.

성공과 성취는 활기차고 자유로운 동작으로 표현된다. 무용수는 계획을 성공적으로 실현한 후 느끼는 성취감과 기쁨을 나타내며, 그의 움직임은 활기차고 자유롭다. 발걸음은 빠르고 가벼우며, 팔과 다리는 넓게 펼쳐져 기쁨을 표현한다. 이 동작은 무용수가 야심찬 계획을 성공적으로 실현한 후의 성취감을 상징한다.

마지막으로, 야심찬 계획의 여운은 평온하고 안정된 동작으로 마무리된다. 무용수는 무대의 중심에서 평온한 자세를 취하며, 계획의 여운을 남긴다. 그의 몸짓은 부드럽고 안정적이며, 내면의 평화와 만족을 나타낸다. 무용수의 시선은 멀리 바라보며, 앞으로의 가능성을 기대하는 모습을 나타낸다.

"야심찬 계획"은 이렇게 다양한 움직임을 통해 높은 목표를 설정하고 이를 실현하기 위한 열정과 노력을 시각적으로 표현한다. 무용수의 몸짓 하나하나는 계획의 시작, 실행 과정, 내면의 갈등과 도전, 성공과 성취, 그리고 여운을 생생하게 전달하며, 관객에게 깊은 인상을 남긴다.

ambling pedestrian 걸음걸이가 느린 보행자

걸음걸이가 느린 보행자는 천천히 움직이며 주변을 여유롭게 관찰하는 보행자를 의미한다. 이는 무용수의 여유롭고 느긋한 동작을 통해 신체적으로 표현될 수 있다. 무용수는 무대 위에서 느린 발걸음과 유연한 몸짓으로 이 주제를 생생하게 전달할 수 있다. 느린 걸음걸이의 시작은 천천히 움직이는 동작으로 표현된다. 무용수는 무대에 천천히 등장하여, 그의 발걸음은 신중하고 느리게 이어진다. 팔과 다리는 유연하게 움직이며, 이 초기 동작은 무용수가 여유롭게 걷는 순간의 평온함과 여유로움을 상징한다.

주변의 관찰은 부드럽고 섬세한 동작으로 나타난다. 무용수의 움직임은 부드럽고 자연스럽게 이어지며, 그의 몸짓은 주위를 관찰하는 모습을 담고 있다. 발걸음은 천천히 이어지고, 팔과 다리는 주변을 감싸듯이 움직인다. 이 동작은 무용수가 주변을 주의 깊게 살피고, 세상의 작은 아름다움을 발견하는 모습을 나타낸다.

내면의 평화와 만족은 깊고 안정된 동작으로 표현된다. 무용수는 천천히 걷는 과정에서 내면의 평화를 찾으며, 그의 움직임은 차분하고 안정적이다. 발걸음은 일정한 리듬을 유지하며, 팔과 다리는 부드럽게 이어진다. 이 동작은 무용수가 천천히 걷는 동안 느끼는 내면의 평화와 만족감을 상징한다.

느린 걸음걸이의 절정은 느긋하고 여유로운 동작으로 표현된다. 무용수는 가장 느린 속도로 걷는 순간, 그의 몸짓은 여유롭고 평화롭다. 발걸음은 아주 느리게 이어지며, 팔과 다리는 넓게 펼쳐져 공간을 채운다. 이 동작은 무용수가 느린 걸음걸이의 절정을 경험하며, 그 속에서 평화와 만족을 느끼는 순간을 나타낸다.

내면의 성찰과 회상은 느리고 깊이 있는 동작으로 표현된다. 무용수는 느린 걸음걸이를 통해 내면의 성찰과 회상을 경험하며, 그의 움직임은 깊고 차분하다. 발걸음은 천천히 이어지고, 팔과 다리는 차분하게 움직인다. 이 동작은 무용수가 천천히 걷는 동안 자신의 과거를 돌아보고, 내면의 성장을 경험하는 과정을 상징한다.

걸음걸이의 지속은 반복적이고 리드미컬한 동작으로 표현된다. 무용수는 지속적으로 천천히 걸으며, 그의 움직임은 반복적이고 리드미컬하다. 발걸음은 일정한 리듬을 유지하며, 팔과 다리는 유연하게 움직인다. 이 동작은 무용수가 천천히 걷는 것을 통해 지속적으로 평화와 만족을 찾는 모습을 나타낸다.

마지막으로, 느린 걸음걸이의 여운은 평온하고 안정된 동작으로 마무리된다. 무용수는 무대의 중심에서 평온한 자세를 취하며, 느린 걸음걸이의 여운을 남긴다. 그의 몸짓은 부드럽고 안정적이며, 내면의 평화와 만족을 나타낸다.

"걸음걸이가 느린 보행자"는 이렇게 다양한 움직임을 통해 천천히 움직이며 주변을 여유롭게 관찰하는 보행자의 평화로움과 여유로움을 시각적으로 표현한다. 무용수의 몸짓 하나하나는 느린 걸음의 시작, 주변의 관찰, 내면의 평화와 만족, 절정, 성찰과 회상, 지속, 그리고 여운을 생생하게 전달하며, 관객에게 깊은 인상을 남긴다.

amiable solicitude 정감 있는 배려

"정감 있는 배려"는 타인을 따뜻하고 친절하게 돌보는 마음을 의미한다. 이는 무용수의 부드럽고 다정한 몸짓을 통해 신체적으로 표현될 수 있다. 무용수는 무대 위에서 배려와 따뜻함을 담은 움직임으로 이 주제를 생생하게 전달할 수 있다.

배려의 시작은 부드럽고 따뜻한 동작으로 표현된다. 무용수는 무대에 천천히 등장하여, 그의 발걸음은 가볍고 조심스러우며, 팔과 다리는 유연하게 움직인다. 이 초기 동작은 무용수가 타인을 배려하며 다가가는 순간의 따뜻함과 온기를 상징한다.

타인에 대한 배려는 세심하고 섬세한 동작으로 나타난다. 무용수의 움직임은 자연스럽고 부드럽게 이어지며, 그의 몸짓은 타인을 배려하는 모습을 담고 있다. 발걸음은 천천히 이어지고, 팔과 다리는 부드럽게 움직여 타인을 감싸는 듯한 포즈를 취한다. 이 동작은 무용수가 타인의 필요에 세심하게 반응하며 배려를 실천하는 모습을 나타낸다.

배려의 깊이는 조화롭고 안정된 동작으로 표현된다. 무용수는 타인에 대한 배려를 통해 내면의 평화를 느끼며, 그의 움직임은 차분하고 안정적이다. 발걸음은 일정한 리듬을 유지하며, 팔과 다리는 자연스럽게 이어진다. 이 동작은 무용수가 배려를 통해 얻는 내면의 평화와 만족을 상징한다.

타인과의 상호작용은 조화롭고 상호작용 적인 동작으로 표현된다. 무용수는 다른 무용수들과 함께 무대 위에서 상호작용하며, 그들의 움직임은 조화롭고 유기적이다. 발걸음은 서로를 배려하며 이어지고, 팔과 다리는 부드럽게 연결된다. 이 동작은 무용수들이 배려를 통해 서로를 돕고 협력하는 모습을 나타낸다.

배려의 절정은 따뜻하고 활기찬 동작으로 표현된다. 무용수는 배려의 절정에서 몸을 최대한으로 사용하여 따뜻한 움직임을 선보인다. 발걸음은 가볍고 활기차게 이어지며, 팔과 다리는 넓게 펼쳐져 따뜻함을 표현한다. 이 동작은 무용수가 배려를 통해 느끼는 깊은 만족과 기쁨을 상징한다.

성장의 과정은 지속적이고 리드미컬한 동작으로 표현된다. 무용수는 배려를 통해 성장하며, 그의 움직임은 지속적이고 리드미컬하다. 발걸음은 일정한 리듬을 유지하며, 팔과 다리는 유연하게 움직인다. 이 동작은 무용수가 배려를 통해 지속적으로 성장하고 발전하는 모습을 나타낸다.

마지막으로, 정감 있는 배려의 여운은 평온하고 안정된 동작으로 마무리된다. 무용수는 무대의 중심에서 평온한 자세를 취하며, 배려의 여운을 남긴다. 그의 몸짓은 부드럽고 안정적이며, 내면의 평화와 만족을 나타낸다.

"정감 있는 배려"는 이렇게 다양한 움직임을 통해 타인을 따뜻하고 친절하게 돌보는 마음을 시각적으로 표현한다. 무용수의 몸짓 하나하나는 배려의 시작, 타인에 대한 배려, 깊이, 상호작용, 절정, 성장, 그리고 여운을 생생하게 남긴다.

amicable arrangement 우호적인 합의

"우호적인 합의"는 서로 간의 이해와 조화를 통해 이루어진 평화로운 협정을 의미한다. 이는 무용수들의 부드럽고 조화로운 움직임을 통해 신체적으로 표현될 수 있다. 무용수들은 무대 위에서 협력과 상호작용을 통해 이 주제를 생생하게 전달할 수 있다.

합의의 시작은 부드럽고 신중한 동작으로 표현된다. 무용수들은 무대에 천천히 등장하여, 발걸음은 조심스럽고, 팔과 다리는 서로를 향해 유연하게 움직인다. 이 초기 동작은 무용수들이 서로의 입장을 이해하고 다가가는 순간의 배려와 신중함을 상징한다.

협력과 조율의 표현은 유기적이고 리드미컬한 동작으로 나타난다. 무용수들의 움직임은 서로 조화롭게 이어지며, 몸짓은 상호작용과 협력을 나타낸다. 발걸음은 리드미컬하게 이어지고, 팔과 다리는 부드럽게 연결되어 서로의 동작을 지원한다. 이 동작은 무용수들이 서로의 의견을 조율하고 합의를 이루기 위해 협력하는 모습을 보여준다.

내면의 조화와 평화는 안정되고 균형 잡힌 동작으로 표현된다. 무용수들은 합의를 통해 내면의 평화를 느끼며, 움직임은 차분하고 안정적이다. 발걸음은 일정한 리듬을 유지하며, 팔과 다리는 자연스럽게 이어진다. 이 동작은 무용수들이 우호적인 합의를 통해 얻은 내면의 평화와 만족을 상징한다.

합의의 절정은 활기차고 긍정적인 동작으로 표현된다. 무용수들은 합의의 절정에서 몸을 최대한으로 사용하여 기쁨과 활기를 표현한다. 발걸음은 가볍고 활기차게 이어지며, 팔과 다리는 넓게 펼쳐져 합의의 기쁨을 표현한다. 이 동작은 무용수들이 합의를 통해 느끼는 깊은 만족과 기쁨을 상징한다.

상호작용과 성장의 과정은 지속적이고 리드미컬한 동작으로 표현된다. 무용수들은 합의를 통해 성장하며, 움직임은 지속적이고 리드미컬하다. 발걸음은 일정한 리듬을 유지하며, 팔과 다리는 유연하게 움직인다. 이 동작은 무용수들이 합의를 통해 지속적으로 성장하고 발전하는 모습을 나타낸다. 마지막으로, 우호적인 합의의 여운은 평온하고 안정된 동작으로 마무리된다. 무용수들은 무대의 중심에서 평온한 자세를 취하며, 합의의 여운을 남긴다. 몸짓은 부드럽고 안정적이며, 내면의 평화와 만족을 나타낸다. 무용수들의 시선은 멀리 바라보며, 앞으로의 가능성을 기대하는 모습을 보여준다.

"우호적인 합의"는 이렇게 다양한 움직임을 통해 서로 간의 이해와 조화를 통해 이루어진 평화로운 협정을 시각적으로 표현한다. 무용수들의 몸짓 하나하나는 합의의 시작, 협력과 조율, 내면의 조화와 평화, 절정, 상호작용과 성장, 그리고 여운을 생생하게 전달하며, 관객에게 깊은 인상을 남긴다.

ample culture 풍부한 문화

"풍부한 문화"라는 주제를 움직임으로 표현하는 것은 다양한 문화적 요소와 그로 인한 풍요로움을 신체적 표현을 통해 드러내는 데 중점을 둔다. 이는 무용수들의 다채롭고 다면적인 몸짓을 통해 다양한 문화적 경험과 그로 인한 감정의 변화를 극적으로 전달할 수 있다.

문화의 시작은 다양한 요소들이 모이는 동작으로 표현된다. 무용수들은 무대에 각자의 개성을 드러내며 등장하여, 다양한 발걸음과 팔 동작으로 서로 다른 문화적 배경을 나타낸다. 이 초기 동작은 무용수들이 각기 다른 문화를 상징하며, 풍부한 문화적 다양성을 표현한다.

문화의 표현은 다채롭고 복잡한 동작으로 나타난다. 무용수들의 움직임은 서로 조화롭게 어우러지며, 다양한 문화적 요소들이 결합된다. 발걸음은 리드미컬하고, 팔과 다리는 다양한 형태와 패턴을 그리며, 이는 무용수들이 서로 다른 문화를 조화롭게 융합하는 모습을 보여준다. 이 동작은 풍부한 문화의 다양성과 조화를 상징한다.

문화적 깊이는 차분하고 안정된 동작으로 표현된다. 무용수들은 각자의 문화적 깊이를 탐구하며, 움직임은 차분하고 안정적이다. 발걸음은 일정한 리듬을 유지하며, 팔과 다리는 유연하게 이어진다. 이 동작은 무용수들이 깊이 있는 문화적 경험을 통해 내면의 평화와 성장을 이루는 모습을 나타낸다.

문화의 절정은 강렬하고 생동감 있는 동작으로 표현된다. 무용수들은 문화의 절정에서 몸을 최대한으로 사용하여 강렬한 움직임을 선보인다. 발걸음은 빠르고 힘차게 이어지며, 팔과 다리는 넓게 펼쳐져 문화의 생동감을 표현한다. 이 동작은 무용수들이 풍부한 문화 속에서 느끼는 활력과 에너지를 상징한다.

문화적 상호작용은 조화롭고 상호작용 적인 동작으로 표현된다. 무용수들은 서로의 문화적 배경을 존중하며 상호작용하며, 움직임은 조화롭고 유기적이다. 발걸음은 서로를 배려하며 이어지고, 팔과 다리는 자연스럽게 연결된다. 이 동작은 무용수들이 풍부한 문화를 통해 서로의 차이를 존중하고 상호작용하는 모습을 나타낸다.

성장의 과정은 지속적이고 리드미컬한 동작으로 표현된다. 무용수들은 풍부한 문화적 경험을 통해 성장하며, 움직임은 지속적이고 리드미컬하다. 발걸음은 일정한 리듬을 유지하며, 팔과 다리는 유연하게 움직인다. 이 동작은 무용수들이 문화적 다양성을 통해 지속적으로 성장하고 발전하는 모습을 나타낸다.

마지막으로, 풍부한 문화의 여운은 평온하고 안정된 동작으로 마무리된다. 무용수들은 무대의 중심에서 평온한 자세를 취하며, 문화적 경험의 여운을 남긴다. 몸짓은 부드럽고 안정적이며, 내면의 평화와 만족을 나타낸다. 무용수들의 시선은 멀리 바라보며, 앞으로의 가능성을 기대하는 모습을 보여준다.

"풍부한 문화"는 이렇게 다양한 움직임을 통해 다양한 문화적 요소와 그로 인한 풍요로움을 시각적으로 표현한다. 무용수들의 몸짓 하나하나는 문화의 시작, 표현, 깊이, 절정, 상호작용, 성장, 그리고 여운을 생생하게 전달하며, 관객에게 깊은 인상을 남긴다.

analogous example 유사한 예

유사한 예는 두 개 이상의 사물이 서로 비슷한 특징을 가지고 있음을 보여주는 예시를 의미한다. 이는 무용수들의 움직임을 통해 비슷하면서도 다른 요소들이 어떻게 서로 비교되고 이해될 수 있는지를 신체적으로 표현할 수 있다. 무용수들은 무대 위에서 조화와 대조를 통해 이 주제를 생생하게 전달할 수 있다.

비슷한 예의 시작은 두 개의 독립적인 동작으로 표현된다. 무용수들은 무대의 양쪽에서 등장하여, 각자의 발걸음과 팔 동작으로 서로 다른 요소를 나타낸다. 이 초기 동작은 무용수들이 서로 다른 두 가지 예를 상징하며, 그들이 가진 독특한 특징을 강조한다.

비교의 과정은 동기화된 동작으로 나타난다. 무용수들의 움직임은 점차 비슷해지며, 서로 조화롭게 이어진다. 발걸음은 리드미컬하게 동기화되고, 팔과 다리는 유사한 형태와 패턴을 그린다. 이 동작은 두 무용수가 서로 다른 예시들이 어떻게 비슷한 특징을 가지고 있는지를 나타낸다.

유사점의 강조는 조화롭고 리드미컬한 동작으로 표현된다. 무용수들은 서로의 움직임을 거울처럼 반영하며, 완벽한 조화를 이룬다. 발걸음은 일정한 리듬을 유지하며, 팔과 다리는 부드럽게 이어진다. 이 동작은 무용수들이 유사한 예의 특징을 극대화하여 보여주는 모습을 상징한다.

차이점의 인식은 대조적인 동작으로 표현된다. 무용수들은 비슷한 점을 강조한 후, 서로 다른 점을 드러내기 시작한다. 발걸음은 각기 다른 방향으로 이어지고, 팔과 다리는 다양한 형태를 그리며 대조를 나타낸다. 이 동작은 무용수들이 비슷한 예 속에서도 존재하는 차이점을 인식하고 표현하는 모습을 나타낸다.

결합과 조화의 과정은 유기적이고 부드러운 동작으로 표현된다. 무용수들은 비슷하면서도 다른 요소들을 결합하여 하나의 조화를 이룬다. 발걸음은 서로를 향해 다가가고, 팔과 다리는 자연스럽게 연결된다. 이 동작은 두 무용수가 유사한 예시들을 결합하여 조화로운 전체를 이루는 과정을 상징한다.

성장의 과정은 지속적이고 리드미컬한 동작으로 표현된다. 무용수들은 유사한 예를 통해 배움을 얻고 성장하며, 움직임은 지속적이고 리드미컬하다. 발걸음은 일정한 리듬을 유지하며, 팔과 다리는 유연하게 움직인다. 이 동작은 무용수들이 유사한 예시를 통해 지속적으로 성장하고 발전하는 모습을 나타낸다.

마지막으로, 유사한 예의 여운은 평온하고 안정된 동작으로 마무리된다. 무용수들은 무대의 중심에서 평온한 자세를 취하며, 유사한 예의 여운을 남긴다. 몸짓은 부드럽고 안정적이며, 내면의 평화와 만족을 나타낸다.

"유사한 예"는 이렇게 다양한 움직임을 통해 두 개 이상의 사물이 서로 비슷한 특징을 가지고 있음을 시각적으로 표현한다. 무용수들의 몸짓 하나하나는 비교의 시작, 동기화, 유사점의 강조, 차이점의 인식, 결합과 조화, 성장, 그리고 여운을 생생하게 전달한다.

analytical survey 분석적 조사

"분석적 조사"는 특정 주제나 현상에 대해 체계적이고 논리적으로 데이터를 수집하고 분석하는 과정을 의미한다. 이는 무용수의 정교하고 치밀한 움직임을 통해 신체적으로 표현될 수 있다. 무용수는 무대 위에서 분석과 조사의 과정을 다양한 동작으로 생생하게 전달할 수 있다.

조사의 시작은 신중하고 정확한 동작으로 표현된다. 무용수는 무대에 천천히 등장하여, 그의 발걸음은 조심스럽고, 팔과 다리는 세밀하게 움직인다. 이 초기 동작은 무용수가 데이터를 수집하고 초기 분석을 시작하는 순간의 신중함과 정확성을 상징한다.

데이터 수집과 분석의 과정은 복잡하고 유기적인 동작으로 나타난다. 무용수의 움직임은 점점 더 복잡해지며, 그의 몸짓은 데이터를 체계적으로 수집하고 분석하는 과정을 담고 있다. 발걸음은 리드미컬하게 이어지고, 팔과 다리는 다양한 방향으로 움직이며 데이터를 정리하고 패턴을 찾는 모습을 나타낸다. 이 동작은 무용수가 체계적으로 데이터를 분석하며, 논리적이고 정교한 과정을 통해 결론을 도출하는 모습을 보여준다.

내면의 갈등과 문제 해결은 긴장되고 집중된 동작으로 표현된다. 무용수는 분석 과정에서 마주하는 어려움과 도전을 나타내며, 그의 움직임은 긴장감과 집중력으로 가득 차 있다. 발걸음은 불규칙하게 이어지고, 팔과 다리는 강하게 뻗어져 문제를 해결하려는 노력을 상징한다. 이 동작은 무용수가 분석적 조사를 통해 마주하는 내면의 갈등과 이를 해결하기 위한 노력을 나타낸다.

분석의 절정은 강렬하고 확신에 찬 동작으로 표현된다. 무용수는 분석 결과를 도출하는 순간, 그의 움직임은 강렬하고 확신에 차 있다. 발걸음은 빠르고 힘차게 이어지며, 팔과 다리는 넓게 펼쳐져 분석의 결론을 강하게 표현한다. 이 동작은 무용수가 분석적 조사를 통해 얻은 확신과 결론을 상징한다.

분석 결과의 적용과 성장은 부드럽고 유연한 동작으로 표현된다. 무용수는 분석 결과를 적용하며 내면의 평화를 찾기 시작하고, 그의 움직임은 점점 더 유연하고 부드러워진다. 발걸음은 가볍고 자연스럽게 이어지며, 팔과 다리는 조화롭게 움직인다. 이 동작은 무용수가 분석적 조사를 통해 얻은 지식을 실생활에 적용하며 성장하는 모습을 나타낸다.

마지막으로, 분석적 조사의 여운은 평온하고 안정된 동작으로 마무리된다. 무용수는 무대의 중심에서 평온한 자세를 취하며, 분석적 조사의 여운을 남긴다. 그의 몸짓은 부드럽고 안정적이며, 내면의 평화와 만족을 나타낸다.

"분석적 조사"는 이렇게 다양한 움직임을 통해 특정 주제나 현상에 대해 체계적이고 논리적으로 데이터를 수집하고 분석하는 과정을 시각적으로 표현한다. 무용수의 몸짓 하나하나는 조사의 시작, 데이터 수집과 분석, 내면의 갈등과 문제 해결, 분석의 절정, 결과의 적용과 성장, 그리고 여운을 생생하게 전달하며, 관객에게 깊은 인상을 남긴다.

angelic softness 천사 같은 부드러움

천사 같은 부드러움은 순수하고 평온하며 따뜻한 감정을 불러일으키는 특성을 의미한다. 이는 무용수의 유연하고 섬세한 몸짓을 통해 신체적으로 표현될 수 있다. 무용수는 무대 위에서 부드럽고 우아한 동작으로 천사 같은 부드러움을 생생하게 전달할 수 있다. 그의 발걸음은 가볍고 우아하게 이어지며, 팔과 다리는 부드럽게 펼쳐진다. 이 초기 동작은 무용수가 천사 같은 부드러움을 나타내는 순간의 순수함과 평온함을 상징한다.

무용수의 움직임은 자연스럽고 유기적으로 이어지며, 그의 몸짓은 천사 같은 부드러움을 한층 더 강조한다. 발걸음은 리드미컬하고, 팔과 다리는 하늘을 향해 유연하게 뻗어지며, 이는 무용수가 부드럽고 따뜻한 감정을 표현하는 모습을 나타낸다. 그의 동작은 마치 공중을 떠다니는 듯한 느낌을 주며, 관객에게 평온과 안정을 전달한다.

무용수는 천사 같은 부드러움을 통해 내면의 평화를 찾으며, 그의 움직임은 차분하고 안정적이다. 발걸음은 일정한 리듬을 유지하며, 팔과 다리는 자연스럽게 이어진다. 이 동작은 무용수가 천사 같은 부드러움을 통해 얻는 내면의 평화와 만족을 상징한다. 그의 몸짓은 부드럽고 우아하게 이어지며, 내면의 깊은 감정을 표현한다.

무용수의 절정은 천사 같은 부드러움을 극대화하여 표현된다. 그의 몸짓은 더할 나위 없이 부드럽고 유연하며, 발걸음은 가볍고 팔과 다리는 넓게 펼쳐져 공간을 채운다. 이 동작은 무용수가 천사 같은 부드러움의 절정에서 느끼는 깊은 만족과 평온을 나타낸다. 그의 얼굴에는 온화한 미소가 머물며, 전체적인 분위기를 따뜻하게 만든다.

마지막으로, 천사 같은 부드러움의 여운은 평온하고 안정된 동작으로 마무리된다. 무용수는 무대의 중심에서 평온한 자세를 취하며, 부드러움의 여운을 남긴다. 그의 몸짓은 부드럽고 안정적이며, 내면의 평화와 만족을 나타낸다. 무용수의 시선은 멀리 바라보며, 앞으로의 가능성을 기대하는 모습을 나타낸다.

천사 같은 부드러움은 이렇게 다양한 움직임을 통해 순수하고 평온하며 따뜻한 감정을 시각적으로 표현한다. 무용수의 몸짓 하나하나는 부드러움의 시작, 강조, 내면의 평화, 절정, 그리고 여운을 생생하게 전달하며, 관객에게 깊은 인상을 남긴다.

angry protestations 성난 시위

성난 시위는 강렬한 분노와 항의의 감정을 담아내며, 변화와 정의를 요구하는 행동을 의미한다. 이는 무용수의 격렬하고 분명한 몸짓을 통해 신체적으로 표현될 수 있다. 무용수는 무대 위에서 강렬한 동작과 힘찬 움직임으로 성난 시위의 감정과 에너지를 생생하게 전달할 수 있다.

시위의 시작은 긴장된 동작으로 표현된다. 무용수는 무대에 강하게 등장하여, 그의 발걸음은 빠르고, 팔과 다리는 강렬하게 움직인다. 이 초기 동작은 무용수가 분노와 불만을 가지고 시위를 시작하는 순간의 긴장감과 결의를 상징한다.

항의의 표현은 격렬하고 강한 동작으로 나타난다. 무용수의 움직임은 빠르고 힘차며, 그의 몸짓은 분노와 항의를 분명하게 드러낸다. 발걸음은 강하게 이어지고, 팔과 다리는 넓게 펼쳐져 항의의 목소리를 상징한다. 이 동작은 무용수가 성난 시위를 통해 불만을 표출하고 변화를 요구하는 모습을 나타낸다.

내면의 갈등과 격렬함은 불규칙하고 혼란스러운 동작으로 표현된다. 무용수는 시위 속에서 내면의 갈등과 격렬한 감정을 느끼며, 그의 움직임은 불안정하고 혼란스럽다. 발걸음은 불규칙하게 이어지고, 팔과 다리는 격렬하게 떨린다. 이 동작은 무용수가 시위 속에서 내면의 혼란과 갈등을 경험하는 과정을 상징한다.

분노의 절정은 폭발적이고 강렬한 동작으로 표현된다. 무용수는 분노의 절정에서 몸을 최대한으로 사용하여 폭발적인 움직임을 선보인다. 발걸음은 빠르고 격렬하게 이어지며, 팔과 다리는 힘차게 뻗어져 공간을 가로지른다. 이 동작은 무용수가 성난 시위의 절정에서 느끼는 강렬한 분노와 항의를 상징한다.

내면의 해소와 평화는 점진적이고 유연한 동작으로 표현된다. 무용수는 분노를 해소하고 내면의 평화를 찾기 시작하며, 그의 움직임은 점점 더 유연하고 부드러워진다. 발걸음은 가벼워지고, 팔과 다리는 자연스럽게 움직인다. 이 동작은 무용수가 성난 시위를 통해 감정을 해소하고 내면의 평화를 찾는 과정을 나타낸다.

성장의 과정은 조화롭고 안정된 동작으로 표현된다. 무용수는 시위를 통해 성장하며, 그의 몸짓은 조화롭고 안정적이다. 발걸음은 일정한 리듬을 유지하며, 팔과 다리는 부드럽게 움직인다. 이 동작은 무용수가 성난 시위를 통해 얻은 교훈과 성장을 나타낸다.

마지막으로, 성난 시위의 여운은 평온하고 안정된 동작으로 마무리된다. 무용수는 무대의 중심에서 평온한 자세를 취하며, 시위의 여운을 남긴다. 그의 몸짓은 부드럽고 안정적이며, 내면의 평화와 만족을 나타낸다.

"성난 시위"는 이렇게 다양한 움직임을 통해 강렬한 분노와 항의의 감정을 시각적으로 표현한다. 무용수의 몸짓 하나하나는 시위의 시작, 항의의 표현, 내면의 갈등과 격렬함, 분노의 절정, 해소와 평화, 성장, 그리고 여운을 생생하게 남긴다.

고뇌에 찬 애원은 깊은 절망과 간절한 소망을 담은 호소를 의미한다. 이는 무용수의 강렬하고 감정적인 몸짓을 통해 신체적으로 표현될 수 있다. 무용수는 무대 위에서 고통과 절망을 나타내는 동작으로 시작한다. 그의 몸은 구부러지고, 발걸음은 무겁고 힘겹게 옮겨지며, 팔과 다리는 불안하게 떨린다. 이 초기 동작은 무용수가 깊은 고뇌 속에서 애원하는 순간의 절망과 간절함을 상징한다.

무용수의 동작은 점점 더 격렬하고 강렬 해지며, 그의 몸짓은 절망 속에서 도움을 호소하는 모습을 나타낸다. 발걸음은 빠르고 불규칙하며, 팔과 다리는 다양한 방향으로 뻗어지면서 절박한 감정을 표현한다. 그의 얼굴 표정과 몸의 긴장은 그가 겪고 있는 고통을 생생하게 전달하며, 관객은 그의 고통과 절망을 공감하게 된다.

애원의 절정은 폭발적이고 강렬한 동작으로 표현된다. 무용수는 갑작스러운 움직임과 강렬한 몸짓을 통해 절망의 극한에 이른 모습을 나타낸다. 발걸음은 급격히 빨라지고, 팔과 다리는 힘차게 뻗어져 공간을 가로지른다. 이 절정의 순간은 무용수가 고뇌에 찬 애원을 극도로 표현하는 순간을 상징한다.

내면의 갈등과 고통은 느리고 깊이 있는 동작으로 표현된다. 무용수는 애원 후 내면에서 갈등과 고통을 느끼며, 그의 움직임은 느리고 깊이 있다. 발걸음은 천천히 이어지고, 팔과 다리는 차분하게 움직인다. 이 동작은 무용수가 자신의 상황을 되돌아보며, 내면의 고통과 절망을 극복하려는 과정을 상징한다.

마지막으로, 무용수의 동작은 부드럽고 유연 해지며, 이는 고통을 극복하고 내면의 평화를 찾는 과정을 나타낸다. 발걸음은 가벼워지고, 팔과 다리는 자연스럽게 움직인다. 무용수는 무대의 중심에서 평온한 자세를 취하며, 고뇌에 찬 애원의 여운을 남긴다. 그의 몸짓은 부드럽고 안정적이며, 내면의 평화와 성숙을 상징한다.

고뇌에 찬 애원은 이렇게 다양한 움직임을 통해 깊은 절망과 간절한 소망, 그리고 그로 인한 감정의 변화를 시각적으로 표현한다. 무용수의 몸짓 하나하나는 고뇌와 애원의 시작, 격렬한 호소, 절정, 내면의 갈등과 고통, 극복과 평화의 여운을 생생하게 전달하며, 관객에게 깊은 인상을 남긴다.

고뇌에 찬 애원은 깊은 절망과 간절한 소망을 담은 호소를 의미한다. 이는 무용수의 강렬하고 감정적인 몸짓을 통해 신체적으로 표현될 수 있다. 무용수는 무대 위에서 고통과 절망을 나타내는 동작으로 시작한다. 그의 몸은 구부러지고, 발걸음은 무겁고 힘겹게 옮겨지며, 팔과 다리는 불안하게 떨린다. 이 초기 동작은 무용수가 깊은 고뇌 속에서 애원하는 순간의 절망과 간절함을 상징한다. 무용수의 동작은 점점 더 격렬하고 강렬해지며, 그의 몸짓은 절망 속에서 도움을 호소하는 모습을 나타낸다. 발걸음은 빠르고 불규칙하며, 팔과 다리는 다양한 방향으로 뻗어지면서 절박한 감정을 표현한다. 그의 얼굴 표정과 몸의 긴장은 그가 겪고 있는 고통을 생생하게 전달하며, 관객은 그의 고통과 절망을 공감하게 된다. 애원의 절정은 폭발적이고 강렬한 동작으로 표현된다. 무용수는 갑작스러운 움직임과 강렬한 몸짓을 통해 절망의 극한에 이른 모습을 나타낸다. 발걸음은 급격히 빨라지고, 팔과 다리는 힘차게 뻗어져 공간을 가로지른다. 이 절정의 순간은 무용수가 고뇌에 찬 애원을 극도로 표현하는 순간을 상징한다.

내면의 갈등과 고통은 느리고 깊이 있는 동작으로 표현된다. 무용수는 애원 후 내면에서 갈등과 고통을 느끼며, 그의 움직임은 느리고 깊이 있다. 발걸음은 천천히 이어지고, 팔과 다리는 차분하게 움직인다. 이 동작은 무용수가 자신의 상황을 되돌아보며, 내면의 고통과 절망을 극복하려는 과정을 상징한다.

마지막으로, 무용수의 동작은 부드럽고 유연 해지며, 이는 고통을 극복하고 내면의 평화를 찾는 과정을 나타낸다. 발걸음은 가벼워지고, 팔과 다리는 자연스럽게 움직인다. 무용수는 무대의 중심에서 평온한 자세를 취하며, 고뇌에 찬 애원의 여운을 남긴다. 그의 몸짓은 부드럽고 안정적이며, 내면의 평화와 성숙을 상징한다.

animated eloquence 활기찬 화술

활기찬 화술은 생동감 넘치는 표현력과 강력한 전달력을 의미한다. 이는 무용수의 역동적이고 표현력 있는 몸짓을 통해 신체적으로 구현될 수 있다. 무용수는 무대 위에서 활기찬 동작과 표정으로 화술의 생동감을 생생하게 전달할 수 있다.

화술의 시작은 역동적이고 강렬한 동작으로 표현된다. 무용수는 무대에 자신감 있게 등장하여, 그의 발걸음은 가볍고 빠르며, 팔과 다리는 강하게 뻗어진다. 이 초기 동작은 무용수가 활기찬 화술의 기초를 다지는 순간의 에너지와 열정을 상징한다.

말의 리듬과 유려함은 부드럽고 유연한 동작으로 나타난다. 무용수의 움직임은 리드미컬하고 자연스럽게 이어지며, 그의 몸짓은 유려한 화술의 흐름을 담고 있다. 발걸음은 리드미컬하게 이어지고, 팔과 다리는 우아하게 펼쳐진다. 이 동작은 무용수가 말의 리듬과 유려함을 표현하며, 그 속에 담긴 감정과 의미를 전달하는 모습을 보여준다.

화술의 강조와 표현력은 강렬하고 집중된 동작으로 표현된다. 무용수는 중요한 포인트를 강조하는 순간, 그의 움직임은 강렬하고 집중적이다. 발걸음은 확고하게 이어지고, 팔과 다리는 힘차게 뻗어져 강조점을 나타낸다. 이 동작은 무용수가 화술을 통해 중요한 메시지를 강력하게 전달하는 모습을 표현한다.

내면의 감정과 생동감은 다채롭고 활기찬 동작으로 표현된다. 무용수는 화술의 생동감을 내면의 감정과 함께 표현하며, 그의 움직임은 다채롭고 활기차다. 발걸음은 빠르고 경쾌하게 이어지고, 팔과 다리는 다양한 방향으로 유연하게 뻗어진다. 이 동작은 무용수가 화술의 생동감을 통해 감정을 풍부하게 표현하는 모습을 나타낸다.

화술의 절정은 폭발적이고 강렬한 동작으로 표현된다. 무용수는 화술의 절정에서 몸을 최대한으로 사용하여 강렬한 움직임을 선보인다. 발걸음은 빠르고 격렬하게 이어지며, 팔과 다리는 힘차게 뻗어져 공간을 가로지른다. 이 동작은 무용수가 화술의 절정에서 느끼는 강력한 에너지와 열정을 상징한다.

마지막으로, 활기찬 화술의 여운은 평온하고 안정된 동작으로 마무리된다. 무용수는 무대의 중심에서 평온한 자세를 취하며, 화술의 여운을 남긴다. 그의 몸짓은 부드럽고 안정적이며, 내면의 평화와 만족을 나타낸다.

"활기찬 화술"은 이렇게 다양한 움직임을 통해 생동감 넘치는 표현력과 강력한 전달력을 시각적으로 표현한다. 무용수의 몸짓 하나하나는 화술의 시작, 리듬과 유려함, 강조와 표현력, 내면의 감정과 생동감, 절정, 그리고 여운을 생생하게 전달하며, 관객에게 깊은 인상을 남긴다.

annoying complications 짜증 나는 문제

짜증 나는 문제는 복잡하고 성가신 상황을 의미하며, 이는 무용수의 혼란스럽고 불안한 몸짓을 통해 신체적으로 표현될 수 있다. 무용수는 무대 위에서 다양한 동작으로 이러한 복잡성과 성가심을 생생하게 전달할 수 있다.

문제의 시작은 불안하고 혼란스러운 동작으로 표현된다. 무용수는 무대에 불편한 자세로 등장하여, 그의 발걸음은 무겁고 불규칙하며, 팔과 다리는 어색하게 움직인다. 이 초기 동작은 무용수가 짜증 나는 문제를 처음 마주하는 순간의 불안과 혼란을 상징한다.

문제의 복잡성은 복잡하고 꼬인 동작으로 나타난다. 무용수의 움직임은 점점 더 복잡해지며, 그의 몸짓은 여러 방향으로 꼬이고 얽히며 문제의 복잡성을 표현한다. 발걸음은 불규칙하게 이어지고, 팔과 다리는 혼란스럽게 움직인다. 이 동작은 무용수가 문제를 풀기 위해 노력하지만 상황이 더욱 복잡해지는 모습을 나타낸다.

내면의 짜증과 스트레스는 강렬하고 불안한 동작으로 표현된다. 무용수는 문제로 인해 내면에서 느끼는 짜증과 스트레스를 표현하며, 그의 움직임은 긴장감과 불안으로 가득 차 있다. 발걸음은 급격하게 변화하고, 팔과 다리는 떨린다. 이 동작은 무용수가 짜증 나는 문제로 인해 내면의 갈등과 스트레스를 경험하는 과정을 상징한다.

문제 해결의 시도는 단호하고 집중된 동작으로 표현된다. 무용수는 문제를 해결하기 위해 노력하며, 그의 움직임은 단호하고 집중적이다. 발걸음은 확고하게 이어지고, 팔과 다리는 힘차게 뻗어 문제를 해결하려는 의지를 나타낸다. 이 동작은 무용수가 짜증 나는 문제를 극복하려고 시도하는 모습을 상징한다.

문제 해결 후의 안도감은 부드럽고 유연한 동작으로 표현된다. 무용수는 문제를 해결한 후 느끼는 안도감을 표현하며, 그의 움직임은 점점 더 유연하고 부드러워진다. 발걸음은 가벼워지고, 팔과 다리는 자연스럽게 움직인다. 이 동작은 무용수가 문제를 해결하고 내면의 평화를 찾는 과정을 나타낸다.

성장의 과정은 조화롭고 안정된 동작으로 표현된다. 무용수는 문제를 해결한 후 성장하며, 그의 몸짓은 조화롭고 안정적이다. 발걸음은 일정한 리듬을 유지하며, 팔과 다리는 부드럽게 움직인다. 이 동작은 무용수가 짜증 나는 문제를 통해 얻은 교훈과 성장을 나타낸다.

마지막으로, 짜증 나는 문제의 여운은 평온하고 안정된 동작으로 마무리된다. 무용수는 무대의 중심에서 평온한 자세를 취하며, 문제의 여운을 남긴다. 그의 몸짓은 부드럽고 안정적이며, 내면의 평화와 만족을 나타낸다.

"짜증 나는 문제"는 이렇게 다양한 움직임을 통해 복잡하고 성가신 상황을 시각적으로 표현한다. 무용수의 몸짓 하나하나는 문제의 시작, 복잡성, 내면의 짜증과 스트레스, 해결의 시도, 안도감, 성장, 그리고 여운을 남긴다.

anomalous appearance 이례적인 외모

이례적인 외모는 보통의 범주를 벗어나 독특하고 비정상적으로 보이는 외모를 의미한다. 이는 무용수의 특이하고 눈에 띄는 몸짓을 통해 신체적으로 표현될 수 있다. 무용수는 무대 위에서 독특하고 비정상적인 동작으로 이례적인 외모의 매력과 당혹감을 생생하게 전달할 수 있다. 이례적인 외모의 시작은 독특하고 비정상적인 동작으로 표현된다. 무용수는 무대에 등장하여 그의 발걸음은 불규칙적이고, 팔과 다리는 예기치 않은 방향으로 움직인다. 이 초기 동작은 무용수가 이례적인 외모를 가진 순간의 충격과 당혹감을 상징한다.

독특함의 표현은 과장되고 눈에 띄는 동작으로 나타난다. 무용수의 움직임은 과장되고 극단적이며, 그의 몸짓은 다양한 방향으로 확장되어 독특함을 강조한다. 발걸음은 강하게 이어지고, 팔과 다리는 넓게 펼쳐져 이례적인 외모의 눈에 띄는 특징을 나타낸다. 이 동작은 무용수가 자신의 독특한 외모를 자각하고 이를 표현하는 모습을 보여준다.

내면의 갈등과 혼란은 긴장되고 불안한 동작으로 표현된다. 무용수는 이례적인 외모로 인해 내면에서 느끼는 갈등과 혼란을 표현하며, 그의 움직임은 불안정하고 혼란스럽다. 발걸음은 불규칙하게 이어지고, 팔과 다리는 떨린다. 이 동작은 무용수가 이례적인 외모로 인해 내면의 갈등과 혼란을 경험하는 과정을 상징한다.

외부의 반응과 시선은 강렬하고 집중된 동작으로 표현된다. 무용수는 외부의 시선과 반응을 인식하며, 그의 움직임은 강렬하고 집중적이다. 발걸음은 확고하게 이어지고, 팔과 다리는 힘차게 뻗어 외부의 시선을 나타낸다. 이 동작은 무용수가 이례적인 외모로 인해 주위 사람들의 반응을 경험하는 모습을 상징한다.

내면의 수용과 평화는 점진적이고 유연한 동작으로 표현된다. 무용수는 자신의 이례적인 외모를 수용하며 내면의 평화를 찾기 시작하고, 그의 움직임은 점점 더 유연하고 부드러워진다. 발걸음은 가벼워지고, 팔과 다리는 자연스럽게 움직인다. 이 동작은 무용수가 이례적인 외모를 수용하고 내면의 평화를 찾는 과정을 나타낸다.

성장의 과정은 조화롭고 안정된 동작으로 표현된다. 무용수는 외모의 독특함을 수용한 후 성장하며, 그의 몸짓은 조화롭고 안정적이다. 발걸음은 일정한 리듬을 유지하며, 팔과 다리는 부드럽게 움직인다. 이 동작은 무용수가 이례적인 외모를 통해 얻은 교훈과 성장을 나타낸다.

마지막으로, 이례적인 외모의 여운은 평온하고 안정된 동작으로 마무리된다. 무용수는 무대의 중심에서 평온한 자세를 취하며, 외모의 여운을 남긴다. 그의 몸짓은 부드럽고 안정적이며, 내면의 평화와 만족을 나타낸다.

"이례적인 외모"는 이렇게 다양한 움직임을 통해 보통의 범주를 벗어난 독특하고 비정상적으로 보이는 외모를 시각적으로 표현한다. 무용수의 몸짓 하나하나는 외모의 시작, 독특함의 표현, 내면의 갈등과 혼란, 외부의 반응, 수용과 평화, 성장, 그리고 여운을 생생하게 전달하며, 관객에게 깊은 인상을 남긴다.

answering response 상응하는 대답

상응하는 대답은 주어진 질문이나 상황에 적절하고 정확하게 반응하는 것을 의미한다. 이는 무용수의 상호작용과 조화로운 움직임을 통해 신체적으로 표현될 수 있다. 무용수는 무대 위에서 상대방의 움직임에 대응하는 동작으로 상응하는 대답의 개념을 생생하게 전달할 수 있다.

대답의 시작은 주어진 질문이나 자극에 반응하는 동작으로 표현된다. 무용수는 무대에 등장하여 상대방의 움직임이나 제스처에 주의 깊게 반응한다. 발걸음은 신중하게 이어지고, 팔과 다리는 상대방의 동작을 받아들이며 부드럽게 움직인다. 이 초기 동작은 무용수가 주어진 상황에 맞춰 상응하는 대답을 준비하는 순간의 집중과 주의를 상징한다.

대응의 표현은 유기적이고 조화로운 동작으로 나타난다. 무용수의 움직임은 상대방의 동작에 맞춰 자연스럽게 이어지며, 그의 몸짓은 상호작용을 통해 완벽한 조화를 이룬다. 발걸음은 리드미컬하게 이어지고, 팔과 다리는 부드럽게 연결된다. 이 동작은 무용수가 상대방의 질문이나 행동에 상응하는 대답을 통해 조화를 이루는 모습을 나타낸다.

내면의 이해와 반응은 깊이 있는 동작으로 표현된다. 무용수는 상대방의 의도를 이해하고, 그에 맞춰 감정과 생각을 표현한다. 그의 움직임은 깊고 차분하며, 발걸음은 천천히 이어지고, 팔과 다리는 자연스럽게 움직인다. 이 동작은 무용수가 상대방의 의도를 이해하고 이에 맞춰 상응하는 대답을 제공하는 과정을 상징한다.

대답의 절정은 강렬하고 확신에 찬 동작으로 표현된다. 무용수는 상응하는 대답을 확실하게 전달하며, 그의 움직임은 강렬하고 집중적이다. 발걸음은 빠르고 힘차게 이어지며, 팔과 다리는 확신에 차서 뻗어진다. 이 동작은 무용수가 상응하는 대답을 통해 자신의 의도를 강하게 표현하는 모습을 상징한다.

대답 후의 조화와 평화는 부드럽고 유연한 동작으로 표현된다. 무용수는 대답을 한 후 상대방과의 조화를 이루며 내면의 평화를 찾는다. 그의 움직임은 점점 더 유연하고 부드러워진다. 발걸음은 가벼워지고, 팔과 다리는 자연스럽게 움직인다. 이 동작은 무용수가 상응하는 대답을 통해 내면의 평화와 조화를 찾는 과정을 나타낸다.

성장의 과정은 조화롭고 안정된 동작으로 표현된다. 무용수는 상응하는 대답을 통해 성장하며, 그의 몸짓은 조화롭고 안정적이다. 발걸음은 일정한 리듬을 유지하며, 팔과 다리는 부드럽게 움직인다. 이 동작은 무용수가 상응하는 대답을 통해 얻은 교훈과 성장을 나타낸다.

마지막으로, 상응하는 대답의 여운은 평온하고 안정된 동작으로 마무리된다. 무용수는 무대의 중심에서 평온한 자세를 취하며, 대답의 여운을 남긴다. 그의 몸짓은 부드럽고 안정적이며, 내면의 평화와 만족을 나타낸다. 무용수의 시선은 멀리 바라보며, 앞으로의 가능성을 대답에 대한 상응하는 이미지를 떠올린다.

"상응하는 대답"은 이렇게 다양한 움직임을 통해 주어진 질문이나 상황에 적절하고 정확하게 반응하는 과정을 시각적으로 표현한다. 무용수의 몸짓 하나하나는 대답의 시작, 대응의 표현, 내면의 이해와 반응, 절정, 조화와 평화, 성장, 그리고 여운을 생생하게 전달하며, 관객에게 깊은 인상을 주었다.

antagonistic views 적대적 견해

적대적 견해는 서로 충돌하고 대립하는 의견이나 관점을 의미한다. 이는 무용수의 강렬하고 대조적인 움직임을 통해 신체적으로 표현될 수 있다. 무용수는 무대 위에서 서로 상반된 동작으로 적대적 견해의 갈등과 긴장을 생생하게 전달할 수 있다.

견해의 시작은 강렬하고 대립적인 동작으로 표현된다. 무용수들은 무대의 양쪽에서 각각 등장하여 서로 반대 방향으로 움직인다. 발걸음은 힘차고, 팔과 다리는 강하게 뻗어져 서로의 입장을 분명히 한다. 이 초기 동작은 무용수들이 서로의 견해를 강하게 주장하는 순간의 대립과 긴장을 상징한다.

충돌과 갈등의 표현은 빠르고 격렬한 동작으로 나타난다. 무용수들의 움직임은 점점 더 격렬해지며, 서로 충돌하는 모습을 연출한다. 발걸음은 불규칙하게 이어지고, 팔과 다리는 강하게 맞부딪친다. 이 동작은 무용수들이 서로의 견해로 인해 갈등을 겪고 충돌하는 모습을 보여준다.

내면의 긴장과 갈등은 불안정하고 혼란스러운 동작으로 표현된다. 무용수들은 견해의 대립으로 인해 내면에서 느끼는 긴장과 갈등을 표현하며, 그들의 움직임은 불안정하고 혼란스럽다. 발걸음은 불규칙하게 이어지고, 팔과 다리는 떨린다. 이 동작은 무용수들이 적대적 견해로 인해 내면의 갈등과 혼란을 경험하는 과정을 상징한다.

갈등의 절정은 폭발적이고 강렬한 동작으로 표현된다. 무용수들은 갈등이 최고조에 달한 순간, 몸을 최대한으로 사용하여 폭발적인 움직임을 선보인다. 발걸음은 빠르고 강하게 이어지며, 팔과 다리는 힘차게 뻗어져 공간을 가로지른다. 이 동작은 무용수들이 적대적 견해의 절정에서 느끼는 강렬한 감정을 나타낸다.

해결과 조화는 점진적이고 유연한 동작으로 표현된다. 무용수들은 갈등을 극복하고 조화를 찾기 시작하며, 그들의 움직임은 점점 더 유연하고 부드러워진다. 발걸음은 가벼워지고, 팔과 다리는 자연스럽게 연결된다. 이 동작은 무용수들이 적대적 견해를 극복하고 조화를 이루는 과정을 상징한다.

조화와 성장의 과정은 조화롭고 안정된 동작으로 표현된다. 무용수들은 갈등을 극복한 후 성장하며, 그들의 몸짓은 조화롭고 안정적이다. 발걸음은 일정한 리듬을 유지하며, 팔과 다리는 부드럽게 움직인다. 이 동작은 무용수들이 적대적 견해를 통해 얻은 교훈과 성장을 나타낸다.

마지막으로, 적대적 견해의 여운은 평온하고 안정된 동작으로 마무리된다. 무용수들은 무대의 중심에서 평온한 자세를 취하며, 갈등의 여운을 남긴다. 그들의 몸짓은 부드럽고 안정적이며, 내면의 평화와 만족을 나타낸다. 무용수들의 시선은 멀리 바라보며, 앞으로의 가능성을 기대하는 모습을 보여준다.

"적대적 견해"는 이렇게 다양한 움직임을 통해 서로 충돌하고 대립하는 의견이나 관점을 시각적으로 표현한다. 무용수들의 몸짓 하나하나는 견해의 시작, 충돌과 갈등, 내면의 긴장과 갈등, 갈등의 절정, 해결과 조화, 조화와 성장, 그리고 여운을 전달하며 다양한 인상을 남긴다.

antecedent facts 먼저 일어난 사실

먼저 일어난 사실은 사건이나 상황의 배경을 구성하는 중요한 요소들을 의미한다. 이는 무용수의 정교하고 서사적인 움직임을 통해 신체적으로 표현될 수 있다. 무용수는 무대 위에서 과거의 사건을 생생하게 재현하며, 그 사건이 현재 상황에 미치는 영향을 전달할 수 있다.

사건의 시작은 느리고 신중한 동작으로 표현된다. 무용수는 무대에 천천히 등장하여, 그의 발걸음은 가볍고 조심스럽게 이어지며, 팔과 다리는 부드럽게 움직인다. 이 초기 동작은 무용수가 먼저 일어난 사실을 회상하고, 그 순간을 떠올리는 장면을 상징한다.

과거의 사건은 서사적이고 연속적인 동작으로 나타난다. 무용수의 움직임은 연속적이고 유기적으로 이어지며, 그의 몸짓은 사건의 흐름을 묘사한다. 발걸음은 리드미컬하게 이어지고, 팔과 다리는 다양한 방향으로 유연하게 펼쳐지며, 사건의 전개 과정을 표현한다.

이 동작은 무용수가 먼저 일어난 사실을 하나씩 재현하며, 그 사건의 중요성을 나타낸다.

사건의 절정과 갈등은 강렬하고 집중된 동작으로 표현된다. 무용수는 사건의 중요한 순간이나 갈등이 고조되는 장면을 표현하며, 그의 움직임은 강렬하고 집중적이다. 발걸음은 빠르고 힘차게 이어지고, 팔과 다리는 강하게 뻗어져 긴장감을 전달한다. 이 동작은 무용수가 과거의 중요한 순간을 극적으로 재현하며, 그로 인한 감정을 표현하는 모습이다. 사건의 결과와 여파는 유연하고 부드러운 동작으로 표현된다. 무용수는 사건이 끝난 후 남겨진 여파와 감정을 표현하며, 그의 움직임은 점점 더 유연하고 부드러워진다. 발걸음은 느리게 이어지고, 팔과 다리는 자연스럽게 움직인다. 이 동작은 무용수가 먼저 일어난 사실이 현재에 미친 영향을 탐구하며, 그로 인한 내면의 변화를 나타낸다.

내면의 성찰과 반성은 깊고 차분한 동작으로 표현된다. 무용수는 과거의 사건을 되돌아보며, 내면의 성찰과 반성을 한다. 그의 움직임은 깊고 차분하며, 발걸음은 천천히 이어지고, 팔과 다리는 부드럽게 움직인다. 이 동작은 무용수가 과거의 사건을 통해 배운 교훈과 내면의 변화를 표현하는 과정을 상징한다.

성장의 과정은 조화롭고 안정된 동작으로 표현된다. 무용수는 과거의 사건을 통해 성장하며, 그의 몸짓은 조화롭고 안정적이다. 발걸음은 일정한 리듬을 유지하며, 팔과 다리는 부드럽게 움직인다. 이 동작은 무용수가 먼저 일어난 사실을 통해 얻은 교훈과 성장을 나타낸다.

마지막으로, 먼저 일어난 사실의 여운은 평온하고 안정된 동작으로 마무리된다. 무용수는 무대의 중심에서 평온한 자세를 취하며, 과거의 사건이 남긴 여운을 남긴다. 그의 몸짓은 부드럽고 안정적이며, 내면의 평화와 만족을 나타낸다. 무용수의 시선은 멀리 바라보며, 앞으로의 가능성을 기대하는 모습을 보여준다.

"먼저 일어난 사실"은 이렇게 다양한 움직임을 통해 사건이나 상황의 배경을 구성하는 중요한 요소들을 시각적으로 표현한다. 무용수의 몸짓 하나하나는 사건의 시작, 전개, 절정과 갈등, 결과와 여파, 내면의 성찰과 반성, 성장, 그리고 여운을 생생하게 전달하며, 관객에게 깊은 성찰을 남긴다.

예상되는 관심은 특정 상황이나 사건에 대해 사람들이 미리 가지게 되는 기대와 주의를 의미한다. 이는 무용수의 집중된 움직임과 긴장감 있는 몸짓을 통해 신체적으로 표현될 수 있다. 무용수는 무대 위에서 기대와 관심을 표현하는 동작으로 이 개념을 생생하게 전달할 수 있다.

무대의 조명이 서서히 밝아지면서, 무용수는 천천히 등장한다. 그의 발걸음은 신중하고 조심스러우며, 팔과 다리는 유연하게 움직인다. 이 초기 동작은 무용수가 예상되는 관심을 의식하며 준비하는 순간의 긴장과 기대감을 상징한다. 그의 눈빛과 표정에는 집중과 기대가 묻어난다.

무용수의 움직임은 점점 더 강렬해지며, 그의 몸짓은 관객의 시선을 끌기 위해 다양한 방향으로 펼쳐진다. 발걸음은 빠르고 경쾌하며, 팔과 다리는 넓게 뻗어져 무대를 가로지른다. 이 동작은 무용수가 예상되는 관심을 끌기 위해 열정적으로 움직이는 모습을 나타낸다.

내면의 긴장과 기대는 깊고 복잡한 동작으로 표현된다. 무용수는 예상되는 관심으로 인해 내면에서 느끼는 긴장과 기대감을 표현하며, 그의 움직임은 정교하고 집중적이다. 발걸음은 불규칙하게 이어지고, 팔과 다리는 섬세하게 움직인다. 이 동작은 무용수가 예상되는 관심 속에서 느끼는 내면의 복잡한 감정을 상징한다.

관심의 절정은 폭발적이고 강렬한 동작으로 표현된다. 무용수는 예상되는 관심이 최고조에 달한 순간, 강렬한 움직임을 선보인다. 발걸음은 빠르고 힘차게 이어지며, 팔과 다리는 힘있게 뻗어져 관객의 시선을 사로잡는다. 이 동작은 무용수가 예상되는 관심의 절정에서 느끼는 강렬한 감정과 에너지를 나타낸다.

마지막으로, 예상되는 관심의 여운은 평온하고 안정된 동작으로 마무리된다. 무용수는 무대의 중심에서 평온한 자세를 취하며, 관심의 여운을 남긴다. 그의 몸짓은 부드럽고 안정적이며, 내면의 평화와 만족을 나타낸다. 무용수의 시선은 멀리 바라보며, 생각에 잠긴다.

"예상되는 관심"은 이렇게 다양한 움직임을 통해 특정 상황이나 사건에 대해 사람들이

미리 가지게 되는 기대와 주의를 시각적으로 표현한다. 무용수의 몸짓 하나하나는 준비와 긴장, 관심을 끌기 위한 노력, 내면의 긴장과 기대, 절정, 그리고 여운을 생생하게 전달하며, 관객에게 깊은 생각을 남긴다.

antiquated prudery 케케묵은 내숭

케케묵은 내숭은 고루하고 진부한 도덕적 엄숙함이나 위선적인 태도를 의미한다. 이는 무용수의 과장되고 경직된 움직임을 통해 신체적으로 표현될 수 있다. 무용수는 무대 위에서 과장된 동작과 표정으로 이 개념을 생생하게 전달할 수 있다.

무용수는 무대에 등장하며, 그의 발걸음은 조심스럽고 경직되어 있다. 팔과 다리는 과도하게 정제된 움직임으로 나타나며, 그의 몸짓은 지나치게 격식을 차린 모습을 연출한다. 이 초기 동작은 무용수가 케케묵은 내숭의 태도를 취하는 순간의 경직됨과 과장됨을 상징한다.

무용수의 움직임은 과장되고 극단적으로 표현된다. 그의 몸짓은 고루한 도덕적 엄숙함을 강조하기 위해 불필요하게 정제되고 극단적이다. 발걸음은 느리고 신중하게 이어지며, 팔과 다리는 과도하게 조심스럽게 움직인다. 이 동작은 무용수가 케케묵은 내숭의 태도를 지속적으로 유지하려는 모습을 보여준다.

내면의 갈등과 위선은 혼란스럽고 불안한 동작으로 표현된다. 무용수는 내숭을 유지하려는 내면의 갈등과 위선을 느끼며, 그의 움직임은 불안정하고 혼란스럽다. 발걸음은 불규칙하게 이어지고, 팔과 다리는 떨린다. 이 동작은 무용수가 내숭을 유지하는 과정에서 겪는 내면의 갈등과 위선을 상징한다.

케케묵은 내숭의 절정은 극도로 경직되고 과장된 동작으로 표현된다. 무용수는 내숭의 절정에서 몸을 최대한으로 경직시키고 과장된 움직임을 선보인다. 발걸음은 느리고 확고하게 이어지며, 팔과 다리는 과도하게 뻗어진다. 이 동작은 무용수가 내숭의 극단적 순간을 연출하며, 그로 인한 불편함을 나타낸다.

마지막으로, 케케묵은 내숭의 여운은 평온하고 자연스러운 동작으로 마무리된다. 무용수는 무대의 중심에서 평온한 자세를 취하며, 내숭의 여운을 남긴다. 그의 몸짓은 부드럽고 자연스러워지며, 내면의 평화와 만족을 나타낸다.

"케케묵은 내숭"은 이렇게 다양한 움직임을 통해 고루하고 진부한 도덕적 엄숙함이나 위선적인 태도를 시각적으로 표현한다. 무용수의 몸짓 하나하나는 경직된 시작, 과장된 표현, 내면의 갈등과 위선, 절정, 그리고 여운을 생생하게 전달한다.

anxious misgiving 예사롭지 않은 불안감

예사롭지 않은 불안감은 어떤 결정이나 상황에 대해 깊은 의심과 불안을 느끼는 상태를 의미한다. 이는 무용수의 불안정하고 혼란스러운 움직임을 통해 신체적으로 표현될 수 있다. 무용수는 무대 위에서 내면의 갈등과 불안을 생생하게 전달하는 동작으로 이 감정을 표현할 수 있다.

무용수는 무대에 등장하면서부터 예사롭지 않은 불안감을 몸짓으로 드러낸다. 그의 발걸음은 조심스럽고 불규칙하며, 팔과 다리는 긴장된 상태로 움직인다. 이 초기 동작은 무용수가 불안과 의심으로 가득 찬 내면의 상태를 나타낸다. 그의 표정은 불안감으로 인해 굳어 있고, 눈빛은 초조해 보인다.

무용수의 움직임은 점점 더 혼란스러워지고 불안정해진다. 그의 몸짓은 갈팡질팡하며 방향을 잃은 듯이 보인다. 발걸음은 불확실하게 이어지고, 팔과 다리는 떨리며 불안감을 극대화한다. 이 동작은 무용수가 예사롭지 않은 불안감 속에서 결정을 내리기 어려워하는 모습을 표현한다.

내면의 갈등과 고민은 강렬하고 복잡한 동작으로 나타난다. 무용수는 끊임없이 움직이며 내면의 불안과 갈등을 표현한다. 발걸음은 빠르고 불규칙하며, 팔과 다리는 여러 방향으로 뻗어져 그의 혼란스러운 상태를 상징한다. 이 동작은 무용수가 불안감으로 인해 내면의 갈등과 고민에 시달리는 과정을 보여준다.

불안의 절정은 폭발적이고 강렬한 동작으로 표현된다. 무용수는 불안감이 최고조에 달한 순간, 폭발적인 움직임을 선보인다. 발걸음은 빠르고 강하게 이어지며, 팔과 다리는 힘차게 뻗어져 공간을 가로지른다. 이 동작은 무용수가 예사롭지 않은 불안감의 절정에서 느끼는 강렬한 감정을 나타낸다.

마지막으로, 예사롭지 않은 불안감의 여운은 점차 평온하고 안정된 동작으로 마무리된다. 무용수는 무대의 중심에서 평온한 자세를 취하며, 불안감의 여운을 남긴다. 그의 몸짓은 점차 부드럽고 안정적이 되어 내면의 평화를 찾는 과정을 보여준다. 무용수의 시선은 멀리 바라보며, 앞으로의 가능성을 기대하는 모습을 나타낸다.

"예사롭지 않은 불안감"은 이렇게 다양한 움직임을 통해 깊은 의심과 불안을 시각적으로 표현한다. 무용수의 몸짓 하나하나는 불안감의 시작, 혼란과 갈등, 절정, 그리고 여운을 생생하게 전달하며, 관객에게 불안감을 안겨 주기도 한다.

apathetic greeting 심드렁한 인사

심드렁한 인사는 무관심하고 열의 없는 태도로 건네는 인사를 의미한다. 이는 무용수의 느리고 무표정한 움직임을 통해 신체적으로 표현될 수 있다. 무용수는 무대 위에서 냉담하고 무관심한 동작으로 심드렁한 인사의 본질을 생생하게 전달할 수 있다.

무용수는 무대에 천천히 등장하여, 그의 발걸음은 느리고 힘이 없다. 팔과 다리는 무관심하게 움직이며, 표정은 무표정하다. 이 초기 동작은 무용수가 심드렁한 인사를 하는 순간의 무관심과 냉담함을 상징한다.

무용수의 움직임은 점점 더 느리고 권태로운 동작으로 이어진다. 그의 몸짓은 피곤하고 지친 듯한 모습으로 나타난다. 발걸음은 불규칙하게 이어지고, 팔과 다리는 축 늘어져 있다. 이 동작은 무용수가 심드렁한 인사를 지속적으로 표현하며, 그 속에 담긴 무관심과 피로를 보여준다.

내면의 감정과 태도는 무기력하고 냉담한 동작으로 표현된다. 무용수는 인사를 건네면서도 내면에서 느끼는 무기력함과 냉담함을 표현한다. 발걸음은 무겁고, 팔과 다리는 힘 없이 움직인다. 이 동작은 무용수가 심드렁한 인사를 통해 내면의 무기력함과 냉담함을 나타낸다.

심드렁한 인사의 절정은 완전히 무관심하고 힘없는 동작으로 표현된다. 무용수는 인사의 절정에서 몸을 최대한으로 축 늘어뜨리고, 움직임은 거의 없는 상태로 보인다. 발걸음은 느리고, 팔과 다리는 축 처져 있다. 이 동작은 무용수가 심드렁한 인사의 극단적 순간을 연출하며, 그로 인한 무관심을 나타낸다.

마지막으로, 심드렁한 인사의 여운은 무기력하고 안정된 동작으로 마무리된다. 무용수는 무대의 중심에서 무표정한 자세를 취하며, 인사의 여운을 남긴다. 그의 몸짓은 부드럽고 안정적이며, 내면의 무기력함과 냉담함을 나타낸다.

"심드렁한 인사"는 이렇게 다양한 움직임을 통해 무관심하고 열의 없는 태도로 건네는 인사를 시각적으로 표현한다. 무용수의 몸짓 하나하나는 인사의 시작, 지속되는 무관심, 내면의 감정과 태도, 절정, 그리고 여운을 생생하게 전달하며, 관객에게 모호함을 줄 수고 있다.

apocalyptic vision 종말론적 시각

종말론적 시각은 세상의 끝과 같은 극단적이고 파괴적인 미래를 상상하는 것을 의미한다. 이는 무용수의 극적이고 격렬한 움직임을 통해 신체적으로 표현될 수 있다. 무용수는 무대 위에서 혼란과 절망을 나타내는 동작으로 종말론적 시각의 분위기를 생생하게 전달할 수 있다.

무용수는 무대에 등장하여, 그의 움직임은 불안정하고 격렬하다. 발걸음은 빠르고 혼란스럽게 이어지며, 팔과 다리는 극단적으로 뻗어져 있다. 이 초기 동작은 무용수가 종말의 혼란과 절망을 느끼는 순간의 혼돈과 긴장을 상징한다.

무용수의 움직임은 점점 더 격렬해지고 극적으로 변한다. 그의 몸짓은 파괴와 절망을 표현하며, 무대 전체를 사용하여 강렬한 에너지를 전달한다. 발걸음은 리드미컬하게 이어지고, 팔과 다리는 강하게 휘둘러져 종말의 파괴적인 힘을 나타낸다. 이 동작은 무용수가 종말론적 시각에서 느끼는 공포와 절망을 생생하게 표현한다.

내면의 갈등과 두려움은 깊고 불안한 동작으로 표현된다. 무용수는 종말의 두려움 속에서 내면의 갈등을 겪으며, 그의 움직임은 불안정하고 긴장감으로 가득 차 있다. 발걸음은 불규칙하게 이어지고, 팔과 다리는 떨린다. 이 동작은 무용수가 종말론적 시각으로 인해 느끼는 내면의 갈등과 두려움을 상징한다.

절망의 절정은 폭발적이고 강렬한 동작으로 표현된다. 무용수는 절망의 절정에서 몸을 최대한으로 사용하여 폭발적인 움직임을 선보인다. 발걸음은 빠르고 강하게 이어지며, 팔과 다리는 힘차게 뻗어져 공간을 가로지른다. 이 동작은 무용수가 종말론적 시각의 절정에서 느끼는 강렬한 절망과 공포를 나타낸다.

마지막으로, 종말론적 시각의 여운은 점차 평온해지는 동작으로 마무리된다. 무용수는 무대의 중심에서 평온한 자세를 취하며, 절망의 여운을 남긴다. 그의 몸짓은 차츰 부드럽고 안정적으로 변하여 내면의 평화를 찾는 과정을 보여준다. 무용수의 시선은 멀리 바라보며, 앞으로의 가능성을 기대하는 모습을 표현한다.

"종말론적 시각"은 이렇게 다양한 움직임을 통해 세상의 끝과 같은 극단적이고 파괴적인 미래를 시각적으로 표현한다. 무용수의 몸짓 하나하나는 혼란과 절망의 시작, 파괴와 절망의 표현, 내면의 갈등과 두려움, 절망의 절정, 그리고 여운을 생생하게 전달하며, 관객에게 깊은 인상을 남긴다.

apologetic explanation 사과 해명문

사과 해명문은 자신의 잘못이나 실수에 대해 사과하고 이를 설명하는 글을 의미한다. 이는 무용수의 부드럽고 진심 어린 움직임을 통해 신체적으로 표현될 수 있다. 무용수는 무대 위에서 진심 어린 사과와 해명을 전달하는 동작으로 이 개념을 생생하게 표현할 수 있다.

무용수는 무대에 천천히 등장하여, 그의 발걸음은 조심스럽고 신중하게 이어진다. 팔과 다리는 부드럽게 움직이며, 그의 몸짓은 진심 어린 사과의 마음을 담고 있다. 이 초기 동작은 무용수가 사과를 시작하는 순간의 진지함과 신중함을 상징한다.

사과의 표현은 진심 어린 동작으로 나타난다. 무용수의 움직임은 부드럽고 유연하며, 그의 몸짓은 사과의 진정성을 전달한다. 발걸음은 일정한 리듬을 유지하며, 팔과 다리는 넓게 펼쳐져 진심 어린 마음을 나타낸다. 이 동작은 무용수가 자신의 잘못을 인정하고 진심으로 사과하는 모습을 보여준다.

해명의 과정은 논리적이고 차분한 동작으로 표현된다. 무용수는 자신의 행동을 해명하며, 그의 움직임은 논리적이고 차분하다. 발걸음은 신중하게 이어지고, 팔과 다리는 설명을 돕기 위해 유연하게 움직인다. 이 동작은 무용수가 자신의 행동에 대해 설명하고 이해를 구하는 과정을 상징한다.

내면의 갈등과 반성은 깊고 차분한 동작으로 표현된다. 무용수는 사과와 해명 과정에서 내면의 갈등과 반성을 겪으며, 그의 움직임은 깊고 차분하다. 발걸음은 천천히 이어지고, 팔과 다리는 내면의 감정을 담아 부드럽게 움직인다. 이 동작은 무용수가 자신의 잘못을 반성하고, 그로 인한 내면의 갈등을 표현하는 모습을 나타낸다.

사과와 해명의 절정은 진심 어린 동작으로 표현된다. 무용수는 사과와 해명의 절정에서 몸을 최대한으로 사용하여 진심을 전한다. 발걸음은 부드럽고 확고하게 이어지며, 팔과 다리는 넓게 펼쳐져 진심 어린 사과를 나타낸다. 이 동작은 무용수가 자신의 진심을 최대한으로 표현하는 순간을 상징한다.

마지막으로, 사과 해명문의 여운은 평온하고 안정된 동작으로 마무리된다. 무용수는 무대의 중심에서 평온한 자세를 취하며, 사과와 해명의 여운을 남긴다. 그의 몸짓은 부드럽고 안정적이며, 내면의 평화와 만족을 나타낸다.

"사과 해명문"은 이렇게 다양한 움직임을 통해 자신의 잘못이나 실수에 대해 사과하고 이를 설명하는 과정을 시각적으로 표현한다. 무용수의 몸짓 하나하나는 사과의 시작, 진심 어린 표현, 논리적 해명, 내면의 갈등과 반성, 절정, 그리고 여운을 남긴다.

appalling difficulties 간담을 서늘케 하는 어려움

간담을 서늘케 하는 어려움은 극복하기 매우 힘든 상황이나 문제를 의미한다. 이는 무용수의 강렬하고 혼란스러운 움직임을 통해 신체적으로 표현될 수 있다. 무용수는 무대 위에서 극한의 어려움을 겪는 모습을 생생하게 전달하는 동작으로 이 개념을 표현할 수 있다. 무용수는 무대에 등장하면서부터 긴장과 불안을 담고 있다. 그의 발걸음은 불규칙하고 힘겨우며, 팔과 다리는 불안하게 떨린다. 이 초기 동작은 무용수가 간담을 서늘케

하는 어려움에 직면한 순간의 두려움과 불안감을 상징한다.

무용수의 움직임은 점점 더 혼란스럽고 강렬해진다. 그의 몸짓은 불안과 절망을 표현하며, 무대 전체를 사용해 긴장감과 불안감을 극대화한다. 발걸음은 빠르게 이어지고, 팔과 다리는 다양한 방향으로 뻗어져 그가 겪고 있는 혼란과 고통을 나타낸다. 이 동작은 무용수가 극복하기 어려운 상황 속에서 느끼는 감정을 생생하게 전달한다.

내면의 갈등과 고통은 강하고 불규칙한 동작으로 표현된다. 무용수는 간담을 서늘케 하는 어려움 속에서 내면의 갈등과 고통을 겪으며, 그의 움직임은 불안정하고 혼란스럽다. 발걸음은 불규칙하게 이어지고, 팔과 다리는 힘없이 떨어진다. 이 동작은 무용수가 극한의 어려움 속에서 내면의 갈등과 고통을 표현하는 과정을 상징한다.

절망의 절정은 폭발적이고 강렬한 동작으로 표현된다. 무용수는 절망의 절정에서 몸을 최대한으로 사용하여 폭발적인 움직임을 선보인다. 발걸음은 빠르고 강하게 이어지며, 팔과 다리는 강하게 뻗어져 공간을 가로지른다. 이 동작은 무용수가 간담을 서늘케 하는 어려움의 절정에서 느끼는 강렬한 절망과 고통을 나타낸다.

마지막으로, 간담을 서늘케 하는 어려움의 여운은 점차 평온하고 안정된 동작으로 마무리된다. 무용수는 무대의 중심에서 평온한 자세를 취하며, 어려움의 여운을 남긴다. 그의 몸짓은 차츰 부드럽고 안정적으로 변하여 내면의 평화를 찾는 과정을 보여준다. 무용수의 시선은 멀리 바라보며, 앞으로의 가능성을 기대하는 모습을 나타낸다.

"간담을 서늘케 하는 어려움"은 이렇게 다양한 움직임을 통해 극복하기 매우 힘든 상황이나 문제를 시각적으로 표현한다. 무용수의 몸짓 하나하나는 두려움과 불안의 시작, 혼란과 절망, 내면의 갈등과 고통, 절망의 절정, 그리고 여운을 생생하게 전달하며, 관객에게 깊은 인상을 남긴다.

apparent significance 분명한 중대성

분명한 중대성은 어떤 상황이나 사건이 매우 중요하고 의미가 크다는 것을 명확히 인식하는 것을 의미한다. 이는 무용수의 힘 있고 명확한 움직임을 통해 신체적으로 표현될 수 있다. 무용수는 무대 위에서 중요한 순간을 강조하는 동작으로 이 개념을 생생하게 전달할 수 있다.

무용수는 무대에 자신감 있게 등장하여, 그의 발걸음은 확고하고 강렬하다. 팔과 다리는 넓게 펼쳐져 있으며, 그의 몸짓은 분명한 중대성을 전달한다. 이 초기 동작은 무용수가 중요한 순간을 맞이하는 순간의 확신과 집중을 상징한다.

무용수의 움직임은 강력하고 명확하게 이어진다. 그의 몸짓은 힘차고 확신에 차 있으며, 중요한 순간을 강조하는 듯한 느낌을 준다. 발걸음은 일정한 리듬을 유지하며, 팔과 다리는 정확하게 뻗어진다. 이 동작은 무용수가 중요한 사건의 중대성을 인식하고 이를 표현하는 모습을 나타낸다.

내면의 인식과 집중은 차분하고 깊이 있는 동작으로 표현된다. 무용수는 중요한 순간을 내면에서 깊이 인식하며, 그의 움직임은 차분하고 집중적이다. 발걸음은 천천히 이어지고, 팔과 다리는 부드럽게 움직인다. 이 동작은 무용수가 중요한 순간을 인식하고 이를 내면에서 되새기는 과정을 보여준다.

중대성의 절정은 강렬하고 확신에 찬 동작으로 표현된다. 무용수는 중요한 순간의 절정에서 몸을 최대한으로 사용하여 강렬한 움직임을 선보인다. 발걸음은 빠르고 힘차게 이어지며, 팔과 다리는 넓게 펼쳐져 공간을 가로지른다. 이 동작은 무용수가 중요한 순간의 중대성을 절정에서 표현하는 모습을 상징한다.

마지막으로, 분명한 중대성의 여운은 평온하고 안정된 동작으로 마무리된다. 무용수는 무대의 중심에서 평온한 자세를 취하며, 중요한 순간의 여운을 남긴다. 그의 몸짓은 부드럽고 안정적이며, 내면의 평화와 만족을 나타낸다. 무용수의 시선은 멀리 바라보며, 앞으로의 가능성을 기대하는 모습을 나타낸다.

"분명한 중대성"은 이렇게 다양한 움직임을 통해 어떤 상황이나 사건이 매우 중요하고 의미가 크다는 것을 시각적으로 표현한다. 무용수의 몸짓 하나하나는 중요한 순간의 시작, 명확한 표현, 내면의 인식과 집중, 절정, 그리고 여운을 생생하게 전달하며, 관객에게 깊은 인상을 남긴다.

appointed function 정해진 기능

정해진 기능은 특정한 역할이나 목적을 수행하기 위해 명확하게 부여된 임무나 책임을 의미한다. 이는 무용수의 체계적이고 규칙적인 움직임을 통해 신체적으로 표현될 수 있다. 무용수는 무대 위에서 명확한 목적을 지닌 동작으로 이 개념을 생생하게 전달할 수 있다.

무용수는 무대에 등장하면서부터 확고한 발걸음과 신중한 움직임으로 정해진 기능을 표현한다. 그의 몸짓은 명확하고 목적이 있으며, 발걸음은 일정한 리듬을 유지한다. 팔과 다리는 규칙적으로 움직이며, 그의 표정에는 결의와 집중이 담겨 있다. 이 초기 동작은 무용수가 맡은 역할을 수행하기 위한 준비와 결의를 상징한다.

무용수의 움직임은 체계적이고 규칙적으로 이어진다. 그의 몸짓은 명확한 패턴과 리듬을 따르며, 주어진 임무를 수행하는 모습을 보여준다. 발걸음은 일정하게 이어지고, 팔과 다리는 정해진 궤적을 그리며 움직인다. 이 동작은 무용수가 정해진 기능을 충실히 수행하며, 그 과정에서 체계성과 규칙성을 유지하는 모습을 나타낸다.

내면의 집중과 결의는 차분하고 안정된 동작으로 표현된다. 무용수는 자신의 역할에 깊이 몰두하며, 그의 움직임은 차분하고 집중적이다. 발걸음은 신중하게 이어지고, 팔과 다리는 부드럽게 움직인다. 이 동작은 무용수가 자신의 임무를 완수하기 위해 내면의 집중과 결의를 다지는 과정을 상징한다.

기능의 절정은 강렬하고 확신에 찬 동작으로 표현된다. 무용수는 자신의 역할을 완벽히 수행하는 순간, 몸을 최대한으로 사용하여 강렬한 움직임을 선보인다. 발걸음은 빠르고 힘차게 이어지며, 팔과 다리는 넓게 펼쳐져 임무를 완수하는 모습을 나타낸다. 이 동작은 무용수가 정해진 기능을 완수하는 절정의 순간을 상징한다.

마지막으로, 정해진 기능의 여운은 평온하고 안정된 동작으로 마무리된다. 무용수는 무대의 중심에서 평온한 자세를 취하며, 임무를 완수한 후의 여운을 남긴다. 그의 몸짓은 부드럽고 안정적이며, 내면의 평화와 만족을 나타낸다

"정해진 기능"은 이렇게 다양한 움직임을 통해 특정한 역할이나 목적을 수행하기 위해 명확하게 부여된 임무나 책임을 시각적으로 표현한다. 무용수의 몸짓 하나하나는 준비

와 결의, 체계적 수행, 내면의 집중과 결의, 기능의 절정, 그리고 여운을 생생하게 전달하며, 관객에게 명료한 인상을 남긴다.

appposite illustration 아주 적절한 예

아주 적절한 예는 특정 상황이나 개념을 명확하게 설명하고 이해시키는 데 완벽하게 들어맞는 예를 의미한다. 이는 무용수의 명확하고 표현력 있는 움직임을 통해 신체적으로 표현될 수 있다. 무용수는 무대 위에서 명료하고 직관적인 동작으로 이 개념을 생생하게 전달할 수 있다.

무용수는 무대에 확신에 찬 발걸음으로 등장하며, 그의 움직임은 명확하고 의도적이다. 발걸음은 확고하고, 팔과 다리는 정확하게 움직인다. 이 초기 동작은 무용수가 아주 적절한 예를 제시하는 순간의 확신과 명확성을 상징한다.

무용수의 움직임은 명료하고 직관적이다. 그의 몸짓은 특정 상황이나 개념을 설명하는 데 필요한 모든 요소를 포함하고 있다. 발걸음은 리드미컬하게 이어지고, 팔과 다리는 다양한 방향으로 유연하게 뻗어져 설명의 포인트를 강조한다. 이 동작은 무용수가 아주 적절한 예를 통해 복잡한 개념을 명확하게 설명하는 모습을 보여준다.

내면의 이해와 표현은 깊고 차분한 동작으로 표현된다. 무용수는 예를 통해 상황이나 개념을 이해하고 이를 표현한다. 발걸음은 신중하게 이어지고, 팔과 다리는 부드럽게 움직인다. 이 동작은 무용수가 아주 적절한 예를 통해 내면의 이해를 표현하고 이를 관객과 공유하는 과정을 상징한다.

적절한 예의 절정은 강렬하고 확신에 찬 동작으로 표현된다. 무용수는 예의 절정에서 몸을 최대한으로 사용하여 강렬한 움직임을 선보인다. 발걸음은 빠르고 힘차게 이어지며, 팔과 다리는 넓게 펼쳐져 예의 중요성을 강조한다. 이 동작은 무용수가 아주 적절한 예를 통해 핵심 포인트를 전달하는 모습을 상징한다.

마지막으로, 아주 적절한 예의 여운은 평온하고 안정된 동작으로 마무리된다. 무용수는 무대의 중심에서 평온한 자세를 취하며, 예의 여운을 남긴다. 그의 몸짓은 부드럽고 안정적이며, 내면의 평화와 만족을 나타낸다. 무용수의 시선은 멀리 바라보며, 앞으로의 가능성을 기대하는 모습을 보여준다.

"아주 적절한 예"는 이렇게 다양한 움직임을 통해 특정 상황이나 개념을 명확하게 설명하고 이해시키는 과정을 시각적으로 표현한다. 무용수의 몸짓 하나하나는 예의 시작, 명료한 표현, 내면의 이해와 표현, 절정, 그리고 여운을 생생하게 전달하며, 관객에게 깊은 인상을 남긴다.

appreciable relief 주목할만한 선명함/경감/탕감

주목할만한 선명함/경감/탕감은 어떤 상황에서 느껴지는 명확한 안도감이나 스트레스의 해소를 의미한다. 이는 무용수의 변화하고 완화되는 움직임을 통해 신체적으로 표현될 수 있다. 무용수는 무대 위에서 긴장과 불안에서 벗어나 안도와 평화를 찾는 과정을 생생하게 전달할 수 있다.

무용수는 무대에 긴장된 자세로 등장한다. 그의 발걸음은 무겁고 신중하며, 팔과 다리는 경직되어 있다. 이 초기 동작은 무용수가 스트레스나 불안으로 가득 찬 상태를 나타낸다. 그의 몸짓과 표정에는 깊은 긴장감이 드러나 있다.

무용수의 움직임은 점차 완화되기 시작한다. 그의 몸짓은 서서히 부드러워지고, 발걸음은 가벼워지며, 팔과 다리는 유연하게 움직인다. 이 동작은 무용수가 긴장을 풀고 안도감을 느끼기 시작하는 과정을 나타낸다. 그의 움직임은 더욱 자연스럽고 자유로워지며, 내면의 경감이 드러난다.

내면의 안도와 평화는 깊고 안정된 동작으로 표현된다. 무용수는 긴장과 불안을 완전히 떨쳐내며, 그의 움직임은 차분하고 안정적이다. 발걸음은 느리고 확고하게 이어지며, 팔과 다리는 부드럽게 펼쳐진다. 이 동작은 무용수가 주목할만한 선명한 안도감을 느끼고 이를 표현하는 모습을 상징한다.

경감의 절정은 자유롭고 활기찬 동작으로 표현된다. 무용수는 안도감의 절정에서 몸을 최대한으로 사용하여 활기찬 움직임을 선보인다. 발걸음은 빠르고 경쾌하게 이어지며, 팔과 다리는 넓게 펼쳐져 안도와 자유를 표현한다. 이 동작은 무용수가 긴장에서 벗어나 느끼는 깊은 안도감과 해방감을 나타낸다.

마지막으로, 주목할만한 경감의 여운은 평온하고 안정된 동작으로 마무리된다. 무용수는 무대의 중심에서 평온한 자세를 취하며, 안도의 여운을 남긴다. 그의 몸짓은 부드럽고 안정적이며, 내면의 평화와 만족을 나타낸다. 무용수의 시선은 멀리 바라보며, 앞으로의 가능성을 기대하는 모습을 보여준다.

"주목할만한 선명함/경감/탕감"은 이렇게 다양한 움직임을 통해 긴장과 불안에서 벗어나 안도와 평화를 찾는 과정을 시각적으로 표현한다. 무용수의 몸짓 하나하나는 긴장의 시작, 경감의 과정, 내면의 안도와 평화, 경감의 절정, 그리고 여운을 생생하게 전달하며, 관객에게 깊은 인상을 남긴다.

apprehensive dread 불안한 두려움

불안한 두려움은 내면 깊은 곳에서 느끼는 불안과 공포를 의미한다. 이는 무용수의 긴장되고 불안한 움직임을 통해 신체적으로 표현될 수 있다. 무용수는 무대 위에서 불안과 두려움을 표현하는 동작으로 이 감정을 생생하게 전달할 수 있다.

무용수는 무대에 불안한 모습으로 등장한다. 그의 발걸음은 조심스럽고 불규칙하며, 팔과 다리는 긴장된 상태로 움직인다. 이 초기 동작은 무용수가 불안한 두려움에 휩싸인 순간의 감정을 상징한다. 그의 표정은 초조하고 눈빛은 두려움으로 가득 차 있다.

무용수의 움직임은 점점 더 불안정하고 긴장감 넘치게 변한다. 그의 몸짓은 예기치 않은 방향으로 불규칙하게 움직이며, 불안과 두려움을 표현한다. 발걸음은 불안하게 이어지고, 팔과 다리는 불안정하게 떨린다. 이 동작은 무용수가 불안한 두려움 속에서 느끼는 내면의 혼란과 공포를 나타낸다.

내면의 갈등과 공포는 강렬하고 복잡한 동작으로 표현된다. 무용수는 두려움 속에서 내면의 갈등과 공포를 겪으며, 그의 움직임은 격렬하고 불안정하다. 발걸음은 불규칙하게 이어지고, 팔과 다리는 다양한 방향으로 뻗어져 내면의 갈등을 상징한다. 이 동작은 무용수가 불안한 두려움 속에서 내면의 혼란과 갈등을 경험하는 과정을 보여준다.

두려움의 절정은 폭발적이고 강렬한 동작으로 표현된다. 무용수는 두려움의 절정에서 몸을 최대한으로 사용하여 폭발적인 움직임을 선보인다. 발걸음은 빠르고 강하게 이어지며, 팔과 다리는 힘차게 뻗어져 공간을 가로지른다. 이 동작은 무용수가 불안한 두려움의 절정에서 느끼는 강렬한 공포를 나타낸다.

마지막으로, 불안한 두려움의 여운은 점차 평온해지는 동작으로 마무리된다. 무용수는 무대의 중심에서 평온한 자세를 취하며, 두려움의 여운을 남긴다. 그의 몸짓은 점차 부드럽고 안정적으로 변하여 내면의 평화를 찾는 과정을 보여준다. 무용수의 시선은 멀리 바라보며, 앞으로의 가능성을 기대하는 모습을 나타낸다.

"불안한 두려움"은 이렇게 다양한 움직임을 통해 내면 깊은 곳에서 느끼는 불안과 공포를 시각적으로 표현한다. 무용수의 몸짓 하나하나는 불안과 두려움의 시작, 내면의 갈등과 공포, 절정, 그리고 여운을 생생하게 전달하며, 관객에게 깊은 인상을 남긴다.

apprentice touch 제자/도제의 손길

제자/도제의 손길은 경험이 부족하지만 열정과 호기심으로 가득 찬 초심자의 섬세한 작업을 의미한다. 이는 무용수의 신중하고 조심스러운 움직임을 통해 신체적으로 표현될 수 있다. 무용수는 무대 위에서 학습과 성장의 과정을 보여주는 동작으로 이 개념을 생생하게 전달할 수 있다.

무용수는 무대에 신중하게 등장한다. 그의 발걸음은 가볍고 조심스러우며, 팔과 다리는 섬세하게 움직인다. 이 초기 동작은 무용수가 스승의 가르침을 받으며 첫걸음을 내딛는 순간의 조심성과 경의를 상징한다.

무용수의 움직임은 점점 더 섬세하고 정확해진다. 그의 몸짓은 배우는 과정에서 점차 숙련되어 가는 모습을 나타낸다. 발걸음은 신중하게 이어지고, 팔과 다리는 다양한 방향으로 유연하게 뻗어져 스승의 동작을 모방하고 연습하는 과정을 보여준다. 이 동작은 무용수가 스승의 가르침을 받아들이며 자신만의 기술을 개발하는 모습을 나타낸다.

내면의 열정과 호기심은 활기차고 열정적인 동작으로 표현된다. 무용수는 새로운 기술을 배우는 과정에서 내면의 열정과 호기심을 표현하며, 그의 움직임은 활기차고 열정적이다. 발걸음은 빠르고 경쾌하게 이어지고, 팔과 다리는 힘차게 뻗어진다. 이 동작은 무용수가 배우는 과정에서 느끼는 흥미와 열정을 보여준다.

기술의 발전과 성장은 부드럽고 유연한 동작으로 표현된다. 무용수는 스승의 가르침을 통해 점점 더 숙련된 기술을 익히며, 그의 움직임은 부드럽고 유연해진다. 발걸음은 자연스럽게 이어지고, 팔과 다리는 조화롭게 움직인다. 이 동작은 무용수가 학습과 훈련을 통해 기술적으로 성장하는 모습을 상징한다.

마지막으로, 제자/도제의 손길의 여운은 평온하고 안정된 동작으로 마무리된다. 무용수는 무대의 중심에서 평온한 자세를 취하며, 학습과 성장을 통해 얻은 평온과 만족을 남긴다. 그의 몸짓은 부드럽고 안정적이며, 내면의 평화와 만족을 나타낸다. 무용수의 시선은 멀리 바라보며, 앞으로의 가능성을 기대하는 모습을 보여준다.

"제자/도제의 손길"은 이렇게 다양한 움직임을 통해 경험이 부족하지만 열정과 호기심으로 가득 찬 초심자의 섬세한 작업과 학습 과정을 시각적으로 표현한다.

appropriate designation 적절한 명칭/지정

적절한 명칭/지정은 특정 대상이나 상황에 정확하고 적합한 이름이나 역할을 부여하는 것을 의미한다. 이는 무용수의 명확하고 의도적인 움직임을 통해 신체적으로 표현될 수 있다. 무용수는 무대 위에서 명확한 의도와 정확한 표현을 담은 동작으로 이 개념을 생생하게 전달할 수 있다.

무용수는 무대에 자신감 있게 등장한다. 그의 발걸음은 확고하고 정확하며, 팔과 다리는 명확하게 움직인다. 이 초기 동작은 무용수가 적절한 명칭이나 역할을 부여받는 순간의 확신과 명료함을 상징한다.

무용수의 움직임은 명확하고 체계적이다. 그의 몸짓은 특정 상황이나 대상을 설명하고 강조하는 데 필요한 모든 요소를 포함하고 있다. 발걸음은 일정한 리듬을 유지하며, 팔과 다리는 다양한 방향으로 뻗어져 설명의 포인트를 강조한다. 이 동작은 무용수가 적절한 명칭이나 역할을 통해 복잡한 개념을 명확하게 설명하는 모습을 보여준다.

내면의 이해와 집중은 차분하고 안정된 동작으로 표현된다. 무용수는 명칭이나 역할의 중요성을 내면에서 깊이 이해하고 이를 표현한다. 발걸음은 신중하게 이어지고, 팔과 다리는 부드럽게 움직인다. 이 동작은 무용수가 적절한 명칭이나 역할을 통해 내면의 이해를 표현하고 이를 관객과 공유하는 과정을 상징한다.

명칭의 절정은 강렬하고 확신에 찬 동작으로 표현된다. 무용수는 명칭이나 역할의 절정에서 몸을 최대한으로 사용하여 강렬한 움직임을 선보인다. 발걸음은 빠르고 힘차게 이어지며, 팔과 다리는 넓게 펼쳐져 명칭이나 역할의 중요성을 강조한다. 이 동작은 무용수가 적절한 명칭이나 역할을 통해 핵심 포인트를 전달하는 모습을 상징한다.

마지막으로, 적절한 명칭의 여운은 평온하고 안정된 동작으로 마무리된다. 무용수는 무대의 중심에서 평온한 자세를 취하며, 명칭이나 역할의 여운을 남긴다. 그의 몸짓은 부드럽고 안정적이며, 내면의 평화와 만족을 나타낸다.

"적절한 명칭/지정"은 이렇게 다양한 움직임을 통해 특정 대상이나 상황에 정확하고 적합한 이름이나 역할을 부여하는 과정을 시각적으로 표현한다. 무용수의 몸짓 하나하나는 명칭의 시작, 명확한 표현, 내면의 이해와 집중, 명칭의 절정, 그리고 여운을 생생하게 전달한다.

approving smile 만족스러움 미소

만족스러운 미소는 기쁨과 만족을 나타내는 따뜻하고 진심 어린 미소를 의미한다. 이는 무용수의 부드럽고 행복한 움직임을 통해 신체적으로 표현될 수 있다. 무용수는 무대 위에서 따뜻함과 만족을 담은 동작으로 이 감정을 생생하게 전달할 수 있다.

무용수는 무대에 차분하고 평온한 모습으로 등장한다. 그의 발걸음은 가볍고 부드러우며, 팔과 다리는 유연하게 움직인다. 이 초기 동작은 무용수가 만족스러운 미소를 지을 준비가 된 순간의 평온함과 안도감을 상징한다.

무용수의 움직임은 점점 더 따뜻하고 행복한 동작으로 이어진다. 그의 몸짓은 유연하고 부드럽게 펼쳐지며, 행복과 만족을 나타낸다. 발걸음은 리드미컬하게 이어지고, 팔과 다리는 넓게 펼쳐져 주변을 감싸는 듯한 느낌을 준다. 이 동작은 무용수가 만족스러운 미소를 통해 느끼는 기쁨과 만족을 표현하는 모습을 보여준다.

내면의 행복과 평화는 깊고 안정된 동작으로 표현된다. 무용수는 내면에서 느끼는 행복과 평화를 표현하며, 그의 움직임은 차분하고 안정적이다. 발걸음은 천천히 이어지고,

팔과 다리는 부드럽게 움직인다. 이 동작은 무용수가 내면의 평화와 행복을 찾아가는 과정을 상징한다.

만족스러운 미소의 절정은 활기차고 기쁜 동작으로 표현된다. 무용수는 미소의 절정에서 몸을 최대한으로 사용하여 활기찬 움직임을 선보인다. 발걸음은 빠르고 경쾌하게 이어지며, 팔과 다리는 힘차게 뻗어져 행복을 표현한다. 이 동작은 무용수가 만족스러운 미소의 절정에서 느끼는 깊은 기쁨과 만족을 나타낸다.

마지막으로, 만족스러운 미소의 여운은 평온하고 안정된 동작으로 마무리된다. 무용수는 무대의 중심에서 평온한 자세를 취하며, 미소의 여운을 남긴다. 그의 몸짓은 부드럽고 안정적이며, 내면의 평화와 만족을 나타낸다. 무용수의 시선은 멀리 바라보며, 앞으로의 만족스러운 상황들의 가능성을 기대하는 모습을 보여준다.

"만족스러운 미소"는 이렇게 다양한 움직임을 통해 기쁨과 만족을 나타내는 따뜻하고 진심 어린 미소를 시각적으로 표현한다. 무용수의 몸짓 하나하나는 평온함의 시작, 행복과 만족의 표현, 내면의 행복과 평화, 미소의 절정, 그리고 여운을 생생하게 전달하며, 관객에게 깊은 인상을 남긴다.

approximately correct 대체로 정확한

대체로 정확한 것은 완벽하지는 않지만 큰 오차 없이 대체로 맞는 것을 의미한다. 이는 무용수의 균형 잡힌 움직임과 약간의 불확실성을 통해 신체적으로 표현될 수 있다. 무용수는 무대 위에서 정확성을 추구하면서도 약간의 불완전함을 담은 동작으로 이 개념을 생생하게 전달할 수 있다.

무용수는 무대에 자신감 있게 등장한다. 그의 발걸음은 확고하지만, 약간의 주저함이 느껴진다. 팔과 다리는 부드럽게 움직이며, 그의 몸짓은 대체로 정확하지만 완벽하지 않은 모습을 드러낸다. 이 초기 동작은 무용수가 대체로 정확한 상태를 유지하려는 노력을 상징한다.

무용수의 움직임은 명확하고 균형 잡혀 있다. 그의 몸짓은 주어진 궤도를 따르며, 대체로 정확한 동작을 보여준다. 발걸음은 일정한 리듬을 유지하지만, 때때로 약간의 흔들림

이 느껴진다. 팔과 다리는 유연하게 뻗어지며, 정확성을 추구하는 모습을 나타낸다. 이 동작은 무용수가 대체로 정확한 상태를 유지하면서도 약간의 불완전함을 받아들이는 모습을 보여준다. 내면의 긴장과 노력은 깊고 집중된 동작으로 표현된다. 무용수는 자신의 움직임을 조절하며, 최대한 정확한 상태를 유지하려 노력한다. 발걸음은 신중하게 이어지고, 팔과 다리는 부드럽게 움직인다. 이 동작은 무용수가 대체로 정확한 상태를 유지하려는 내면의 긴장과 노력을 상징한다. 정확성의 절정은 강렬하고 집중된 동작으로 표현된다. 무용수는 자신의 움직임을 최대한 정확하게 조절하며, 절정의 순간을 연출한다. 발걸음은 빠르고 힘차게 이어지며, 팔과 다리는 넓게 펼쳐져 정확성을 강조한다. 이 동작은 무용수가 대체로 정확한 상태를 절정에서 표현하는 모습을 나타낸다.

마지막으로, 대체로 정확한 상태의 여운은 평온하고 안정된 동작으로 마무리된다. 무용수는 무대의 중심에서 평온한 자세를 취하며, 대체로 정확한 상태의 여운을 남긴다. 그의 몸짓은 부드럽고 안정적이며, 내면의 평화와 만족을 나타낸다.

"대체로 정확한"은 이렇게 다양한 움직임을 통해 완벽하지는 않지만 큰 오차 없이 대체로 맞는 상태를 시각적으로 표현한다. 무용수의 몸짓 하나하나는 정확성을 추구하는 시작, 명확하고 균형 잡힌 동작, 내면의 긴장과 노력, 정확성의 절정, 그리고 여운을 생생하게 전달하며, 관객에게 깊은 인상을 남긴다.

aptly suggested 적절하게 제안한

적절하게 제안한 것은 상황이나 맥락에 딱 맞는 제안을 의미한다. 이는 무용수의 명확하고 의도적인 움직임을 통해 신체적으로 표현될 수 있다. 무용수는 무대 위에서 타이밍과 상황에 맞는 제안을 나타내는 동작으로 이 개념을 생생하게 전달할 수 있다.

무용수는 무대에 자신감 있게 등장한다. 그의 발걸음은 확고하고, 팔과 다리는 명확하게 움직인다. 이 초기 동작은 무용수가 적절한 제안을 할 준비가 된 순간의 확신과 명료함을 상징한다.

무용수의 움직임은 체계적이고 논리적이다. 그의 몸짓은 제안의 타이밍과 맥락을 고려하여 신중하게 이어진다. 발걸음은 리드미컬하게 이어지고, 팔과 다리는 유연하게 뻗어

제안의 포인트를 강조한다. 이 동작은 무용수가 적절한 순간에 알맞은 제안을 하는 모습을 보여준다. 내면의 이해와 신중함은 깊고 차분한 동작으로 표현된다. 무용수는 제안의 중요성을 내면에서 깊이 이해하고, 신중하게 이를 표현한다. 발걸음은 천천히 이어지고, 팔과 다리는 부드럽게 움직인다. 이 동작은 무용수가 상황을 깊이 이해하고, 이를 바탕으로 적절한 제안을 하는 과정을 상징한다. 제안의 절정은 강렬하고 확신에 찬 동작으로 표현된다. 무용수는 제안의 절정에서 몸을 최대한으로 사용하여 강렬한 움직임을 선보인다. 발걸음은 빠르고 힘차게 이어지며, 팔과 다리는 넓게 펼쳐져 제안의 중요성을 강조한다. 이 동작은 무용수가 적절한 제안을 통해 핵심 포인트를 전달하는 모습을 상징한다.

마지막으로, 적절한 제안의 여운은 평온하고 안정된 동작으로 마무리된다. 무용수는 무대의 중심에서 평온한 자세를 취하며, 제안의 여운을 남긴다. 그의 몸짓은 부드럽고 안정적이며, 내면의 평화와 만족을 나타낸다. 무용수의 시선은 멀리 바라보며, 앞으로의 가능성을 기대하는 모습을 보여준다.

arbitrarily imposed 임의로/독단적으로 부과된

임의로/독단적으로 부과된 것은 특정한 논리나 근거 없이 독단적으로 결정되고 강요된 것을 의미한다. 이는 무용수의 불규칙적이고 강압적인 움직임을 통해 신체적으로 표현될 수 있다. 무용수는 무대 위에서 갑작스럽고 독단적인 결정에 대한 반응을 나타내는 동작으로 이 개념을 생생하게 전달할 수 있다.

무용수는 무대에 불안정한 모습으로 등장한다. 그의 발걸음은 불규칙하고, 팔과 다리는 강압적으로 움직인다. 이 초기 동작은 무용수가 독단적으로 부과된 상황에 직면한 순간의 혼란과 긴장감을 상징한다.

무용수의 움직임은 점점 더 강압적이고 불규칙해진다. 그의 몸짓은 갑작스럽고 예측할 수 없는 방향으로 이어지며, 강압적인 상황에 대한 반발을 나타낸다. 발걸음은 빠르고 불규칙하게 이어지고, 팔과 다리는 격렬하게 뻗어진다. 이 동작은 무용수가 임의로 부과된 결정에 대응하며 겪는 갈등과 혼란을 보여준다.

내면의 갈등과 저항은 긴장된 동작으로 표현된다. 무용수는 부과된 상황에 저항하며, 그의 움직임은 긴장감으로 가득 차 있다. 발걸음은 불안정하게 이어지고, 팔과 다리는 강하게 떨린다. 이 동작은 무용수가 독단적으로 부과된 상황에 대해 내면에서 갈등과 저항을 느끼는 과정을 상징한다.

갈등의 절정은 폭발적이고 강렬한 동작으로 표현된다. 무용수는 갈등이 최고조에 달한 순간, 폭발적인 움직임을 선보인다. 발걸음은 빠르고 힘차게 이어지며, 팔과 다리는 강하게 뻗어져 공간을 가로지른다. 이 동작은 무용수가 임의로 부과된 상황에 대해 격렬하게 반응하는 모습을 나타낸다.

마지막으로, 임의로 부과된 상황의 여운은 점차 평온해지는 동작으로 마무리된다. 무용수는 무대의 중심에서 평온한 자세를 취하며, 혼란과 갈등의 여운을 남긴다. 그의 몸짓은 차츰 부드럽고 안정적으로 변하여 내면의 평화를 찾는 과정을 보여준다. 무용수의 시선은 멀리 바라보며, 앞으로의 가능성을 기대하는 모습을 나타낸다.

"임의로/독단적으로 부과된"은 이렇게 다양한 움직임을 통해 논리나 근거 없이 독단적으로 결정되고 강요된 상황을 시각적으로 표현한다. 무용수의 몸짓 하나하나는 혼란과 긴장의 시작, 강압적인 대응, 내면의 갈등과 저항, 갈등의 절정, 그리고 여운을 생생하게 전달하며, 관객에게 깊은 인상을 남긴다.

arch conspirator 주요 가담자

주요 가담자는 계획이나 음모의 중심에서 중요한 역할을 하는 인물을 의미한다. 이는 무용수의 강렬하고 의도적인 움직임을 통해 신체적으로 표현될 수 있다. 무용수는 무대 위에서 계획의 중심에 서서 영향력을 행사하는 동작으로 이 개념을 생생하게 전달할 수 있다.

무용수는 무대에 확신에 찬 모습으로 등장한다. 그의 발걸음은 힘차고, 팔과 다리는 결단력 있게 움직인다. 이 초기 동작은 무용수가 중요한 음모나 계획의 중심에 서 있는 순간의 결의와 집중을 의미한다.

무용수의 움직임은 명확하고 강렬하다. 그의 몸짓은 계획의 핵심을 표현하며, 영향력을 행사하는 모습을 보여준다. 발걸음은 일정한 리듬을 유지하며, 팔과 다리는 다양한 방향으로 유연하게 뻗어 음모의 여러 측면을 다루는 모습을 나타낸다. 이 동작은 무용수가 계획의 중심에서 중요한 역할을 수행하는 모습을 표현한다.

내면의 결단과 의지는 깊고 집중된 동작으로 표현된다. 무용수는 자신의 역할에 대한 깊은 이해와 결단력을 가지고 움직인다. 발걸음은 신중하게 이어지고, 팔과 다리는 부드럽게 움직인다. 이 동작은 무용수가 주요 가담자로서 내면의 결단과 의지를 다지는 과정을 상징한다.

계획의 절정은 강렬하고 확신에 찬 동작으로 표현된다. 무용수는 음모의 절정에서 몸을 최대한으로 사용하여 강렬한 움직임을 선보인다. 발걸음은 빠르고 힘차게 이어지며, 팔과 다리는 넓게 펼쳐져 계획의 핵심을 강조한다. 이 동작은 무용수가 주요 가담자로서 절정의 순간을 지휘하는 모습을 나타낸다.

마지막으로, 주요 가담자의 여운은 평온하고 안정된 동작으로 마무리된다. 무용수는 무대의 중심에서 평온한 자세를 취하며, 계획의 여운을 남긴다. 그의 몸짓은 부드럽고 안정적이며, 내면의 평화와 만족을 나타낸다.

ardent protest 격렬한 항의

격렬한 항의는 강렬한 감정과 열정을 담아 강하게 반대하고 저항하는 행동을 의미한다. 이는 무용수의 강렬하고 표현력 있는 움직임을 통해 신체적으로 표현될 수 있다. 무용수는 무대 위에서 격렬한 항의를 나타내는 동작으로 이 감정을 생생하게 전달할 수 있다. 무용수는 무대에 등장하면서부터 강한 에너지와 결단력을 보여준다. 그의 발걸음은 빠르고 강렬하며, 팔과 다리는 힘차게 움직인다. 이 초기 동작은 무용수가 항의를 시작하는 순간의 강한 의지와 열정을 상징한다.

무용수의 움직임은 점점 더 강렬하고 표현력 있게 변한다. 그의 몸짓은 격렬한 항의를 나타내며, 빠르고 힘찬 동작으로 항의의 강도를 높인다. 발걸음은 리드미컬하게 이어지고, 팔과 다리는 강하게 뻗어져 항의의 열기를 보여준다. 이 동작은 무용수가 자신의 의견을 강하게 주장하며, 반대와 저항의 모습을 나타낸다.

내면의 열정과 저항은 깊고 강렬한 동작으로 표현된다. 무용수는 내면에서 느끼는 강한 열정과 저항을 몸짓으로 표현하며, 그의 움직임은 강렬하고 집중적이다. 발걸음은 힘차게 이어지고, 팔과 다리는 강하게 움직인다. 이 동작은 무용수가 격렬한 항의 속에서 느끼는 내면의 열정과 저항을 상징한다.

항의의 절정은 폭발적이고 강력한 동작으로 표현된다. 무용수는 항의의 절정에서 몸을 최대한으로 사용하여 폭발적인 움직임을 선보인다. 발걸음은 빠르고 강력하게 이어지며, 팔과 다리는 힘차게 뻗어져 공간을 가로지른다. 이 동작은 무용수가 격렬한 항의의 절정에서 느끼는 강한 감정과 에너지를 나타낸다.

마지막으로, 격렬한 항의의 여운은 평온하고 안정된 동작으로 마무리된다. 무용수는 무대의 중심에서 평온한 자세를 취하며, 항의의 여운을 남긴다. 그의 몸짓은 부드럽고 안정적이며, 내면의 평화와 만족을 나타낸다.

"격렬한 항의"는 이렇게 다양한 움직임을 통해 강렬한 감정과 열정을 담아 강하게 반대하고 저항하는 행동을 시각적으로 표현한다. 무용수의 몸짓 하나하나는 항의의 시작, 열정과 저항, 내면의 열정과 저항, 항의의 절정, 그리고 여운을 생생하게 전한다.

arrant trifling 순전히 하찮은 것

순전히 하찮은 것은 의미가 없고 중요하지 않은 것을 의미한다. 이는 무용수의 가벼운 움직임과 무관심한 태도를 통해 신체적으로 표현될 수 있다. 무용수는 무대 위에서 하찮은 것을 대하는 동작으로 이 개념을 생생하게 전달할 수 있다.

무용수는 무대에 느긋하고 무관심한 모습으로 등장한다. 그의 발걸음은 가볍고 느슨하며, 팔과 다리는 유연하게 움직인다. 이 초기 동작은 무용수가 하찮은 것을 대하는 순간의 무관심과 가벼움을 상징한다.

무용수의 움직임은 점점 더 느슨하고 가벼워진다. 그의 몸짓은 하찮은 것을 다루는 듯한 무심한 태도를 나타낸다. 발걸음은 리드미컬하게 이어지고, 팔과 다리는 느슨하게 뻗어져 하찮은 것의 가벼움을 보여준다. 이 동작은 무용수가 순전히 하찮은 것을 대하는 모습을 표현한다.

내면의 무관심과 가벼움은 차분하고 유연한 동작으로 표현된다. 무용수는 내면에서 느끼는 무관심을 몸짓으로 표현하며, 그의 움직임은 차분하고 유연하다. 발걸음은 가볍게 이어지고, 팔과 다리는 부드럽게 움직인다. 이 동작은 무용수가 하찮은 것에 대해 내면의 무관심을 나타내는 과정을 상징한다.

하찮음의 절정은 가볍고 유희적인 동작으로 표현된다. 무용수는 하찮음의 절정에서 몸을 최대한으로 가볍게 사용하여 유희적인 움직임을 선보인다. 발걸음은 빠르고 가볍게 이어지며, 팔과 다리는 자유롭게 뻗어져 공간을 가로지른다. 이 동작은 무용수가 하찮은 것의 절정에서 느끼는 가벼움과 유희를 나타낸다.

마지막으로, 순전히 하찮은 것의 여운은 평온하고 안정된 동작으로 마무리된다. 무용수는 무대의 중심에서 평온한 자세를 취하며, 하찮음의 여운을 남긴다. 그의 몸짓은 부드럽고 안정적이며, 내면의 평화와 만족을 나타낸다.

"순전히 하찮은 것"은 이렇게 다양한 움직임을 통해 의미가 없고 중요하지 않은 것을 시각적으로 표현한다. 무용수의 몸짓 하나하나는 하찮음의 시작, 가벼움과 무관심, 내면의 무관심과 가벼움, 하찮음의 절정, 그리고 여운을 전한다.

artful adaptation 교묘한 각색

교묘한 각색은 원래의 내용을 재치 있고 창의적으로 변경하여 새로운 형태로 재구성하는 것을 의미한다. 이는 무용수의 창의적이고 유연한 움직임을 통해 신체적으로 표현될 수 있다. 무용수는 무대 위에서 원래의 동작을 변형하고 재해석하는 과정을 통해 이 개념을 생생하게 전달할 수 있다.

무용수는 무대에 창의적이고 유연한 모습으로 등장한다. 그의 발걸음은 가볍고 유동적이며, 팔과 다리는 다양한 방향으로 유연하게 움직인다. 이 초기 동작은 무용수가 원래의 동작을 변형하고 재해석할 준비가 된 순간의 창의성과 개방성을 상징한다.

무용수의 움직임은 점점 더 복잡하고 창의적으로 변한다. 그의 몸짓은 원래의 동작을 변형하고 새롭게 각색하는 과정을 나타낸다. 발걸음은 리드미컬하게 이어지고, 팔과 다리는 다양한 방향으로 유연하게 뻗어 원래의 동작을 재해석하는 모습을 보여준다. 이 동작은 무용수가 교묘하게 원래의 내용을 각색하여 새로운 형태로 만들어내는 과정을 표현한다. 내면의 창의성과 재치 있는 변형은 깊고 섬세한 동작으로 표현되며 무용수는 내면에서 느끼는 창의성과 재치 있는 변형을 몸짓으로 표현하며, 그의 움직임은 섬세하고 정교하다. 발걸음은 신중하게 이어지고, 팔과 다리는 부드럽게 움직인다. 이 동작은 무용수가 교묘한 각색을 통해 원래의 내용을 재구성하는 과정을 상징한다.

각색의 절정은 강렬하고 확신에 찬 동작으로 표현된다. 무용수는 각색의 절정에서 몸을 최대한으로 사용하여 강렬한 움직임을 선보인다. 발걸음은 빠르고 힘차게 이어지며, 팔과 다리는 넓게 펼쳐져 각색의 중요성과 창의성을 강조한다. 이 동작은 무용수가 교묘한 각색을 통해 새로운 형태를 만들어내는 절정의 순간을 나타낸다.

마지막으로, 교묘한 각색의 여운은 평온하고 안정된 동작으로 마무리된다. 무용수는 무대의 중심에서 평온한 자세를 취하며, 각색의 여운을 남긴다. 그의 몸짓은 부드럽고 안정적이며, 내면의 평화와 만족을 나타낸다.

"교묘한 각색"은 이렇게 다양한 움직임을 통해 원래의 내용을 재치 있고 창의적으로 변경하여 새로운 형태로 재구성하는 과정을 시각적으로 표현한다. 무용수의 몸짓 하나하나는 각색의 시작, 창의적 변형, 내면의 창의성과 재치, 각색의 절정, 그리고 여운을 생생하게 전달하며, 관객에게 깊은 인상을 남긴다.

artificial suavity 인위적인 상냥한 태도

인위적인 상냥한 태도는 겉으로는 친절하고 부드러워 보이지만, 그 속에 진정성이 결여된 태도를 의미한다. 이는 무용수의 부드럽지만 어색한 움직임을 통해 신체적으로 표현될 수 있다. 무용수는 무대 위에서 겉으로만 상냥한 태도를 연기하는 동작으로 이 개념을 생생하게 전달할 수 있다.

무용수는 무대에 부드럽고 친절한 모습으로 등장한다. 그의 발걸음은 가볍고 우아하며, 팔과 다리는 유연하게 움직인다. 이 초기 동작은 무용수가 상냥한 태도를 연기하는 순간의 외적인 부드러움과 친절함을 상징한다.

무용수의 움직임은 점점 더 부드럽지만 어색해진다. 그의 몸짓은 상냥한 태도를 유지하려 하지만, 그 속에 내재된 어색함과 인위적인 느낌이 드러난다. 발걸음은 일정한 리듬을 유지하지만, 팔과 다리는 부자연스럽게 움직인다. 이 동작은 무용수가 인위적인 상냥함을 유지하면서도 내면의 불편함을 감추려는 모습을 나타낸다.

내면의 갈등과 진정성 부족은 불안정한 동작으로 표현된다. 무용수는 상냥한 태도를 유지하는 과정에서 내면의 갈등과 진정성 부족을 느끼며, 그의 움직임은 불안정하고 긴장감이 있다. 발걸음은 불규칙하게 이어지고, 팔과 다리는 어색하게 움직인다. 이 동작은 무용수가 인위적인 태도 속에서 내면의 진정성을 잃어가는 과정을 표현한다.

상냥함의 절정은 과장되고 극단적인 동작으로 표현된다. 무용수는 상냥한 태도를 극대화하여 몸을 최대한으로 사용하여 과장된 움직임을 선보인다. 발걸음은 빠르고 강하게 이어지며, 팔과 다리는 극단적으로 뻗어진다. 이 동작은 무용수가 인위적인 상냥함의 절정에서 느끼는 내면의 갈등과 불편함을 나타낸다.

마지막으로, 인위적인 상냥함의 여운은 점차 평온해지는 동작으로 마무리된다. 무용수는 무대의 중심에서 평온한 자세를 취하며, 상냥함의 여운을 남긴다. 그의 몸짓은 차츰 부드럽고 자연스러워져 내면의 평화를 찾는 과정을 보여준다. 무용수의 시선은 멀리 바라보며, 앞으로의 진정성을 기대하는 모습을 나타낸다.

artistic elegance 예술적 우아함

예술적 우아함은 세련되고 고상한 아름다움을 의미하며, 이는 무용수의 유려하고 품위 있는 움직임을 통해 신체적으로 표현될 수 있다. 무용수는 무대 위에서 우아함과 아름다움을 담은 동작으로 이 개념을 생생하게 전달할 수 있다.

무용수는 무대에 유연하고 우아한 모습으로 등장한다. 그의 발걸음은 가볍고 우아하며, 팔과 다리는 부드럽게 움직인다. 이 초기 동작은 무용수가 예술적 우아함의 첫 순간을 연출하는 모습의 세련미와 품위를 상징한다.

무용수의 움직임은 점점 더 유려하고 조화롭게 변한다. 그의 몸짓은 아름다운 선을 그리며, 완벽한 조화를 이루어 간다. 발걸음은 리드미컬하게 이어지고, 팔과 다리는 자연스럽게 뻗어져 우아한 움직임을 보여준다. 이 동작은 무용수가 예술적 우아함을 표현하며, 관객에게 시각적인 즐거움을 주는 모습을 나타낸다.

내면의 평화와 조화는 차분하고 안정된 동작으로 표현된다. 무용수는 내면의 평화와 조화를 몸짓으로 표현하며, 그의 움직임은 차분하고 안정적이다. 발걸음은 신중하게 이어지고, 팔과 다리는 부드럽게 움직인다. 이 동작은 무용수가 예술적 우아함을 통해 내면의 평화와 조화를 찾는 과정을 상징한다.

우아함의 절정은 강렬하고 확신에 찬 동작으로 표현된다. 무용수는 우아함의 절정에서 몸을 최대한으로 사용하여 강렬한 움직임을 선보인다. 발걸음은 빠르고 힘차게 이어지며, 팔과 다리는 넓게 펼쳐져 우아함의 중요성과 아름다움을 강조한다. 이 동작은 무용수가 예술적 우아함의 절정에서 느끼는 깊은 감동과 아름다움을 나타낸다.

마지막으로, 예술적 우아함의 여운은 평온하고 안정된 동작으로 마무리된다. 무용수는 무대의 중심에서 평온한 자세를 취하며, 우아함의 여운을 남긴다. 그의 몸짓은 부드럽고 안정적이며, 내면의 평화와 만족을 나타낸다. 무용수의 시선은 멀리 바라보며, 앞으로의 가능성을 기대하는 모습을 보여준다.

"예술적 우아함"은 이렇게 다양한 움직임을 통해 세련되고 고상한 아름다움을 시각적으로 표현한다. 무용수의 몸짓 하나하나는 우아함의 시작, 유려한 조화, 내면의 평화와 조화, 우아함의 절정, 그리고 여운을 생생하게 전달하며, 관객에게 깊은 인상을 남긴다.

artless candor 꾸밈없는 솔직함

꾸밈없는 솔직함은 숨김없이 진실되고 직설적인 태도를 의미한다. 이는 무용수의 자연스럽고 투명한 움직임을 통해 신체적으로 표현될 수 있다. 무용수는 무대 위에서 진실되고 꾸밈없는 동작으로 이 개념을 생생하게 전달할 수 있다.

무용수는 무대에 자신감 있게 등장한다. 그의 발걸음은 확고하고 자연스러우며, 팔과 다리는 자유롭게 움직인다. 이 초기 동작은 무용수가 솔직하고 진실된 태도로 무대를 시작하는 순간의 신뢰와 개방성을 상징한다.

무용수의 움직임은 점점 더 자연스럽고 투명해진다. 그의 몸짓은 진실된 감정과 생각을 있는 그대로 표현한다. 발걸음은 리드미컬하게 이어지고, 팔과 다리는 유연하게 뻗어 솔

직한 마음을 나타낸다. 이 동작은 무용수가 꾸밈없는 솔직함을 통해 자신의 진정성을
보여주는 모습을 나타낸다.

내면의 진실성과 개방성은 차분하고 자유로운 동작으로 표현된다. 무용수는 내면의 진
실성과 개방성을 몸짓으로 표현하며, 그의 움직임은 차분하고 자연스럽다. 발걸음은 가
볍게 이어지고, 팔과 다리는 부드럽게 움직인다. 이 동작은 무용수가 솔직한 태도로 내
면의 진실성을 표현하고 공유하는 과정을 상징한다.

솔직함의 절정은 강렬하고 확신에 찬 동작으로 표현된다. 무용수는 솔직함의 절정에서
몸을 최대한으로 사용하여 강렬한 움직임을 선보인다. 발걸음은 빠르고 힘차게 이어지
며, 팔과 다리는 넓게 펼쳐져 솔직함의 중요성을 강조한다. 이 동작은 무용수가 꾸밈없
는 솔직함의 절정에서 느끼는 깊은 감정과 확신을 나타낸다.

마지막으로, 꾸밈없는 솔직함의 여운은 평온하고 안정된 동작으로 마무리된다. 무용수는
무대의 중심에서 평온한 자세를 취하며, 솔직함의 여운을 남긴다. 그의 몸짓은 부드럽고
안정적이며, 내면의 평화와 만족을 나타낸다. 무용수는 앞으로의 가능성을 기대하는 모
습을 보여준다.

꾸밈이 없는 동작에 대해서는 그냥 솔직한 평상시 움직임이 바로 그냥 원래의 모습이
더 잘 표현되었을 것 같다.

"꾸밈없는 솔직함"은 이렇게 다양한 움직임을 통해 숨김없이 진실되고 직설적인 태도를
시각적으로 표현한다. 무용수의 몸짓 하나하나는 솔직함의 시작, 자연스럽고 투명한 표
현, 내면의 진실성과 개방성, 솔직함의 절정, 그리고 여운을 생생하게 전달하며, 관객에
게 깊은 인상을 남긴다.

ascending supremacy 상승하는 패권

상승하는 패권은 점차 권력과 영향력이 증가하는 과정을 의미한다. 이는 무용수의 강렬
하고 점진적인 움직임을 통해 신체적으로 표현될 수 있다. 무용수는 무대 위에서 권력
과 영향력이 커지는 과정을 생생하게 전달할 수 있다.

무용수는 무대에 확고하고 결연한 모습으로 등장한다. 그의 발걸음은 강하고 자신감 있

으며, 팔과 다리는 힘차게 뻗어진다. 이 초기 동작은 무용수가 패권을 잡기 위한 첫걸음을 내딛는 순간의 결의와 확신을 상징한다.

무용수의 움직임은 점점 더 강렬하고 확신에 찬 모습으로 변한다. 그의 몸짓은 권력과 영향력이 커지는 과정을 나타내며, 발걸음은 리드미컬하게 이어지고 팔과 다리는 넓게 펼쳐진다. 이 동작은 무용수가 패권을 잡아가는 과정을 표현한다.

내면의 결단과 열망은 깊고 강렬한 동작으로 표현된다. 무용수는 내면의 결단과 열망을 몸짓으로 표현하며, 그의 움직임은 차분하면서도 강렬하다. 발걸음은 신중하게 이어지고, 팔과 다리는 부드럽게 움직인다. 이 동작은 무용수가 패권을 잡기 위해 내면의 결단과 열망을 다지는 과정을 상징한다.

패권의 절정은 폭발적이고 강력한 동작으로 표현된다. 무용수는 패권의 절정에서 몸을 최대한으로 사용하여 강렬한 움직임을 선보인다. 발걸음은 빠르고 힘차게 이어지며, 팔과 다리는 넓게 펼쳐져 패권의 중요성과 강렬함을 강조한다. 이 동작은 무용수가 상승하는 패권의 절정에서 느끼는 강한 감정과 확신을 나타낸다.

마지막으로, 상승하는 패권의 여운은 평온하고 안정된 동작으로 마무리된다. 무용수는 무대의 중심에서 평온한 자세를 취하며, 패권의 여운을 남긴다. 그의 몸짓은 부드럽고 안정적이며, 내면의 평화와 만족을 나타낸다. 무용수의 시선은 멀리 바라보며, 앞으로의 가능성을 기대하는 모습을 보여준다.

"상승하는 패권"은 이렇게 다양한 움직임을 통해 점차 권력과 영향력이 증가하는 과정을 시각적으로 표현한다. 무용수의 몸짓 하나하나는 패권의 시작, 강렬하고 확신에 찬 움직임, 내면의 결단과 열망, 패권의 절정, 그리고 여운을 생생하게 전달하며, 관객에게 깊은 인상을 남긴다.

scribed productiveness 할당된 생산성

할당된 생산성은 특정한 목표나 역할에 대해 부여된 생산성이나 효율성을 의미한다. 이는 무용수의 체계적이고 목적 지향적인 움직임을 통해 신체적으로 표현될 수 있다. 무용수는 무대 위에서 목표 달성을 위해 부여된 생산성을 극대화하는 동작으로 이 개념을 생생하게 전달할 수 있다.

무용수는 무대에 자신감 있고 확고한 모습으로 등장한다. 그의 발걸음은 목표를 향해 힘차게 나아가며, 팔과 다리는 체계적이고 정확하게 움직인다. 이 초기 동작은 무용수가 할당된 생산성을 실현하기 위한 시작의 결의와 집중을 상징한다.

무용수의 움직임은 점점 더 체계적이고 효율적으로 변한다. 그의 몸짓은 주어진 목표를 달성하기 위해 효율적으로 움직이며, 각 동작은 명확한 목적을 가지고 있다. 발걸음은 일정한 리듬을 유지하고, 팔과 다리는 정해진 궤적을 따라 유연하게 뻗어진다. 이 동작은 무용수가 할당된 생산성을 최대로 발휘하는 모습을 보여준다.

내면의 집중과 노력은 깊고 안정된 동작으로 표현된다. 무용수는 목표 달성을 위해 내면의 집중과 노력을 기울이며, 그의 움직임은 차분하고 신중하다. 발걸음은 신중하게 이어지고, 팔과 다리는 부드럽게 움직인다. 이 동작은 무용수가 할당된 생산성을 달성하기 위해 내면의 집중과 노력을 다하는 과정을 상징한다.

생산성의 절정은 강렬하고 확신에 찬 동작으로 표현된다. 무용수는 생산성의 절정에서 몸을 최대한으로 사용하여 강렬한 움직임을 선보인다. 발걸음은 빠르고 힘차게 이어지며, 팔과 다리는 넓게 펼쳐져 생산성의 중요성과 효과를 강조한다. 이 동작은 무용수가 할당된 생산성을 최대한으로 발휘하는 절정의 순간을 나타낸다.

마지막으로, 할당된 생산성의 여운은 평온하고 안정된 동작으로 마무리된다. 무용수는 무대의 중심에서 평온한 자세를 취하며, 생산성의 여운을 남긴다. 그의 몸짓은 부드럽고 안정적이며, 내면의 평화와 만족을 나타낸다.

"할당된 생산성"은 이렇게 다양한 움직임을 통해 특정한 목표나 역할에 대해 부여된 생산성과 효율성을 시각적으로 표현한다. 무용수의 몸짓 하나하나는 목표 달성을 위한 시작, 체계적이고 효율적인 움직임, 내면의 집중과 노력, 생산성의 절정, 그리고 여운을 생생하게 전달한다.

aspiring genius 포부가 큰 천재

포부가 큰 천재는 높은 목표를 가지고 그 목표를 향해 끊임없이 노력하는 뛰어난 재능을 가진 사람을 의미한다. 이는 무용수의 열정적이고 목표 지향적인 움직임을 통해 신체적으로 표현될 수 있다. 무용수는 무대 위에서 꿈과 목표를 향해 나아가는 동작으로 이 개념을 생생하게 전달할 수 있다.

무용수는 무대에 강한 자신감과 열정으로 등장한다. 그의 발걸음은 확고하고, 팔과 다리는 강렬하게 움직인다. 이 초기 동작은 무용수가 자신의 높은 목표와 포부를 향해 첫걸음을 내딛는 순간의 열정과 결의를 상징한다.

무용수의 움직임은 점점 더 역동적이고 힘차게 변한다. 그의 몸짓은 목표를 향한 열정과 재능을 표현하며, 각 동작은 에너지와 집중력을 담고 있다. 발걸음은 빠르고 리드미컬하게 이어지며, 팔과 다리는 넓게 펼쳐져 그의 포부와 재능을 강조한다. 이 동작은 무용수가 높은 목표를 향해 끊임없이 노력하는 모습을 보여준다.

내면의 열망과 결단은 깊고 강렬한 동작으로 표현된다. 무용수는 목표를 향한 열망과 결단을 내면에서 느끼며, 그의 움직임은 깊이 있는 집중과 강한 에너지를 담고 있다. 발걸음은 신중하게 이어지고, 팔과 다리는 부드럽게 움직인다. 이 동작은 무용수가 높은 목표를 달성하기 위해 내면의 결단과 열망을 다지는 과정을 상징한다.

재능의 절정은 폭발적이고 확신에 찬 동작으로 표현된다. 무용수는 재능과 열정의 절정에서 몸을 최대한으로 사용하여 폭발적인 움직임을 선보인다. 발걸음은 빠르고 힘차게 이어지며, 팔과 다리는 넓게 펼쳐져 재능과 열정의 중요성을 강조한다. 이 동작은 무용수가 자신의 재능과 열정을 최대한으로 발휘하는 절정의 순간을 나타낸다.

마지막으로, 포부가 큰 천재의 여운은 평온하고 안정된 동작으로 마무리된다. 무용수는 무대의 중심에서 평온한 자세를 취하며, 열정과 재능의 여운을 남긴다. 그의 몸짓은 부드럽고 안정적이며, 내면의 평화와 만족을 나타낸다. 무용수의 시선은 멀리 바라보며, 앞으로의 가능성을 기대하는 모습을 보여준다.

"포부가 큰 천재"는 이렇게 다양한 움직임을 통해 높은 목표를 가지고 그 목표를 향해 끊임없이 노력하는 뛰어난 재능을 시각적으로 표현한다. 무용수의 몸짓 하나하나는 목표를 향한 첫걸음, 역동적이고 힘찬 움직임, 내면의 열망과 결단, 재능과 열정의 절정, 그리고 여운을 생생하게 전달하며, 관객에게 깊은 인상을 남긴다.

assembled arguments 모아진 주장/논쟁

모아진 주장/논쟁은 다양한 관점과 의견이 결집되어 논의되는 상황을 의미한다. 이는 무용수들의 동적이고 상호작용 적인 움직임을 통해 신체적으로 표현될 수 있다. 무용수들은 무대 위에서 다양한 주장과 논쟁을 나타내는 동작으로 이 개념을 생생하게 전달할 수 있다.

무용수들이 무대에 각기 다른 방향에서 등장한다. 각 무용수의 발걸음은 확고하고 독립적이며, 팔과 다리는 자신의 주장을 표현하는 듯 다양한 방향으로 움직인다. 이 초기 동작은 무용수들이 각각의 주장과 의견을 가지고 모여드는 순간을 상징한다.

무용수들의 움직임은 점점 더 상호작용적으로 변한다. 그들의 몸짓은 서로 교차하고 부딪히며, 다양한 주장과 의견이 충돌하는 모습을 보여준다. 발걸음은 리드미컬하게 이어지고, 팔과 다리는 강하게 뻗어져 서로의 의견을 표현하고 논쟁을 벌인다. 이 동작은 무용수들이 모여서 다양한 관점과 주장을 펼치는 논쟁의 장을 나타낸다.

내면의 갈등과 조화는 복잡하고 강렬한 동작으로 표현된다. 무용수들은 논쟁 속에서 내면의 갈등과 조화를 찾으려 노력하며, 그들의 움직임은 복잡하고 강렬하다. 발걸음은 불규칙하게 이어지고, 팔과 다리는 다양한 방향으로 움직인다. 이 동작은 무용수들이 논쟁을 통해 내면의 갈등을 극복하고 조화를 이루는 과정을 상징한다.

논쟁의 절정은 폭발적이고 강력한 동작으로 표현된다. 무용수들은 논쟁의 절정에서 몸을 최대한으로 사용하여 강력한 움직임을 선보인다. 발걸음은 빠르고 힘차게 이어지며, 팔과 다리는 넓게 펼쳐져 논쟁의 열기를 강조한다. 이 동작은 무용수들이 모아진 주장과 논쟁의 절정에서 느끼는 강한 감정과 에너지를 나타낸다.

마지막으로, 모아진 주장/논쟁의 여운은 평온하고 안정된 동작으로 마무리된다. 무용수들은 무대의 중심에서 평온한 자세를 취하며, 논쟁의 여운을 남긴다. 그들의 몸짓은 부드럽고 안정적이며, 내면의 평화와 조화를 나타낸다. 무용수들의 시선은 멀리 바라보며,

앞으로의 가능성을 기대하는 모습을 보여준다.

"모아진 주장/논쟁"은 이렇게 다양한 움직임을 통해 다양한 관점과 의견이 결집되어 논의되는 상황을 시각적으로 표현한다. 무용수들의 몸짓 하나하나는 주장과 의견의 시작, 상호작용과 충돌, 내면의 갈등과 조화, 논쟁의 절정, 그리고 여운을 생생하게 전달하며, 관객에게 깊은 인상을 남긴다.

assiduously cultivated 부지런히 경작된

부지런히 경작된 것은 끊임없는 노력과 세심한 주의를 기울여 가꾸어진 것을 의미한다. 이는 무용수의 반복적이고 세심한 움직임을 통해 신체적으로 표현될 수 있다. 무용수는 무대 위에서 지속적이고 꾸준한 노력을 나타내는 동작으로 이 개념을 생생하게 전달할 수 있다.

무용수는 무대에 차분하고 집중된 모습으로 등장한다. 그의 발걸음은 신중하고 일정하며, 팔과 다리는 세심하게 움직인다. 이 초기 동작은 무용수가 부지런히 경작된 노력을 시작하는 순간의 결의와 집중을 상징한다.

무용수의 움직임은 점점 더 반복적이고 규칙적으로 변한다. 그의 몸짓은 지속적이고 세심한 주의를 기울이는 과정을 나타낸다. 발걸음은 리드미컬하게 이어지고, 팔과 다리는 일정한 패턴으로 움직여 부지런한 노력을 표현한다. 이 동작은 무용수가 끊임없이 노력하며 자신의 목표를 향해 나아가는 모습을 보여준다.

내면의 헌신과 열정은 깊고 강렬한 동작으로 표현된다. 무용수는 내면의 열정과 헌신을 몸짓으로 표현하며, 그의 움직임은 강렬하고 집중적이다. 발걸음은 신중하게 이어지고, 팔과 다리는 부드럽게 움직인다. 이 동작은 무용수가 부지런히 경작된 노력의 결실을 맺기 위해 내면의 열정과 헌신을 다하는 과정을 상징한다.

노력의 절정은 강렬하고 확신에 찬 동작으로 표현된다. 무용수는 노력의 절정에서 몸을 최대한으로 사용하여 강렬한 움직임을 선보인다. 발걸음은 빠르고 힘차게 이어지며, 팔과 다리는 넓게 펼쳐져 노력의 중요성과 결실을 강조한다. 이 동작은 무용수가 부지런한 노력의 절정에서 느끼는 깊은 감정과 성취감을 나타낸다.

마지막으로, 부지런히 경작된 노력의 여운은 평온하고 안정된 동작으로 마무리된다. 무용수는 무대의 중심에서 평온한 자세를 취하며, 노력의 여운을 남긴다. 그의 몸짓은 부드럽고 안정적이며, 내면의 평화와 만족을 나타낸다.

"부지런히 경작된"은 이렇게 다양한 움직임을 통해 끊임없는 노력과 세심한 주의를 기울여 가꾸어진 것을 시각적으로 표현한다. 무용수의 몸짓 하나하나는 노력의 시작, 지속적이고 세심한 주의, 내면의 헌신과 열정, 노력의 절정, 그리고 여운을 생생하게 전달하며, 관객에게 깊은 인상을 남긴다.

assumed humiliation 추정되는 굴욕

추정되는 굴욕은 실제로 겪은 것이 아니지만, 자신이 굴욕적인 상황에 처해 있다고 느끼거나 상상하는 것을 의미한다. 이는 무용수의 불안정하고 위축된 움직임을 통해 신체적으로 표현될 수 있다. 무용수는 무대 위에서 내면의 굴욕감을 나타내는 동작으로 이 개념을 생생하게 전달할 수 있다.

무용수는 무대에 조심스럽고 불안한 모습으로 등장한다. 그의 발걸음은 불확실하고 주저하며, 팔과 다리는 위축된 상태로 움직인다. 이 초기 동작은 무용수가 굴욕감을 느끼며 첫걸음을 내딛는 순간의 불안과 불편함을 상징한다.

무용수의 움직임은 점점 더 위축되고 불안정해진다. 그의 몸짓은 주위를 의식하며 위축된 자세로 이어지며, 내면의 굴욕감을 표현한다. 발걸음은 불규칙하게 이어지고, 팔과 다리는 긴장된 상태로 움직인다. 이 동작은 무용수가 추정되는 굴욕 속에서 느끼는 내면의 갈등과 불안을 나타낸다.

내면의 갈등과 고통은 강렬하고 복잡한 동작으로 표현된다. 무용수는 굴욕감 속에서 내면의 갈등과 고통을 겪으며, 그의 움직임은 혼란스럽고 긴장감이 넘친다. 발걸음은 불안정하게 이어지고, 팔과 다리는 떨리며 다양한 방향으로 움직인다. 이 동작은 무용수가 추정되는 굴욕 속에서 내면의 갈등과 고통을 표현하는 과정을 상징한다. 또한 굴욕감의 절정은 폭발적이고 강렬한 동작으로 표현된다. 무용수는 굴욕감의 절정에서 몸을 최대한으로 사용하여 폭발적인 움직임을 한다. 발걸음은 빠르고 힘차게 이어지며, 팔과 다리는 넓게 펼쳐져 공간을 가로지른다. 이 동작은 무용수가 굴욕감의 절정에서 느끼는 강렬한 감정과 고통을 나타낸다.

마지막으로, 추정되는 굴욕의 여운은 점차 평온하고 안정된 동작으로 마무리된다. 무용수는 무대의 중심에서 평온한 자세를 취하며, 굴욕감의 여운을 남긴다. 그의 몸짓은 차츰 부드럽고 안정적으로 변하여 내면의 평화를 찾는 과정을 보여준다.

"추정되는 굴욕"은 이렇게 다양한 움직임을 통해 실제로 겪은 것이 아니지만, 자신이 굴욕적인 상황에 처해 있다고 느끼거나 상상하는 감정을 시각적으로 표현한다. 무용수의 몸짓 하나하나는 굴욕감의 시작, 위축된 자세, 내면의 갈등과 고통, 굴욕감의 절정, 그리고 여운을 생생하게 전달하며, 관객에게 깊은 인상을 남긴다.

assuredly enshrined 확실하게 고이 간직된

확실하게 고이 간직된 것은 소중한 것이 확실하게 보존되고 존중받는 상태를 의미한다. 이는 무용수의 세심하고 신중한 움직임을 통해 신체적으로 표현될 수 있다. 무용수는 무대 위에서 소중한 것을 지키고 보호하는 동작으로 이 개념을 생생하게 전달할 수 있다.

무용수는 무대에 조심스럽고 신중한 모습으로 등장한다. 그의 발걸음은 가볍고 섬세하며, 팔과 다리는 부드럽게 움직인다. 이 초기 동작은 무용수가 소중한 것을 지키기 위해 신중하게 움직이는 순간의 세심함과 주의를 상징한다.

무용수의 움직임은 점점 더 안정되고 보호적인 동작으로 변한다. 그의 몸짓은 소중한 것을 고이 간직하는 모습을 나타내며, 발걸음은 일정한 리듬을 유지한다. 팔과 다리는 소중한 것을 보호하듯이 부드럽게 감싼다. 이 동작은 무용수가 확실하게 소중한 것을 보존하고 보호하는 모습을 보여준다.

내면의 헌신과 사랑은 깊고 부드러운 동작으로 표현된다. 무용수는 내면의 헌신과 사랑을 몸짓으로 표현하며, 그의 움직임은 차분하고 따뜻하다. 발걸음은 천천히 이어지고, 팔과 다리는 조심스럽게 움직인다. 이 동작은 무용수가 소중한 것을 확실하게 간직하기 위해 내면의 헌신과 사랑을 다하는 과정을 상징한다.

보호의 절정은 강렬하고 확신에 찬 동작으로 표현된다. 무용수는 보호의 절정에서 몸을 최대한으로 사용하여 강렬한 움직임을 선보인다. 발걸음은 빠르고 힘차게 이어지며, 팔과 다리는 넓게 펼쳐져 보호의 중요성을 강조한다. 이 동작은 무용수가 소중한 것을 확실하게 보호하고 간직하는 절정의 순간을 나타낸다.

마지막으로, 확실하게 고이 간직된 것의 여운은 평온하고 안정된 동작으로 마무리된다. 무용수는 무대의 중심에서 평온한 자세를 취하며, 간직된 것의 여운을 남긴다. 그의 몸짓은 부드럽고 안정적이며, 내면의 평화와 만족을 나타낸다. 무용수의 시선은 멀리 바라보며, 앞으로의 가능성을 기대하는 모습을 보여준다.

"확실하게 고이 간직된"은 이렇게 다양한 움직임을 통해 소중한 것이 확실하게 보존되고 존중받는 상태를 시각적으로 표현한다. 무용수의 몸짓 하나하나는 보호의 시작, 안정되고 보호적인 동작, 내면의 헌신과 사랑, 보호의 절정, 그리고 여운을 생생하게 전달하며, 관객에게 깊은 인상을 남긴다.

astonishing facility 기막힌 사실

기막힌 사실은 예상치 못한 놀라운 사실이나 상황을 의미한다. 이는 무용수의 놀라움과 경이로움이 담긴 움직임을 통해 신체적으로 표현될 수 있다. 무용수는 무대 위에서 예기치 않은 사실을 발견하고 놀라워하는 동작으로 이 개념을 생생하게 전달할 수 있다.

무용수는 무대에 평범한 모습으로 등장한다. 그의 발걸음은 가볍고 자연스럽지만, 그의 몸짓은 무엇인가를 발견하려는 기대감으로 가득 차 있다. 이 초기 동작은 무용수가 아직 알지 못한 기막힌 사실을 마주할 준비를 하는 순간의 호기심과 기대를 상징한다.

무용수의 움직임은 점점 더 강렬하고 놀라움이 가득해진다. 그의 몸짓은 갑작스럽게 변하며, 예상치 못한 사실을 마주한 순간의 놀라움과 경이로움을 표현한다. 발걸음은 빠르게 이어지고, 팔과 다리는 넓게 펼쳐져 그의 놀라움을 강조한다. 이 동작은 무용수가 기막힌 사실을 발견하고 놀라워하는 모습을 보여준다.

내면의 경이로움과 혼란은 복잡하고 강렬한 동작으로 표현된다. 무용수는 기막힌 사실에 대한 내면의 경이로움과 혼란을 몸짓으로 표현하며, 그의 움직임은 강렬하고 복잡하다. 발걸음은 불규칙하게 이어지고, 팔과 다리는 다양한 방향으로 움직인다. 이 동작은 무용수가 기막힌 사실을 마주한 후 내면의 감정을 정리하는 과정을 상징한다.

사실의 절정은 폭발적이고 강렬한 동작으로 표현된다. 무용수는 기막힌 사실의 절정에서 몸을 최대한으로 사용하여 강렬한 움직임을 선보인다. 발걸음은 빠르고 힘차게 이어지며, 팔과 다리는 넓게 펼쳐져 사실의 중요성과 충격을 강조한다. 이 동작은 무용수가 기막힌 사실의 절정에서 느끼는 강한 감정과 경이로움을 나타낸다.

마지막으로, 기막힌 사실의 여운은 평온하고 안정된 동작으로 마무리된다. 무용수는 무대의 중심에서 평온한 자세를 취하며, 사실의 여운을 남긴다. 그의 몸짓은 부드럽고 안정적이며, 내면의 평화와 만족을 나타낸다.

"기막힌 사실"은 이렇게 다양한 움직임을 통해 예상치 못한 놀라운 사실이나 상황을 시각적으로 표현한다. 무용수의 몸짓 하나하나는 놀라움의 시작, 강렬한 경이로움, 내면의 경이로움과 혼란, 사실의 절정, 그리고 여운을 생생하게 전달하며, 관객에게 깊은 인상을 남긴다.

astounding mistakes 믿기 어려운 실수

믿기 어려운 실수는 매우 놀랍고 이해하기 힘든 실수를 의미한다. 이는 무용수의 혼란스럽고 불안한 움직임을 통해 신체적으로 표현될 수 있다. 무용수는 무대 위에서 예상치 못한 실수를 저지르고 그로 인한 충격과 당혹감을 나타내는 동작으로 이 개념을 생생하게 전달할 수 있다.

무용수는 무대에 자신감 있게 등장하지만, 그의 움직임은 점점 불안정해진다. 초기 동작은 확고하지만, 그의 발걸음과 팔 동작은 예기치 않은 실수를 저지른 후 혼란스럽고 불안정한 모습을 보인다. 이 초기 동작은 무용수가 믿기 어려운 실수를 저지르는 순간의 충격과 당혹감을 상징한다.

무용수의 움직임은 점점 더 혼란스럽고 급격해진다. 그의 몸짓은 실수를 인식한 후의 혼란과 당황을 나타내며, 발걸음은 불규칙하게 이어지고 팔과 다리는 조급하게 움직인다. 이 동작은 무용수가 실수를 저지르고 그로 인해 겪는 감정의 소용돌이를 표현한다.

내면의 당혹감과 불안은 강렬하고 불규칙한 동작으로 표현된다. 무용수는 실수로 인한 내면의 갈등과 불안을 몸짓으로 표현하며, 그의 움직임은 불안정하고 혼란스럽다. 발걸음은 예측할 수 없게 이어지고, 팔과 다리는 다양한 방향으로 움직인다. 이 동작은 무용수가 실수로 인해 내면의 혼란과 불안을 겪는 과정을 상징한다.

실수의 절정은 폭발적이고 강력한 동작으로 표현된다. 무용수는 실수의 절정에서 몸을 최대한으로 사용하여 강력한 움직임을 선보인다. 발걸음은 빠르고 힘차게 이어지며, 팔과 다리는 넓게 펼쳐져 실수의 충격과 중요성을 강조한다. 이 동작은 무용수가 믿기 어려운 실수의 절정에서 느끼는 강한 감정과 혼란을 나타낸다.

마지막으로, 믿기 어려운 실수의 여운은 점차 평온하고 안정된 동작으로 마무리된다. 무용수는 무대의 중심에서 평온한 자세를 취하며, 실수의 여운을 남긴다. 그의 몸짓은 차츰 부드럽고 안정적으로 변하여 내면의 평화를 찾는 과정을 보여준다. 무용수의 시선은 멀리 바라보며, 앞으로의 가능성을 기대하는 모습을 나타낸다.

"믿기 어려운 실수"는 이렇게 다양한 움직임을 통해 매우 놀랍고 이해하기 힘든 실수를 시각적으로 표현한다. 무용수의 몸짓 하나하나는 실수의 시작, 혼란과 당혹, 내면의 갈등과 불안, 실수의 절정, 그리고 여운을 생생하게 전달하며, 관객에게 깊은 인상을 남긴다.

astute observer 영악한 목격자

영악한 목격자는 상황을 날카롭게 관찰하고 정확하게 판단하는 능력을 가진 사람을 의미한다. 이는 무용수의 예리하고 주의 깊은 움직임을 통해 신체적으로 표현될 수 있다. 무용수는 무대 위에서 상황을 예리하게 관찰하고 분석하는 동작으로 이 개념을 생생하게 전달할 수 있다.

무용수는 무대에 조심스럽고 주의 깊은 모습으로 등장한다. 그의 발걸음은 가볍고 신중하며, 팔과 다리는 섬세하게 움직인다. 이 초기 동작은 무용수가 상황을 주의 깊게 관찰하는 순간의 집중력과 예리함을 상징한다.

무용수의 움직임은 점점 더 예리하고 집중력 있게 변한다. 그의 몸짓은 관찰한 내용을 분석하고 판단하는 과정을 나타낸다. 발걸음은 리드미컬하게 이어지고, 팔과 다리는 다양한 방향으로 유연하게 뻗어 관찰의 깊이를 보여준다. 이 동작은 무용수가 예리하게 상황을 관찰하고 분석하는 모습을 표현한다.

내면의 통찰력과 판단력은 깊고 강렬한 동작으로 표현된다. 무용수는 관찰을 통해 얻은 정보를 바탕으로 날카로운 통찰력과 판단력을 발휘하며, 그의 움직임은 차분하고 확고하다. 발걸음은 신중하게 이어지고, 팔과 다리는 부드럽게 움직인다. 이 동작은 무용수가 영악한 목격자로서 내면의 통찰력과 판단력을 발휘하는 과정을 상징한다.

관찰의 절정은 강렬하고 확신에 찬 동작으로 표현된다. 무용수는 관찰의 절정에서 몸을 최대한으로 사용하여 강렬한 움직임을 선보인다. 발걸음은 빠르고 힘차게 이어지며, 팔과 다리는 넓게 펼쳐져 관찰의 중요성과 결과를 강조한다.

이 동작은 무용수가 영악한 목격자로서 상황을 완벽히 이해하고 판단하는 절정의 순간을 나타낸다.

마지막으로, 영악한 목격자의 여운은 평온하고 안정된 동작으로 마무리된다. 무용수는 무대의 중심에서 평온한 자세를 취하며, 관찰의 여운을 남긴다.

그의 몸짓은 부드럽고 안정적이며, 내면의 평화와 만족을 나타낸다. 무용수의 시선은 멀리 바라보며, 앞으로의 가능성을 기대하는 모습을 보여주며 영악한 목격자의 상황을 이해하려 애쓴다.

"영악한 목격자"는 이렇게 다양한 움직임을 통해 상황을 날카롭게 관찰하고 정확하게 판단하는 능력을 시각적으로 표현한다. 무용수의 몸짓 하나하나는 관찰의 시작, 예리한 분석, 내면의 통찰력과 판단력, 관찰의 절정, 그리고 여운을 생생하게 전달하며, 관객에게 깊은 인상을 남긴다.

atoning sacrifice 속죄의 제물

속죄의 제물은 잘못을 보상하기 위해 희생되는 것을 의미하며, 이는 무용수의 희생적이고 헌신적인 움직임을 통해 신체적으로 표현될 수 있다. 무용수는 무대 위에서 자신의 몸을 바쳐 속죄의 의미를 전달하는 동작으로 이 개념을 생생하게 표현할 수 있다.

무용수는 무대에 헌신적이고 희생적인 모습으로 등장한다. 그의 발걸음은 무겁고 결연하며, 팔과 다리는 부드럽게 펼쳐진다. 이 초기 동작은 무용수가 자신을 속죄의 제물로 바치려는 결의를 상징한다.

무용수의 움직임은 점점 더 희생적이고 헌신적으로 변한다. 그의 몸짓은 자신을 희생하는 과정을 나타내며, 발걸음은 느리고 신중하게 이어진다. 팔과 다리는 넓게 펼쳐져 자신을 바치는 모습을 강조한다. 이 동작은 무용수가 속죄의 제물로서 자신을 바치는 모습을 표현한다.

내면의 고통과 헌신은 깊고 강렬한 동작으로 표현된다. 무용수는 속죄의 과정에서 느끼는 고통과 헌신을 몸짓으로 표현하며, 그의 움직임은 강렬하고 진지하다. 발걸음은 신중하게 이어지고, 팔과 다리는 부드럽게 움직인다. 이 동작은 무용수가 속죄의 제물로서 내면의 고통과 헌신을 다하는 과정을 상징한다.

희생의 절정은 폭발적이고 강력한 동작으로 표현된다. 무용수는 희생의 절정에서 몸을 최대한으로 사용하여 강렬한 움직임을 선보인다. 발걸음은 빠르고 힘차게 이어지며, 팔과 다리는 넓게 펼쳐져 희생의 중요성과 깊이를 강조한다. 이 동작은 무용수가 속죄의 제물로서 자신의 모든 것을 바치는 절정의 순간을 나타낸다.

마지막으로, 속죄의 제물의 여운은 평온하고 안정된 동작으로 마무리된다. 무용수는 무대의 중심에서 평온한 자세를 취하며, 희생의 여운을 남긴다. 그의 몸짓은 부드럽고 안정적이며, 내면의 평화와 만족을 나타낸다.

"속죄의 제물"은 이렇게 다양한 움직임을 통해 잘못을 보상하기 위해 희생되는 과정을 시각적으로 표현한다. 무용수의 몸짓 하나하나는 희생의 시작, 헌신과 고통, 내면의 고통과 헌신, 희생의 절정, 그리고 여운을 생생하게 전달하며, 관객에게 깊은 인상을 남긴다.

atrocious expression 끔찍한 표정

끔찍한 표정은 극도로 부정적이고 충격적인 감정을 드러내는 얼굴 표정을 의미한다. 이는 무용수의 강렬하고 왜곡된 움직임을 통해 신체적으로 표현될 수 있다. 무용수는 무대 위에서 끔찍한 감정을 표현하는 동작으로 이 개념을 생생하게 전달할 수 있다.

무용수는 무대에 불안하고 긴장된 모습으로 등장한다. 그의 발걸음은 무겁고 느리며, 팔과 다리는 경직되어 있다. 이 초기 동작은 무용수가 끔찍한 감정을 느끼고 이를 표정으로 드러내기 직전의 긴장과 불안을 상징한다.

무용수의 움직임은 점점 더 강렬하고 왜곡된 형태로 변한다. 그의 몸짓은 끔찍한 표정을 지을 때의 강렬한 감정을 표현하며, 발걸음은 불규칙하게 이어지고, 팔과 다리는 격렬하게 움직인다. 이 동작은 무용수가 끔찍한 표정을 지을 때 느끼는 내면의 고통과 충격을 나타낸다.내면의 고통과 공포는 깊고 복잡한 동작으로 표현된다. 무용수는 끔찍한 감정 속에서 내면의 고통과 공포를 몸짓으로 표현하며, 그의 움직임은 불안정하고 혼란스럽다. 발걸음은 불규칙하게 이어지고, 팔과 다리는 다양한 방향으로 떨리며 움직인다. 이 동작은 무용수가 끔찍한 표정을 지을 때 느끼는 내면의 고통과 공포를 상징한다.

표정의 절정은 폭발적이고 강력한 동작으로 표현된다. 무용수는 표정의 절정에서 몸을 최대한으로 사용하여 강렬한 움직임을 선보인다. 발걸음은 빠르고 힘차게 이어지며, 팔과 다리는 넓게 펼쳐져 표정의 강렬함과 중요성을 강조한다. 이 동작은 무용수가 끔찍한 표정을 짓는 절정의 순간을 나타낸다.

마지막으로, 끔찍한 표정의 여운은 점차 평온하고 안정된 동작으로 마무리된다. 무용수는 무대의 중심에서 평온한 자세를 취하며, 끔찍한 표정의 여운을 남긴다. 그의 몸짓은 차츰 부드럽고 안정적으로 변하여 내면의 평화를 찾는 과정을 보여준다. 무용수의 시선은 멀리 바라보며, 앞으로의 가능성을 기대하는 모습을 나타낸다.

"끔찍한 표정"은 이렇게 다양한 움직임을 통해 극도로 부정적이고 충격적인 감정을 드러내는 얼굴 표정을 시각적으로 표현한다. 무용수의 몸짓 하나하나는 표정의 시작, 강렬한 왜곡, 내면의 고통과 공포, 표정의 절정, 그리고 여운을 생생하게 전달하며, 관객에게 깊은 충격을 남긴다.

attentive deference 배려하는 존중의 행동

배려하는 존중의 행동은 상대방의 감정과 상황을 세심하게 고려하고 존중하는 태도를 의미한다. 이는 무용수의 부드럽고 신중한 움직임을 통해 신체적으로 표현될 수 있다. 무용수는 무대 위에서 상대방을 배려하고 존중하는 동작으로 이 개념을 생생하게 전달할 수 있다.

무용수는 무대에 조심스럽고 신중한 모습으로 등장한다. 그의 발걸음은 가볍고 부드러우며, 팔과 다리는 유연하게 움직인다. 이 초기 동작은 무용수가 상대방을 배려하고 존중하는 순간의 세심함과 신중함을 상징한다.

무용수의 움직임은 점점 더 부드럽고 유연하게 변한다. 그의 몸짓은 상대방의 감정을 존중하며, 신중하게 배려하는 모습을 나타낸다. 발걸음은 리드미컬하게 이어지고, 팔과 다리는 넓게 펼쳐져 배려의 중요성을 강조한다. 이 동작은 무용수가 상대방을 배려하고 존중하는 행동을 표현한다.

내면의 존중과 배려는 차분하고 안정된 동작으로 표현된다. 무용수는 상대방을 존중하고 배려하는 마음을 몸짓으로 표현하며, 그의 움직임은 차분하고 안정적이다. 발걸음은 신중하게 이어지고, 팔과 다리는 부드럽게 움직인다. 이 동작은 무용수가 상대방을 배려하는 내면의 감정을 표현하고 공유하는 과정을 상징한다.

배려의 절정은 강렬하고 확신에 찬 동작으로 표현된다. 무용수는 배려의 절정에서 몸을 최대한으로 사용하여 강렬한 움직임을 선보인다. 발걸음은 빠르고 힘차게 이어지며, 팔과 다리는 넓게 펼쳐져 배려와 존중의 중요성을 강조한다. 이 동작은 무용수가 상대방을 배려하고 존중하는 절정의 순간을 나타낸다.

마지막으로, 배려하는 존중의 행동의 여운은 평온하고 안정된 동작으로 마무리된다. 무용수는 무대의 중심에서 평온한 자세를 취하며, 배려와 존중의 여운을 남긴다. 그의 몸짓은 부드럽고 안정적이며, 내면의 평화와 만족을 나타낸다. 무용수의 시선은 멀리 바라보며, 앞으로의 가능성을 기대하는 모습을 보여준다.

"배려하는 존중의 행동"은 이렇게 다양한 움직임을 통해 상대방의 감정과 상황을 세심하게 고려하고 존중하는 태도를 시각적으로 표현한다. 무용수의 몸짓 하나하나는 배려의 시작, 부드럽고 유연한 표현, 내면의 존중과 배려, 배려의 절정, 그리고 여운을 생생하게 전달하며, 관객에게 깊은 따스함을 남긴다.

attenuated sound 약해진 소리

약해진 소리는 점차 소리가 작아지고 희미해지는 것을 의미한다. 이는 무용수의 부드럽고 점점 희미해지는 움직임을 통해 신체적으로 표현될 수 있다. 무용수는 무대 위에서 소리가 약해지고 사라지는 과정을 나타내는 동작으로 이 개념을 생생하게 전달할 수 있다.

무용수는 무대에 가볍고 부드러운 모습으로 등장한다. 그의 발걸음은 조용하고 은은하며, 팔과 다리는 유연하게 움직인다. 이 초기 동작은 무용수가 소리가 점차 약해지는 과정을 시작하는 순간의 섬세함과 조용함을 상징한다.

무용수의 움직임은 점점 더 부드럽고 희미해진다. 그의 몸짓은 소리가 점차 작아지고 사라지는 모습을 표현하며, 발걸음은 조심스럽고 부드럽게 이어진다. 팔과 다리는 유연하게 뻗어져 소리의 희미함을 강조한다. 이 동작은 무용수가 약해진 소리를 시각적으로 표현하는 과정을 보여준다.

내면의 고요함과 희미함은 차분하고 은은한 동작으로 표현된다. 무용수는 내면의 고요함과 희미함을 몸짓으로 표현하며, 그의 움직임은 차분하고 섬세하다. 발걸음은 조심스럽게 이어지고, 팔과 다리는 부드럽게 움직인다. 이 동작은 무용수가 약해진 소리를 통해 내면의 고요함과 희미함을 나타내는 과정을 상징한다.

소리의 절정은 매우 부드럽고 은은한 동작으로 표현된다. 무용수는 소리의 절정에서 몸을 최대한으로 사용하여 부드럽고 은은한 움직임을 선보인다. 발걸음은 조용하고 은은하게 이어지며, 팔과 다리는 부드럽게 펼쳐져 소리의 약해짐과 희미함을 강조한다. 이 동작은 무용수가 약해진 소리의 절정에서 느끼는 내면의 고요함을 나타낸다.

마지막으로, 약해진 소리의 여운은 평온하고 안정된 동작으로 마무리된다. 무용수는 무대의 중심에서 평온한 자세를 취하며, 소리의 여운을 남긴다. 그의 몸짓은 부드럽고 안정적이며, 내면의 평화와 고요함을 나타낸다. 무용수의 시선은 멀리 바라보며, 앞으로의 가능성을 기대하는 모습을 보여준다.

"약해진 소리"는 이렇게 다양한 움직임을 통해 소리가 점차 작아지고 희미해지는 과정을 시각적으로 표현한다. 무용수의 몸짓 하나하나는 소리의 시작, 점점 희미해지는 움직임, 내면의 고요함과 희미함, 소리의 절정, 그리고 여운을 생생하게 전달하며, 관객에게 깊은 소리를 남긴다.

attested loyalty 입증된 충성심

입증된 충성심은 신뢰와 헌신이 확실하게 증명된 상태를 의미한다. 이는 무용수의 헌신적이고 일관된 움직임을 통해 신체적으로 표현될 수 있다. 무용수는 무대 위에서 충성심을 입증하는 동작으로 이 개념을 생생하게 전달할 수 있다.

무용수는 무대에 결의에 찬 모습으로 등장한다. 그의 발걸음은 확고하고 신중하며, 팔과 다리는 확실하고 결단력 있게 움직인다. 이 초기 동작은 무용수가 충성심을 입증하기 위해 첫걸음을 내딛는 순간의 결의와 헌신을 상징한다.

무용수의 움직임은 점점 더 일관되고 안정적으로 변한다. 그의 몸짓은 충성심을 증명하는 과정을 나타내며, 발걸음은 리드미컬하게 이어지고, 팔과 다리는 유연하게 뻗어 충성심의 깊이를 보여준다. 이 동작은 무용수가 충성심을 입증하며 헌신하는 모습을 표현한다.

내면의 신뢰와 헌신은 깊고 강렬한 동작으로 표현된다. 무용수는 내면의 신뢰와 헌신을 몸짓으로 표현하며, 그의 움직임은 차분하고 확고하다. 발걸음은 신중하게 이어지고, 팔과 다리는 부드럽게 움직인다. 이 동작은 무용수가 충성심을 입증하기 위해 내면의 신뢰와 헌신을 다하는 과정을 상징한다.

충성심의 절정은 강렬하고 확신에 찬 동작으로 표현된다. 무용수는 충성심의 절정에서 몸을 최대한으로 사용하여 강렬한 움직임을 선보인다. 발걸음은 빠르고 힘차게 이어지며, 팔과 다리는 넓게 펼쳐져 충성심의 중요성과 깊이를 강조한다. 이 동작은 무용수가 충성심을 입증하는 절정의 순간을 나타낸다.

마지막으로, 입증된 충성심의 여운은 평온하고 안정된 동작으로 마무리된다. 무용수는 무대의 중심에서 평온한 자세를 취하며, 충성심의 여운을 남긴다. 그의 몸짓은 부드럽고 안정적이며, 내면의 평화와 만족을 나타낸다. 무용수의 시선은 멀리 바라보며, 앞으로의 가능성을 기대하는 모습을 보여준다.

"입증된 충성심"은 이렇게 다양한 움직임을 통해 신뢰와 헌신이 확실하게 증명된 상태를 시각적으로 표현한다. 무용수의 몸짓 하나하나는 충성심의 시작, 일관된 움직임, 내면의 신뢰와 헌신, 충성심의 절정, 그리고 여운을 생생하게 전달하며, 관객에게 깊은 인상을 남긴다.

attractive exordium 매력적인 서론

매력적인 서론은 독자의 관심을 끌고 흥미를 유발하는 첫 부분을 의미한다. 이는 무용수의 유려하고 흥미로운 움직임을 통해 신체적으로 표현될 수 있다. 무용수는 무대 위에서 관객의 시선을 사로잡고 호기심을 유발하는 동작으로 이 개념을 생생하게 전달할수 있다.

무용수는 무대에 우아하고 자신감 있는 모습으로 등장한다. 그의 발걸음은 경쾌하고 자연스러우며, 팔과 다리는 유연하게 움직인다. 이 초기 동작은 무용수가 관객의 주의를 끌기 위해 매력적인 서론을 시작하는 순간의 자신감과 매력을 상징한다.

무용수의 움직임은 점점 더 유려하고 흥미롭게 변한다. 그의 몸짓은 관객의 관심을 끌기 위해 섬세하고 매력적으로 이어지며, 발걸음은 리드미컬하게 이어진다. 팔과 다리는 다양한 방향으로 유연하게 뻗어 관객의 시선을 끌고 호기심을 자극한다. 이 동작은 무용수가 매력적인 서론을 통해 관객의 관심을 사로잡는 모습을 표현한다.

내면의 흥미와 기대감은 깊고 활기찬 동작으로 표현된다. 무용수는 서론의 매력을 극대화하며, 그의 움직임은 활기차고 생동감 넘친다. 발걸음은 빠르고 경쾌하게 이어지고, 팔과 다리는 부드럽게 움직인다. 이 동작은 무용수가 매력적인 서론을 통해 내면의 흥미와 기대감을 표현하고 공유하는 과정을 상징한다.

서론의 절정은 강렬하고 확신에 찬 동작으로 표현된다. 무용수는 서론의 절정에서 몸을 최대한으로 사용하여 강렬한 움직임을 선보인다. 발걸음은 빠르고 힘차게 이어지며, 팔과 다리는 넓게 펼쳐져 서론의 중요성과 매력을 강조한다. 이 동작은 무용수가 매력적인 서론의 절정에서 느끼는 강한 감정과 흥미를 나타낸다.

마지막으로, 매력적인 서론의 여운은 평온하고 안정된 동작으로 마무리된다. 무용수는 무대의 중심에서 평온한 자세를 취하며, 서론의 여운을 남긴다. 그의 몸짓은 부드럽고 안정적이며, 내면의 평화와 만족을 나타낸다. 무용수의 시선은 멀리 바라보며, 앞으로의 이야기를 기대하는 모습을 보여준다.

"매력적인 서론"은 이렇게 다양한 움직임을 통해 독자의 관심을 끌고 흥미를 유발하는 첫 부분을 시각적으로 표현한다. 무용수의 몸짓 하나하나는 서론의 시작, 유려하고 흥미로운 표현, 내면의 흥미와 기대감, 서론의 절정, 그리고 여운을 생생하게 전달하며, 관객에게 깊은 인상을 남긴다.

auspicious moment 상서로운 순간

상서로운 순간은 좋은 일이 일어날 것 같은 징조가 보이는 시간을 의미한다. 이는 무용수의 희망적이고 긍정적인 움직임을 통해 신체적으로 표현될 수 있다. 무용수는 무대 위에서 기대와 희망이 가득한 동작으로 이 개념을 생생하게 전달할 수 있다.

무용수는 무대에 밝고 경쾌한 모습으로 등장한다. 그의 발걸음은 가볍고 활기차며, 팔과 다리는 유연하게 움직인다. 이 초기 동작은 무용수가 상서로운 순간을 맞이할 준비가 된 순간의 희망과 기대를 상징한다.

무용수의 움직임은 점점 더 활기차고 긍정적으로 변한다. 그의 몸짓은 기대와 희망을 표현하며, 발걸음은 리드미컬하게 이어지고 팔과 다리는 다양한 방향으로 유연하게 뻗어진다. 이 동작은 무용수가 상서로운 순간을 맞이하며 느끼는 내면의 희망과 긍정적인 감정을 나타낸다.

내면의 희망과 기쁨은 깊고 풍부한 동작으로 표현된다. 무용수는 내면의 희망과 기쁨을 몸짓으로 표현하며, 그의 움직임은 차분하면서도 기쁨이 넘친다. 발걸음은 부드럽게 이어지고, 팔과 다리는 부드럽게 움직인다. 이 동작은 무용수가 상서로운 순간을 맞이하며 내면의 희망과 기쁨을 표현하는 과정을 상징한다.

상서로운 순간의 절정은 강렬하고 확신에 찬 동작으로 표현된다. 무용수는 상서로운 순간의 절정에서 몸을 최대한으로 사용하여 강렬한 움직임을 선보인다. 발걸음은 빠르고 힘차게 이어지며, 팔과 다리는 넓게 펼쳐져 순간의 중요성과 희망을 강조한다. 이 동작은 무용수가 상서로운 순간의 절정에서 느끼는 깊은 감정과 기쁨을 나타낸다.

마지막으로, 상서로운 순간의 여운은 평온하고 안정된 동작으로 마무리된다. 무용수는 무대의 중심에서 평온한 자세를 취하며, 순간의 여운을 남긴다. 그의 몸짓은 부드럽고 안정적이며, 내면의 평화와 만족을 나타낸다. 무용수의 시선은 멀리 바라보며, 앞으로의 가능성을 기대하는 모습을 보여준다.

"상서로운 순간"은 이렇게 다양한 움직임을 통해 좋은 일이 일어날 것 같은 징조가 보이는 시간을 시각적으로 표현한다. 무용수의 몸짓 하나하나는 순간의 시작, 활기차고 긍정적인 표현, 내면의 희망과 기쁨, 순간의 절정, 그리고 여운을 생생하게 전달하며, 관객에게 깊은 인상을 남긴다.

austere charm 엄격한 매력

엄격한 매력은 단순하고 절제된 아름다움을 의미하며, 이는 강한 규율과 품위를 가진 매력이다. 이는 무용수의 정제된 움직임과 엄격한 자세를 통해 신체적으로 표현될 수 있다. 무용수는 무대 위에서 엄격하지만 우아한 동작으로 이 개념을 생생하게 전달할 수 있다.

무용수는 무대에 단정하고 품위 있는 모습으로 등장한다. 그의 발걸음은 정확하고 신중하며, 팔과 다리는 절제된 움직임을 보인다. 이 초기 동작은 무용수가 엄격한 매력을 발산하는 순간의 품위와 단순함을 상징한다.

무용수의 움직임은 점점 더 정제되고 강렬해진다. 그의 몸짓은 단순함 속에서 우아함을 표현하며, 발걸음은 일정한 리듬을 유지하고 팔과 다리는 절도 있게 뻗어진다. 이 동작은 무용수가 엄격한 매력을 통해 내면의 품위와 강인함을 드러내는 모습을 나타낸다.

내면의 품위와 절제는 깊고 안정된 동작으로 표현된다. 무용수는 내면의 품위와 절제를 몸짓으로 표현하며, 그의 움직임은 차분하고 확고하다. 발걸음은 신중하게 이어지고, 팔과 다리는 부드럽게 움직인다. 이 동작은 무용수가 엄격한 매력을 통해 내면의 품위와 절제를 나타내는 과정을 상징한다.

엄격함의 절정은 강렬하고 확신에 찬 동작으로 표현된다. 무용수는 엄격함의 절정에서 몸을 최대한으로 사용하여 강렬한 움직임을 선보인다. 발걸음은 빠르고 힘차게 이어지며, 팔과 다리는 넓게 펼쳐져 엄격한 매력의 중요성과 깊이를 강조한다. 이 동작은 무용수가 엄격한 매력을 발산하는 절정의 순간을 나타낸다.

마지막으로, 엄격한 매력의 여운은 평온하고 안정된 동작으로 마무리된다. 무용수는 무대의 중심에서 평온한 자세를 취하며, 엄격한 매력의 여운을 남긴다. 그의 몸짓은 부드럽고 안정적이며, 내면의 평화와 만족을 나타낸다. 무용수의 시선은 멀리 바라보며, 앞으로의 가능성을 기대하는 모습을 보여준다.

"엄격한 매력"은 이렇게 다양한 움직임을 통해 단순하고 절제된 아름다움을 시각적으로 표현한다. 무용수의 몸짓 하나하나는 품위와 단순함의 시작, 정제되고 강렬한 표현, 내면의 품위와 절제, 엄격함의 절정, 그리고 여운을 생생하게 전달하며, 관객에게 깊은 인상을 남긴다.

authentic indications 정확한 조짐/징후

정확한 조짐/징후는 어떤 일이 일어날 것이라는 명확한 신호를 의미한다. 이는 무용수의 명확하고 의도적인 움직임을 통해 신체적으로 표현될 수 있다. 무용수는 무대 위에서 명확한 신호와 조짐을 나타내는 동작으로 이 개념을 생생하게 전달할 수 있다.

무용수는 무대에 확고하고 명확한 모습으로 등장한다. 그의 발걸음은 강하고 확신에 차있으며, 팔과 다리는 정교하게 움직인다. 이 초기 동작은 무용수가 조짐을 인식하고 이를 전달하는 순간의 결의와 명확성을 상징한다.

무용수의 움직임은 점점 더 정교하고 의미 있게 변한다. 그의 몸짓은 명확한 신호와 조짐을 나타내며, 발걸음은 일정한 리듬을 유지하고 팔과 다리는 다양한 방향으로 유연하게 뻗어진다. 이 동작은 무용수가 정확한 조짐을 통해 관객에게 명확한 신호를 전달하는 모습을 보여준다.

내면의 확신과 명료함은 깊고 강렬한 동작으로 표현된다. 무용수는 조짐을 통해 얻은 확신과 명료함을 몸짓으로 표현하며, 그의 움직임은 차분하면서도 강렬하다. 발걸음은 신중하게 이어지고, 팔과 다리는 부드럽게 움직인다. 이 동작은 무용수가 정확한 조짐을 통해 내면의 확신과 명료함을 나타내는 과정을 상징한다.

조짐의 절정은 강렬하고 확신에 찬 동작으로 표현된다. 무용수는 조짐의 절정에서 몸을 최대한으로 사용하여 강렬한 움직임을 선보인다. 발걸음은 빠르고 힘차게 이어지며, 팔과 다리는 넓게 펼쳐져 조짐의 중요성과 깊이를 강조한다. 이 동작은 무용수가 정확한 조짐의 절정에서 느끼는 강한 감정과 확신을 나타낸다.

마지막으로, 정확한 조짐의 여운은 평온하고 안정된 동작으로 마무리된다. 무용수는 무대의 중심에서 평온한 자세를 취하며, 조짐의 여운을 남긴다. 그의 몸짓은 부드럽고 안정적이며, 내면의 평화와 만족을 나타낸다. 무용수의 시선은 멀리 바라보며, 앞으로의 가능성을 기대하는 모습을 보여준다.

"정확한 조짐/징후"는 이렇게 다양한 움직임을 통해 어떤 일이 일어날 것이라는 명확한 신호를 시각적으로 표현한다.

automatic termination 자동 종료

자동 종료는 어떤 과정이나 시스템이 스스로 종료되는 것을 의미한다. 이는 무용수의 정교하고 예측 가능한 움직임을 통해 신체적으로 표현될 수 있다. 무용수는 무대 위에서 점차 멈추고 종료되는 동작으로 이 개념을 생생하게 전달할 수 있다.

무용수는 무대에 정확하고 규칙적인 모습으로 등장한다. 그의 발걸음은 일정한 리듬을 유지하고, 팔과 다리는 정교하게 움직인다. 이 초기 동작은 무용수가 자동 종료 과정의 시작을 알리는 순간의 예측 가능성과 규칙성을 상징한다.

무용수의 움직임은 점점 더 정해진 패턴에 따라 진행된다. 그의 몸짓은 시스템이 자동으로 종료되는 과정을 나타내며, 발걸음은 규칙적으로 이어지고 팔과 다리는 기계적으로 뻗어진다. 이 동작은 무용수가 자동 종료의 과정을 통해 일관성 있게 움직이는 모습을 보여준다.

내면의 예측 가능성과 안정감은 차분하고 반복적인 동작으로 표현된다. 무용수는 자동 종료의 과정에서 내면의 안정감을 느끼며, 그의 움직임은 차분하고 일정하다. 발걸음은 신중하게 이어지고, 팔과 다리는 부드럽게 움직인다. 이 동작은 무용수가 자동 종료를 통해 내면의 예측 가능성과 안정감을 나타내는 과정을 상징한다.

종료의 절정은 강렬하고 확신에 찬 동작으로 표현된다. 무용수는 종료의 절정에서 몸을 최대한으로 사용하여 강렬한 움직임을 선보인다. 발걸음은 빠르고 힘차게 이어지며, 팔과 다리는 넓게 펼쳐져 종료의 중요성과 강렬함을 강조한다. 이 동작은 무용수가 자동 종료의 절정에서 느끼는 강한 감정과 확신을 나타낸다.

마지막으로, 자동 종료의 여운은 평온하고 안정된 동작으로 마무리된다. 무용수는 무대의 중심에서 평온한 자세를 취하며, 종료의 여운을 남긴다. 그의 몸짓은 부드럽고 안정적이며, 내면의 평화와 만족을 나타낸다. 무용수의 시선은 멀리 바라보며, 종료 이후의 가능성을 기대하는 모습을 보여준다.

"자동 종료"는 이렇게 다양한 움직임을 통해 어떤 과정이나 시스템이 스스로 종료되는 것을 시각적으로 표현한다. 무용수의 몸짓 하나하나는 종료의 시작, 규칙적인 진행, 내면의 안정감, 종료의 절정, 그리고 여운을 생생하게 전달한다.

avaricious eyes 탐욕스러운 눈

탐욕스러운 눈은 욕심과 소유욕을 가득 담은 시선을 의미한다. 이는 무용수의 집요하고 열망이 가득한 움직임을 통해 신체적으로 표현될 수 있다. 무용수는 무대 위에서 탐욕과 욕망을 담은 동작으로 이 개념을 생생하게 전달할 수 있다.

무용수는 무대에 강렬하고 열망이 가득한 모습으로 등장한다. 그의 발걸음은 무겁고 집요하며, 팔과 다리는 강하게 뻗어진다. 이 초기 동작은 무용수가 탐욕과 욕망을 드러내는 순간의 열정을 상징한다.

무용수의 움직임은 점점 더 강렬하고 열망에 가득 차게 변한다. 그의 몸짓은 탐욕스러운 시선을 표현하며, 발걸음은 빠르고 힘차게 이어진다. 팔과 다리는 욕망을 향해 뻗어지며, 모든 것을 소유하고자 하는 열망을 나타낸다. 이 동작은 무용수가 탐욕스러운 눈으로 세상을 바라보는 모습을 보여준다.

내면의 욕망과 집착은 깊고 강렬한 동작으로 표현된다. 무용수는 탐욕과 욕망을 몸짓으로 표현하며, 그의 움직임은 차분하면서도 강렬하다. 발걸음은 신중하게 이어지고, 팔과 다리는 부드럽게 움직인다. 이 동작은 무용수가 탐욕스러운 눈으로 목표를 집요하게 쫓는 과정을 상징한다.

탐욕의 절정은 폭발적이고 강력한 동작으로 표현된다. 무용수는 탐욕의 절정에서 몸을 최대한으로 사용하여 강렬한 움직임을 선보인다. 발걸음은 빠르고 힘차게 이어지며, 팔과 다리는 넓게 펼쳐져 욕망의 강렬함과 중요성을 강조한다. 이 동작은 무용수가 탐욕스러운 눈으로 세상을 바라보는 절정의 순간을 나타낸다.

마지막으로, 탐욕스러운 눈의 여운은 점차 평온하고 안정된 동작으로 마무리된다. 무용수는 무대의 중심에서 평온한 자세를 취하며, 탐욕의 여운을 남긴다. 그의 몸짓은 차츰 부드럽고 안정적으로 변하여 내면의 평화를 찾는 과정을 보여준다. 무용수의 시선은 멀리 바라보며, 탐욕을 넘어 새로운 가능성을 기대하는 모습을 나타낸다.

"탐욕스러운 눈"은 이렇게 다양한 움직임을 통해 욕심과 소유욕을 가득 담은 시선을 시각적으로 표현한다. 무용수의 몸짓 하나하나는 탐욕의 시작, 강렬한 열망, 내면의 욕망과 집착, 탐욕의 절정, 그리고 여운을 생생하게 전달하며, 관객에게 깊은 인상을 남긴다.

avenging fate 복수의 운명

복수의 운명은 필연적으로 복수를 향해 나아가는 숙명을 의미한다. 이는 무용수의 강렬하고 결연한 움직임을 통해 신체적으로 표현될 수 있다. 무용수는 무대 위에서 복수의 감정과 필연적인 운명을 나타내는 동작으로 이 개념을 생생하게 전달할 수 있다.

무용수는 무대에 단호하고 결연한 모습으로 등장한다. 그의 발걸음은 무겁고 확고하며, 팔과 다리는 강하게 뻗어진다. 이 초기 동작은 무용수가 복수를 결심하는 순간의 강한 의지와 결의를 상징한다.

무용수의 움직임은 점점 더 강렬하고 결연하게 변한다. 그의 몸짓은 복수의 운명을 향해 나아가는 과정을 표현하며, 발걸음은 빠르고 힘차게 이어진다. 팔과 다리는 복수의 목표를 향해 강하게 뻗어져 그의 결의를 나타낸다. 이 동작은 무용수가 복수를 향해 나아가는 운명의 모습을 보여준다.

내면의 분노와 결의는 깊고 강렬한 동작으로 표현된다. 무용수는 복수의 감정을 몸짓으로 표현하며, 그의 움직임은 차분하면서도 강렬하다. 발걸음은 신중하게 이어지고, 팔과 다리는 부드럽게 움직인다. 이 동작은 무용수가 복수의 운명을 받아들이고 이를 실행하려는 과정을 상징한다.

복수의 절정은 폭발적이고 강력한 동작으로 표현된다. 무용수는 복수의 절정에서 몸을 최대한으로 사용하여 강렬한 움직임을 선보인다. 발걸음은 빠르고 힘차게 이어지며, 팔과 다리는 넓게 펼쳐져 복수의 강렬함과 중요성을 강조한다. 이 동작은 무용수가 복수의 운명을 완성하는 절정의 순간을 나타낸다.

마지막으로, 복수의 여운은 점차 평온하고 안정된 동작으로 마무리된다. 무용수는 무대의 중심에서 평온한 자세를 취하며, 복수의 여운을 남긴다. 그의 몸짓은 차츰 부드럽고 안정적으로 변하여 내면의 평화를 찾는 과정을 보여준다. 무용수의 시선은 멀리 바라보며, 복수를 넘어 새로운 가능성을 기대하는 모습을 나타낸다.

"복수의 운명"은 이렇게 다양한 움직임을 통해 필연적으로 복수를 향해 나아가는 숙명을 시각적으로 표현한다. 무용수의 몸짓 하나하나는 복수의 결심, 강렬한 결의, 내면의 분노와 결의, 복수의 절정, 그리고 여운을 생생하게 전달하며, 관객에게 깊은 인상을 남긴다.

average excellence 일반적인 뛰어남

일반적인 뛰어남은 특별히 두드러지지는 않지만, 꾸준히 우수한 성과를 유지하는 상태를 의미한다. 이는 무용수의 균형 잡히고 안정된 움직임을 통해 신체적으로 표현될 수 있다. 무용수는 무대 위에서 일관되게 뛰어난 동작으로 이 개념을 생생하게 전달할 수 있다.

무용수는 무대에 자신감 있고 안정된 모습으로 등장한다. 그의 발걸음은 확고하고 일정하며, 팔과 다리는 부드럽고 조화롭게 움직인다. 이 초기 동작은 무용수가 꾸준히 뛰어난 성과를 유지하는 모습을 상징한다.

무용수의 움직임은 점점 더 균형 있고 일관되게 변한다. 그의 몸짓은 꾸준한 우수성을 표현하며, 발걸음은 리드미컬하게 이어지고 팔과 다리는 유연하게 뻗어진다. 이 동작은 무용수가 특별히 두드러지지 않지만, 일관되게 뛰어난 상태를 나타낸다.

내면의 안정감과 자신감은 깊고 차분한 동작으로 표현된다. 무용수는 내면의 안정감과 자신감을 몸짓으로 표현하며, 그의 움직임은 차분하고 확고하다. 발걸음은 일정하게 이어지고, 팔과 다리는 부드럽게 움직인다. 이 동작은 무용수가 일반적인 뛰어남을 유지하며 내면의 안정감과 자신감을 표현하는 과정을 상징한다.

우수성의 절정은 조화롭고 확신에 찬 동작으로 표현된다. 무용수는 우수성의 절정에서 몸을 최대한으로 사용하여 조화로운 움직임을 선보인다. 발걸음은 리드미컬하게 이어지며, 팔과 다리는 넓게 펼쳐져 우수성의 중요성과 일관성을 강조한다. 이 동작은 무용수가 일반적인 뛰어남을 완성하는 절정의 순간을 나타낸다.

마지막으로, 일반적인 뛰어남의 여운은 평온하고 안정된 동작으로 마무리된다. 무용수는 무대의 중심에서 평온한 자세를 취하며, 뛰어남의 여운을 남긴다. 그의 몸짓은 부드럽고 안정적이며, 내면의 평화와 만족을 나타낸다. 무용수의 시선은 멀리 바라보며, 앞으로의 가능성을 기대하는 모습을 보여준다.

"일반적인 뛰어남"은 이렇게 다양한 움직임을 통해 특별히 두드러지지는 않지만 꾸준히 우수한 성과를 유지하는 상태를 시각적으로 표현한다. 무용수의 몸짓 하나하나는 우수성의 시작, 균형 있고 일관된 표현, 내면의 안정감과 자신감, 우수성의 절정, 그리고 여운을 생생하게 전달하며, 관객에게 깊은 인상을 남긴다.

awakened curiosity 깨어난 호기심

깨어난 호기심은 새로운 것에 대한 강한 관심과 탐구 욕구를 의미한다. 이는 무용수의 탐구적이고 신비로운 움직임을 통해 신체적으로 표현될 수 있다. 무용수는 무대 위에서 호기심이 깨어나는 순간과 그에 따른 탐구 과정을 생생하게 전달할 수 있다.

무용수는 무대에 가벼운 발걸음으로 등장한다. 그의 발걸음은 부드럽고 경쾌하며, 팔과 다리는 유연하게 움직인다. 이 초기 동작은 무용수가 새로운 것에 대한 관심과 호기심이 깨어나는 순간을 상징한다.

무용수의 움직임은 점점 더 탐구적이고 신비롭게 변한다. 그의 몸짓은 주변을 탐색하며,

발걸음은 리드미컬하게 이어지고 팔과 다리는 다양한 방향으로 유연하게 뻗어진다. 이 동작은 무용수가 깨어난 호기심을 통해 주변을 탐구하는 모습을 표현한다.

내면의 호기심과 흥미는 깊고 풍부한 동작으로 표현된다. 무용수는 내면의 호기심과 흥미를 몸짓으로 표현하며, 그의 움직임은 차분하면서도 신비롭다. 발걸음은 신중하게 이어지고, 팔과 다리는 부드럽게 움직인다. 이 동작은 무용수가 호기심을 통해 내면의 흥미와 관심을 나타내는 과정을 상징한다.

호기심의 절정은 활기차고 강렬한 동작으로 표현된다. 무용수는 호기심의 절정에서 몸을 최대한으로 사용하여 활기찬 움직임을 선보인다. 발걸음은 빠르고 힘차게 이어지며, 팔과 다리는 넓게 펼쳐져 호기심의 강렬함과 중요성을 강조한다. 이 동작은 무용수가 깨어난 호기심의 절정에서 느끼는 강한 감정과 흥미를 나타낸다.

마지막으로, 깨어난 호기심의 여운은 평온하고 안정된 동작으로 마무리된다. 무용수는 무대의 중심에서 평온한 자세를 취하며, 호기심의 여운을 남긴다. 그의 몸짓은 부드럽고 안정적이며, 내면의 평화와 만족을 나타낸다. 무용수의 시선은 멀리 바라보며, 앞으로의 가능성을 기대하는 모습을 보여준다.

"깨어난 호기심"은 이렇게 다양한 움직임을 통해 새로운 것에 대한 강한 관심과 탐구 욕구를 시각적으로 표현한다. 무용수의 몸짓 하나하나는 호기심의 시작, 탐구적인 표현, 내면의 호기심과 흥미, 호기심의 절정, 그리고 여운을 생생하게 전달하며, 관객에게 깊은 인상을 남긴다.

awful dejection 지독한 낙담

지독한 낙담은 깊고 극심한 실망과 절망감을 의미한다. 이는 무용수의 무거운 움직임과 내면의 고통을 표현하는 동작을 통해 신체적으로 전달될 수 있다. 무용수는 무대 위에서 절망과 실망을 느끼는 과정을 생생하게 표현할 수 있다.

무용수는 무대에 무겁고 지친 모습으로 등장한다. 그의 발걸음은 느리고 무겁게 이어지며, 팔과 다리는 힘없이 축 처진다. 이 초기 동작은 무용수가 깊은 낙담의 시작을 경험하는 순간의 무게감을 상징한다.

무용수의 움직임은 점점 더 느리고 무거워진다. 그의 몸짓은 내면의 절망을 표현하며, 발걸음은 불규칙하고 힘없이 이어진다. 팔과 다리는 무기력하게 뻗어져 그의 지친 마음을 드러낸다. 이 동작은 무용수가 지독한 낙담을 겪는 모습을 보여준다.

내면의 고통과 절망은 강렬하고 복잡한 동작으로 표현된다. 무용수는 절망의 감정을 몸짓으로 표현하며, 그의 움직임은 고통스럽고 혼란스럽다. 발걸음은 불안정하게 이어지고, 팔과 다리는 떨리며 다양한 방향으로 움직인다. 이 동작은 무용수가 내면의 고통과 절망을 겪는 과정을 상징한다.

절망의 절정은 강렬하고 폭발적인 동작으로 표현된다. 무용수는 절망의 절정에서 몸을 최대한으로 사용하여 강렬한 움직임을 선보인다. 발걸음은 빠르고 힘차게 이어지며, 팔과 다리는 넓게 펼쳐져 절망의 강렬함과 깊이를 강조한다. 이 동작은 무용수가 지독한 낙담의 절정에서 느끼는 강한 감정과 고통을 나타낸다.

마지막으로, 지독한 낙담의 여운은 점차 평온하고 안정된 동작으로 마무리된다. 무용수는 무대의 중심에서 평온한 자세를 취하며, 낙담의 여운을 남긴다. 그의 몸짓은 차츰 부드럽고 안정적으로 변하여 내면의 평화를 찾는 과정을 보여준다. 무용수의 시선은 멀리 바라보며, 낙담을 극복하고 새로운 가능성을 기대하는 모습을 나타낸다.

"지독한 낙담"은 이렇게 다양한 움직임을 통해 깊고 극심한 실망과 절망감을 시각적으로 표현한다. 무용수의 몸짓 하나하나는 낙담의 시작, 느리고 무거운 움직임, 내면의 고통과 절망, 절망의 절정, 그리고 여운을 생생하게 전달하며, 관객에게 깊은 인상을 남긴다.

awkward dilemma 어색한 딜레마

어색한 딜레마는 선택의 갈림길에서 무엇을 선택해야 할지 몰라 불편하고 난처한 상황을 의미한다. 이는 무용수의 불안정하고 혼란스러운 움직임을 통해 신체적으로 표현될 수 있다. 무용수는 무대 위에서 갈등과 혼란, 그리고 결정을 내리는 과정을 생생하게 전달할 수 있다.

무용수는 무대에 불안정하고 혼란스러운 모습으로 등장한다. 그의 발걸음은 망설이며,

팔과 다리는 조심스럽게 움직인다. 이 초기 동작은 무용수가 어색한 딜레마에 직면한 순간의 갈등과 혼란을 상징한다.

무용수의 움직임은 점점 더 불안정하고 혼란스러워진다. 그의 몸짓은 갈등과 선택의 어려움을 표현하며, 발걸음은 불규칙하게 이어지고, 팔과 다리는 다양한 방향으로 움직인다. 이 동작은 무용수가 어색한 딜레마 속에서 어떤 선택을 해야 할지 몰라 난처해하는 모습을 나타낸다.

내면의 갈등과 불편함은 깊고 복잡한 동작으로 표현된다. 무용수는 딜레마 속에서 느끼는 내면의 갈등과 불편함을 몸짓으로 표현하며, 그의 움직임은 혼란스럽고 불안정하다. 발걸음은 주저하며 이어지고, 팔과 다리는 떨리며 다양한 방향으로 움직인다. 이 동작은 무용수가 어색한 딜레마를 겪는 과정을 상징한다.

결정의 순간은 강렬하고 확신에 찬 동작으로 표현된다. 무용수는 결정의 순간에서 몸을 최대한으로 사용하여 강렬한 움직임을 선보인다. 발걸음은 빠르고 힘차게 이어지며, 팔과 다리는 넓게 펼쳐져 결단의 중요성과 강렬함을 강조한다. 이 동작은 무용수가 딜레마를 극복하고 결정을 내리는 순간을 나타낸다.

마지막으로, 어색한 딜레마의 여운은 평온하고 안정된 동작으로 마무리된다. 무용수는 무대의 중심에서 평온한 자세를 취하며, 딜레마의 여운을 남긴다. 그의 몸짓은 차츰 부드럽고 안정적으로 변하여 내면의 평화를 찾는 과정을 보여준다. 무용수의 시선은 멀리 바라보며, 딜레마를 극복하고 새로운 가능성을 기대하는 모습을 나타낸다.

"어색한 딜레마"는 이렇게 다양한 움직임을 통해 선택의 갈림길에서 무엇을 선택해야 할지 몰라 불편하고 난처한 상황을 시각적으로 표현한다. 무용수의 몸짓 하나하나는 딜레마의 시작, 불안정한 움직임, 내면의 갈등과 불편함, 결정의 순간, 그리고 여운을 생생하게 전달하며, 관객에게 깊은 인상을 남긴다.

axiomatic truth 자명한 진리

자명한 진리는 증명할 필요 없이 명백하게 사실로 받아들여지는 진리를 의미한다. 이는 무용수의 확고하고 명료한 움직임을 통해 신체적으로 표현될 수 있다. 무용수는 무대 위에서 명확하고 절대적인 진리를 나타내는 동작으로 이 개념을 생생하게 전달할 수 있다. 무용수는 무대에 확신에 찬 모습으로 등장한다. 그의 발걸음은 정확하고 확고하며, 팔과 다리는 명료하게 움직인다. 이 초기 동작은 무용수가 자명한 진리를 나타내기 위해 첫걸음을 내딛는 순간의 확신과 명확성을 상징한다.

무용수의 움직임은 점점 더 확고하고 일관되게 변한다. 그의 몸짓은 자명한 진리를 표현하며, 발걸음은 리드미컬하게 이어지고 팔과 다리는 유연하게 뻗어진다. 이 동작은 무용수가 명확한 진리를 전달하는 모습을 보여준다.

내면의 확신과 명료함은 깊고 안정된 동작으로 표현된다. 무용수는 내면의 확신과 명료함을 몸짓으로 표현하며, 그의 움직임은 차분하면서도 강렬하다. 발걸음은 신중하게 이어지고, 팔과 다리는 부드럽게 움직인다. 이 동작은 무용수가 자명한 진리를 통해 내면의 확신과 명료함을 나타내는 과정을 상징한다.

진리의 절정은 강렬하고 확신에 찬 동작으로 표현된다. 무용수는 진리의 절정에서 몸을 최대한으로 사용하여 강렬한 움직임을 선보인다. 발걸음은 빠르고 힘차게 이어지며, 팔과 다리는 넓게 펼쳐져 진리의 강렬함과 중요성을 강조한다. 이 동작은 무용수가 자명한 진리의 절정에서 느끼는 강한 감정과 확신을 나타낸다.

마지막으로, 자명한 진리의 여운은 평온하고 안정된 동작으로 마무리된다. 무용수는 무대의 중심에서 평온한 자세를 취하며, 진리의 여운을 남긴다. 그의 몸짓은 부드럽고 안정적이며, 내면의 평화와 만족을 나타낸다. 무용수의 시선은 멀리 바라보며, 진리의 여운을 깊이 새기며 앞으로 나아가는 모습을 보여준다.

"자명한 진리"는 이렇게 다양한 움직임을 통해 증명할 필요 없이 명백하게 사실로 받아들여지는 진리를 시각적으로 표현한다. 무용수의 몸짓 하나하나는 진리의 시작, 확고하고 일관된 움직임, 내면의 확신과 명료함, 진리의 절정, 그리고 여운을 생생하게 전달하며, 관객에게 깊은 인상을 남긴다.

The A Movement

발 행 | 2024 년 06 월 10 일

저 자 | 신숙경

표지 디자인 | 어나더 레벨

펴낸이 | 한건희

펴낸곳 | 주식회사 부크크

출판사등록 | 2014.07.15.(제 2014-16 호)

주 소 | 서울특별시 금천구 가산디지털 1 로 119 SK 트윈타워 A 동 305 호

전 화 | 1670-8316

이메일 | info@bookk.co.kr

ISBN | 979-11-410-8819-4

www.bookk.co.kr